YANNICK GRANNEC

Yannick Grannec est designer industriel de formation, graphiste de métier et passionnée de mathématiques. *La Déesse des petites victoires*, son premier roman, a reçu le Prix des libraires 2013. Il a également remporté la Bourse de la Découverte de la Fondation Prince Pierre de Monaco. Elle vit dans le sud-est de la France.

Pocket, une marque d'Univers Poche,
est un éditeur qui s'engage pour la préservation
de son environnement et qui utilise du papier fabriqué
à partir de bois provenant de forêts gérées
de manière responsable.

ISBN : 978-2-266-23568-6

YANNICK GRANNEC

LA DÉESSE DES PETITES VICTOIRES

ÉDITIONS ANNE CARRIÈRE

LA DÉESSE DES PETITES VICTOIRES

« Il y a deux voies de diffusion de la lumière :
être la bougie ou le miroir qui la reflète. »

Edith Wharton

1.

Octobre 1980

Maison de retraite Pine Run, Doylestown, États-Unis

À l'exacte frontière du couloir et de la chambre, Anna attendait que l'infirmière plaide sa cause. La jeune femme se concentrait sur chaque bruit, tentant de museler son angoisse : conversations effilochées, éclats de voix, murmure des télévisions, chuintement des portes qui s'ouvrent sans cesse, claquements des chariots métalliques.

Son dos protestait, mais elle hésitait encore à poser son sac. Elle avança d'un pas pour se placer au centre du carreau de linoléum marquant le seuil de la chambre. Elle joua avec la fiche cartonnée rangée dans sa poche pour se donner du courage. Elle y avait rédigé un argumentaire solide en capitales bien lisibles.

La soignante caressa la main constellée de taches de la vieille dame, ajusta son bonnet et cala ses oreillers.

— Madame Gödel, vous avez trop peu de visites pour vous permettre d'en refuser. Recevez-la. Faites-la tourner en bourrique. Ça vous donnera un peu d'exercice !

En sortant, l'infirmière offrit un sourire compatissant à Anna. *Il faut savoir s'y prendre avec elle. Bonne chance, ma jolie.* Elle ne l'aiderait pas davantage. La jeune femme hésita. Elle s'était pourtant préparée à cet entretien : elle exposerait les points forts de sa démonstration en prenant soin d'articuler chaque mot, avec entrain. Sous le regard peu amène de la grabataire, elle se ravisa. Elle se devait de rester neutre, de disparaître derrière la tenue passe-muraille choisie ce matin-là : jupe écossaise dans les beiges, twin-set assorti. Elle n'avait désormais qu'une seule certitude : Mme Gödel n'était pas de ces vieilles dames qu'on réduit à leur prénom parce qu'elles vont bientôt mourir. Anna ne sortirait pas sa fiche.

— Je suis très honorée de vous rencontrer, madame Gödel. Je m'appelle Anna Roth.

— Roth ? Vous êtes juive ?

Anna sourit au plantureux accent viennois, refusant de se laisser intimider.

— Cela a de l'importance pour vous ?

— Aucune. J'aime apprendre d'où viennent les gens. Je voyage par procuration maintenant que…

La malade tenta de se redresser avec un rictus de douleur. Dans un élan, Anna voulut l'aider. Un regard polaire l'en dissuada.

— Alors comme ça, vous êtes de l'Institut ? Vous êtes bien jeunette pour moisir dans cette maison de retraite pour scientifiques. Mais abrégeons ! Nous savons toutes deux ce qui vous amène.

— Nous pouvons vous faire une proposition.

— Quelle bande d'imbéciles ! Comme si c'était une question d'argent !

Anna sentit la panique monter. *Surtout, ne réponds pas*. Elle osait à peine respirer malgré la nausée provoquée par les odeurs de désinfectant et de mauvais café. Elle n'avait jamais aimé ni les vieux ni les hôpitaux. Fuyant son regard, la vieille dame tortillait des cheveux invisibles sous son bonnet de laine. « Partez, mademoiselle. Vous n'êtes pas à votre place ici. »

Anna s'écroula dans un siège en skaï marron du foyer. Elle tendit la main vers la boîte de chocolats à la liqueur posée sur un guéridon à côté d'elle. Elle l'y avait abandonnée en arrivant ; les douceurs étaient une mauvaise idée : Mme Gödel ne devait plus être autorisée à en manger. La boîte était vide. Anna se vengea sur l'ongle de son pouce. Elle avait tenté et échoué. L'Institut devrait patienter jusqu'au décès de la veuve en priant tous les dieux du Rhin pour que celle-ci ne détruise rien de précieux. La jeune femme aurait tant aimé être la première à inventorier le *Nachlass** de Kurt Gödel. Mortifiée, elle pensa encore à ses dérisoires préparatifs. Finalement, elle s'était fait éjecter d'une pichenette.

Elle déchira soigneusement sa fiche et en répartit chaque morceau dans les alvéoles de la boîte du confiseur. On l'avait mise en garde contre la vulgarité butée de la veuve Gödel. Personne n'était jamais parvenu à la raisonner, ni ses proches ni le directeur de l'Institut lui-même. Comment cette folle pouvait-elle s'arc-bouter ainsi sur un trésor du patrimoine de l'humanité ? Pour qui se prenait-elle ? Anna se redressa. *Foutu pour foutu, j'y retourne.*

* « Succession », ici au sens d'héritage intellectuel ; ensemble de documents recueillis de manière posthume.

Elle toqua à peine avant d'entrer dans la chambre. Mme Gödel ne sembla pas surprise de cette irruption.

— Vous n'êtes ni cupide ni folle. En réalité, vous voulez juste les provoquer ! Ce petit pouvoir de nuisance, c'est tout ce qu'il vous reste.

— Et eux ? Qu'ont-ils manigancé cette fois ? Me balancer dans les pattes une vague secrétaire ? Une gentille fille pas trop jolie pour épargner ma susceptibilité de vieille femme ?

— Vous êtes tout à fait consciente de la valeur de ces archives pour la postérité.

— Vous savez quoi ? La postérité, je l'emmerde ! Et vos archives, je vais peut-être les brûler. J'ai particulièrement envie d'utiliser certaines lettres de ma belle-mère comme papier chiotte.

— Vous n'avez pas le droit de détruire ces documents !

— Qu'est-ce qu'ils croient à l'IAS* ? Que la grosse Autrichienne est incapable de mesurer l'importance de ces papiers ? J'ai vécu avec cet homme pendant plus de cinquante ans. J'en ai foutrement conscience de sa grandeur ! J'ai porté sa traîne et astiqué sa couronne toute ma vie ! Vous êtes comme tous ces trous du cul serrés de Princeton, vous vous demandez pourquoi un tel génie a épousé une truie pareille ? Adressez-vous à la postérité pour avoir la réponse ! Personne ne s'est jamais posé la question de savoir ce que *moi* j'ai bien pu lui trouver !

— Vous êtes en colère, mais pas vraiment contre l'Institut.

* Institute for Advanced Study : Institut de recherche avancée.

La veuve Gödel la fixa de ses yeux bleus délavés, veinés de rouge, assortis à sa chemise de nuit fleurie.

— Il est mort, madame. Personne n'y peut rien.

La vieille dame fit tourner son alliance sur un doigt jauni.

— De quel fond de tiroir à doctorats vous ont-ils sortie ?

— Je n'ai pas de compétences scientifiques particulières. Je suis documentaliste à l'IAS.

— Kurt prenait toutes ses notes en Gabelsberger, une sténo allemande oubliée. Si je vous les donnais, vous ne sauriez pas quoi en faire !

— Je maîtrise le Gabelsberger.

Les mains abandonnèrent la bague pour agripper le col de la robe de chambre.

— Comment est-ce possible ? Il doit rester trois personnes sur terre...

— *Meine Großmutter war Deutsche. Sie hat mir die Schrift beigebracht*[*].

— Ils se croient toujours aussi malins ! Je devrais vous faire confiance parce que vous bredouillez un peu d'allemand ? Pour votre gouverne, mademoiselle la documentaliste, je suis viennoise, pas allemande. Et sachez que les trois personnes capables de traduire le Gabelsberger ne font pas partie des dix qui peuvent comprendre Kurt Gödel. D'ailleurs, ni vous ni moi n'en sommes capables.

— Je n'ai pas cette prétention. J'aimerais me rendre utile en répertoriant le contenu du *Nachlass* afin que d'autres, des gens réellement compétents, l'étudient.

* « Ma grand-mère était allemande. Elle m'a appris cette écriture. »

Ce n'est ni un caprice ni un rapt, mais une marque de respect. Madame.

— Vous êtes toute voûtée. Ça vous vieillit. Redressez-vous !

La jeune femme corrigea sa posture. Elle avait toute une vie de « Anna, redresse-toi » derrière elle.

— Ils venaient d'où, ces chocolats ?

— Comment avez-vous deviné ?

— Une question de logique. Primo, vous semblez être une brave fille bien éduquée, vous n'avez pas débarqué les mains vides. Secundo...

Elle lui indiqua la porte d'un coup de menton. Anna se retourna : une toute petite chose fripée patientait dans l'embrasure. Son pull angora rose pailleté était souillé de chocolat.

— Adèle, c'est l'heure du thé.

— J'arrive, Gladys. Puisque vous tenez à être utile, mademoiselle, commencez par m'aider à sortir de ce cercueil chromé.

Anna approcha le fauteuil roulant, rabattit la barrière métallique et repoussa les draps. Elle hésitait à toucher la vieille dame. Celle-ci fit pivoter son corps, posa ses pieds tremblants à terre puis invita d'un sourire la jeune femme à la soutenir. Anna la prit sous les bras. Une fois installée dans son fauteuil, Adèle soupira d'aise ; Anna, de soulagement, surprise d'avoir retrouvé sans peine des gestes qu'elle pensait effacés de sa mémoire. Sa grand-mère Josepha laissait dans son sillage cette même odeur de lavande. Elle refoula sa nostalgie ; une gorge serrée, c'était peu cher payé pour un premier contact si prometteur.

— Vous voulez me faire vraiment plaisir, mademoiselle Roth ? Alors, apportez-moi une bouteille de bourbon la prochaine fois. Tout ce qu'on arrive à passer en fraude ici, c'est du sherry. J'ai horreur du sherry. D'ailleurs, j'ai toujours détesté les Anglais.

— Je peux donc revenir ?

— *Mag sein*[*]…

*. « Ça se pourrait. »

2.

1928

Le temps où j'étais belle

> « Être amoureux, c'est se créer une religion dont le dieu est faillible. »
>
> Jorge Luis Borges, *Neuf essais sur Dante*

Je l'ai remarqué bien avant que son regard ne tombe sur moi. Nous habitions dans la même rue à Vienne, dans le Josefstadt, à deux pas de l'université : lui, avec son frère Rudolf, moi, chez mes parents. Ce petit matin-là, comme à mon habitude, je rentrais seule depuis le *Nachtfalter*[*], le cabaret qui m'employait. Je n'avais jamais été assez naïve pour croire au désintéressement des clients qui insistaient pour me raccompagner après mon service. Mes jambes connaissaient le chemin par cœur, mais je ne pouvais m'autoriser à baisser la garde. La ville était grise. On racontait des histoires terrifiantes à l'époque sur des gangs

*. « Papillon de nuit. »

guettant les demoiselles à vendre aux bordels de Berlin-Babylone. Alors me voilà, Adèle, plus vraiment une jeune fille, mais l'air d'avoir vingt ans, rasant les murs et questionnant les ombres. *Porkert, dans cinq minutes tu quittes ces maudites chaussures, dans dix, tu es dans ton lit.* À quelques pas de chez moi, j'ai aperçu une silhouette sur le trottoir d'en face, celle d'un homme de taille modeste, enfoui dans un lourd manteau, la tête couverte d'un feutre sombre et le visage masqué par une écharpe. Les bras croisés dans le dos, il marchait avec lenteur, comme pour une promenade digestive. J'ai accéléré l'allure. J'avais les entrailles nouées. Mon ventre me trompait rarement. Personne ne se promène à 5 heures du matin. À l'aube, si vous êtes du bon côté de la comédie humaine, vous revenez d'un club, sinon, vous partez travailler. Et puis, personne ne se serait emmitouflé ainsi par une si douce nuit. J'ai serré les fesses et parcouru les derniers mètres en évaluant les chances de réveiller les voisins par mes cris. Dans une main, je tenais ma clef, un petit sachet de poivre dans l'autre. Mon amie Lieesa m'avait expliqué un jour comment aveugler un agresseur avant de lui lacérer les joues. Parvenue à mon immeuble, je me suis dépêchée de claquer la mince porte de bois derrière moi. Il m'avait flanqué une de ces frousses ! Je l'ai observé, cachée par le rideau de ma chambre : il déambulait toujours. Le lendemain, à la même heure, je n'ai pas pressé le pas en retrouvant mon fantôme. Dès lors, je l'ai croisé tous les matins pendant deux semaines. À aucun moment il n'a paru remarquer ma présence. Il semblait ne rien voir. J'ai changé de trottoir. Je voulais en avoir le cœur net, je l'ai frôlé. Il est passé à côté de moi sans même lever la tête. J'ai bien fait rire les filles du club avec mon histoire de poivre. Un jour, je ne l'ai pas revu. Je suis rentrée un peu plus tôt, puis un peu plus tard ; il s'était volatilisé.

Jusqu'au soir où, au vestiaire du *Nachtfalter*, il m'a tendu son lourd manteau, beaucoup trop chaud pour la saison. Son propriétaire était un beau brun d'une vingtaine d'années, aux yeux bleus flous derrière de sévères lunettes cerclées de noir. Je n'ai pu m'empêcher de le provoquer.

— Bonsoir, monsieur le fantôme de la Lange Gasse.

Il m'a regardée comme le Commandeur en personne puis s'est tourné vers les deux amis qui l'accompagnaient. J'identifiai Marcel Natkin, un client de la boutique de mon père. Ils ont ricané comme le font tous les jeunes hommes quand ils sont un peu gênés, même les plus instruits. Il n'était pas, lui, du genre à faire du gringue aux demoiselles de vestiaire.

Comme il ne répondait pas et que j'étais pressée par l'affluence à l'entrée, je n'ai pas insisté. J'ai pris les affaires de ces messieurs et je me suis cachée entre les cintres.

Vers 1 heure, j'ai revêtu mon costume de scène, une panoplie très décente comparée à ce qu'on pouvait exhiber dans certaines boîtes à la mode. C'était une tenue coquine de matelot : chemisette, short blanc satiné avec une lavallière bleu nuit, et j'étais, bien sûr, maquillée comme à la parade. C'est fou ce que je pouvais me mettre comme peinture à l'époque ! J'ai fait mon numéro avec les filles – Lieesa a encore raté la moitié des pas – puis nous avons laissé la place au chansonnier comique. J'ai repéré le trio, assis près de l'estrade, appréciant pleinement nos jambes dévoilées, mon fantôme n'étant pas le moins assidu. J'ai repris mon poste au vestiaire. Le *Nachtfalter* était un petit club : il fallait faire un peu de tout, danser et vendre des cigarettes entre deux passages.

Ce fut au tour de mes amies de ricaner quand il me rejoignit quelques instants plus tard.

— Veuillez m'excuser, mademoiselle, nous nous connaissons ?

— Je vous croise souvent sur la Lange Gasse.

Je farfouillai sous mon comptoir pour me donner une contenance. Il attendait, stoïque.

— J'habite au 65. Vous, au 72. Mais pendant la journée, je ne suis pas habillée ainsi.

J'avais envie de le taquiner ; son mutisme était attendrissant. Il paraissait inoffensif.

— Que faites-vous toutes les nuits dehors, à part regarder vos chaussures avancer ?

— J'aime réfléchir en marchant, enfin… je réfléchis mieux en marchant.

— À quoi donc de si absorbant ?

— Je ne suis pas sûr…

— Que je puisse comprendre ? Vous savez, les danseuses ont aussi une tête !

— Vérité et indécidabilité.

— Laissez-moi deviner… Vous êtes un de ces étudiants en philosophie. Vous dilapidez l'argent de votre père dans des études qui ne vous mènent à rien, sinon à reprendre l'entreprise familiale de bonneterie.

— C'est presque correct, je m'intéresse à la philosophie, cependant je suis étudiant en mathématiques. Mon père dirige effectivement une fabrique de vêtements.

Il semblait étonné d'avoir autant parlé. Il se cassa en deux dans une parodie de salut militaire.

— Je m’appelle Kurt Gödel. Et vous, mademoiselle Adèle. C’est correct ?

— Presque correct, mais vous ne pouvez pas tout savoir !

— Cela reste à démontrer.

Il s’esquiva à reculons, bousculé par un flot de clients.

Je le revis, comme je l’avais espéré, à la fermeture. Ses petits camarades de jeu avaient dû le stimuler pendant la soirée.

— Me permettez-vous de vous raccompagner ?

— Je vais vous empêcher de réfléchir. Je suis très bavarde !

— Ce n’est pas grave. Je ne vous écouterai pas.

Nous sommes repartis ensemble en remontant la rue de l’université. Nous avons bavardé, plus exactement, je l’ai questionné. Nous avons parlé de l’exploit de Lindbergh, du jazz qu’il n’appréciait pas et de sa mère qu’il semblait aimer beaucoup. Nous avons évité d’évoquer les violentes manifestations de l’année passée.

Je ne sais plus de quelle couleur étaient mes cheveux à l’époque de notre rencontre. J’en ai changé si souvent dans ma vie. Je devais être blonde : un peu Jean Harlow, en moins vulgaire ; j’étais plus fine. De profil, je ressemblais à Betty Bronson. Qui se souvient encore d’elle ? J’adorais les acteurs. J’épluchais chaque numéro de la *Semaine cinématographique*. La bonne société viennoise où évoluait Kurt se méfiait du cinéma : elle chipotait peinture, littérature et surtout musique. Ce fut ma première abdication, j’allais voir des films sans lui. À mon grand soulagement, Kurt préférait l’opérette à l’opéra.

J'avais déjà mis pas mal de rêves sous mon mouchoir ; à vingt-sept ans, j'étais divorcée. Pour fuir la rigidité de ma famille, je m'étais mariée trop jeune avec un homme inconsistant. Nous sortions à peine des années d'inflation et de débrouille : choux-raves, pommes de terre et marché noir. Nous allions y replonger très vite. J'étais affamée, j'avais envie de faire la fête, je m'étais trompée d'homme : j'avais pris le premier venu, un beau parleur – Kurt, lui, ne faisait jamais de promesse qu'il ne pouvait tenir : il était scrupuleux jusqu'à la nausée. Mes rêves de jeune fille, je les avais bazardés. J'aurais aimé faire du cinéma, comme toutes les *girls* de l'époque. J'étais un peu folasse, assez jolie, surtout du profil droit. L'esclavage de la permanente venait de remplacer celui des cheveux longs. J'avais les yeux clairs, la bouche toujours dessinée par du rouge, de belles dents et de petites mains. Une tonne de poudre sur la tache de vin qui gâtait ma joue gauche. En définitive, cette maudite tache m'a bien servie. J'ai pu lui reprocher toutes mes illusions perdues.

Kurt et moi n'avions rien en commun, du moins si peu. J'avais sept ans de plus, je n'avais pas fait d'études ; il préparait son doctorat. Mon père était photographe de quartier, le sien industriel prospère. Il était luthérien, j'étais catholique, à cette époque, sans trop de zèle. Pour moi, la religion était un souvenir de famille voué à prendre la poussière sur la cheminée. En ce temps-là, on entendait tout au plus cette prière dans la loge des danseuses : « Marie, vous qui l'avez eu sans le faire, faites que je le fasse sans l'avoir ! » On avait toutes peur de se faire refiler un locataire, moi la première. Beaucoup finissaient dans l'arrière-cuisine de la mère Dora, une vieille tricoteuse. À vingt ans, j'avançais un peu au hasard : bonne pioche, mauvaise pioche, je jouais. Je n'imaginais pas devoir faire des réserves de bonheur ou d'insouciance pour plus tard ; je devais tout brûler, tout saccager. J'aurais le temps de rejouer. J'aurais surtout celui de regretter.

La promenade s'est achevée comme elle avait commencé, dans le très inconfortable silence où chacun cachait ses pensées. Même si je n'ai jamais été douée pour les mathématiques, je connais ce postulat : une toute petite inflexion de l'angle de départ fait une énorme différence à l'arrivée. Dans quelle dimension, quelle version de notre histoire, ne m'a-t-il pas raccompagnée ce soir-là ?

3.

— Comment ça, « *Mag sein* » ? Elle lâchera ces papiers, oui ou non ? Que gagne-t-elle à ce petit jeu ?

— Du temps, je suppose. De l'écoute.

— Prenez tout le temps nécessaire. Assurez-vous seulement que le *Nachlass* est en lieu sûr. Et n'allez pas la contrarier ! Elle pourrait le foutre à la poubelle, cette vieille folle.

— J'en doute. Elle semble tout à fait lucide. Là-dessus en tout cas.

— Grotesque ! Elle est incapable de les déchiffrer.

— En cinquante ans de vie commune, il a pu lui expliquer certains aspects de son travail.

— Nous ne nous intéressons pas aux mémoires d'un représentant de commerce, bon sang de bois ! Nous parlons d'un domaine dont la plupart des gens ne comprennent pas le simple énoncé !

Anna recula d'un pas ; elle détestait sentir son espace intime envahi. Calvin Adams possédait la fâcheuse habitude de vous postillonner au visage à chaque montée de tension.

La jeune femme avait résumé son entretien avec la veuve Gödel au directeur dès son arrivée à l'Institut.

Elle s'était gardée d'édulcorer l'agressivité de la vieille dame. Elle voulait souligner son mérite. Elle avait au moins réussi à entrouvrir une porte là où son prédécesseur, un spécialiste patenté, s'était cassé le nez. Agacé par ce *statu quo*, le doyen avait dédaigné la nuance.

— Et s'il avait détruit lui-même ses archives dans un accès de paranoïa ?

— Peu probable.

— La famille n'a rien réclamé ?

— Gödel n'a aucun héritier hormis son frère Rudolf, qui vit en Europe. Il a tout légué à sa femme.

— Il l'estimait donc capable d'exercer son droit moral.

— Ces papiers reviennent à l'Institut pour leur valeur diachronique. Que ce soient ses carnets, ses factures ou ses ordonnances !

— Un manuscrit inédit, qui sait ?

— Nous avons peu de chances d'y découvrir quoi que ce soit de fondamental. Il s'était un peu égaré ces dernières années.

— Les égarements d'un génie portent encore la trace du génie.

— Ma chère Anna, dans votre domaine, le romantisme est signe d'amateurisme.

Cette familiarité méprisante la révoltait ; Anna côtoyait Calvin Adams depuis l'enfance, mais elle ne se serait jamais permis de l'appeler par son prénom. Surtout pas entre les murs de l'IAS. Pour un peu, il lui aurait tapoté la cuisse. Quant au génie de Gödel, elle ne péchait pas par naïveté : elle était animée d'une sincère fascination. En cinquante ans, le reclus mythique avait très peu publié. Selon tous les témoignages, il n'avait pourtant jamais cessé de travailler.

Pourquoi ne pas attendre de ces documents plus qu'un simple matériel historique ? Elle ne se contenterait pas d'un rôle de coursier. Elle devait absolument se procurer ce *Nachlass* et faire ravaler sa condescendance à Calvin Adams. « Vous vous y connaissez en bourbon, monsieur le directeur ? » Question superflue pour quiconque endurait son haleine matinale.

Anna reprit le chemin de la maison de retraite en début d'après-midi, prête à remonter à l'assaut. L'infirmière de garde la coupa dans son élan. Mme Gödel était en soins, elle devrait patienter. Penaude, la jeune femme se rabattit sur les fauteuils de l'accueil. Elle choisit son siège de manière à pouvoir surveiller la porte interdite. Une créature d'une bonne centaine d'années l'interpella du bout du couloir. « Vous avez des chocolats ? » Devant le mutisme de la visiteuse, elle repartit aussi sec.

Anna n'osa plonger dans un roman de peur de rater l'arrivée d'Adèle. Elle commençait à s'impatienter quand elle vit la femme de ménage entrer dans la chambre en laissant la porte ouverte derrière elle. Elle s'y risqua.

Elle agit en habituée des lieux : elle se débarrassa de ses affaires, se lava les mains avant d'inspecter la pièce sans en avoir l'air. À sa première visite, aveuglée par l'angoisse, elle n'avait rien entrevu des détails. Les murs de la chambre, d'un téméraire turquoise, parvenaient à réconcilier le formica chêne foncé du lit et le beigeasse de la table à roulettes. Le fauteuil flambant neuf, bleu lui aussi, attendait les visiteurs un par un. Elle fut choquée de ne voir pour toute lecture qu'une bible fatiguée et quelques magazines futiles. Elle nota quelques objets plus personnels : une couverture au crochet, un oreiller à motif floral, une lampe de chevet à pampilles de verre. Les stores métalliques filtraient une lumière dorée. Tout était rangé avec soin. Hormis l'appareillage médical omniprésent et le poste de télévision haut perché, la pièce était douillette. Anna aurait bien bu une tasse de thé brûlant, près de la fenêtre.

Un radio-réveil en plastique blanc lui rappela que sa journée était fichue. La femme de salle passa une toile humide sur le sol puis s'éclipsa vers d'autres tâches. Sur la table de nuit paradaient des bibelots vieillots, sans grande valeur apparente. Elle reposa, dégoûtée, une boîte aux couleurs délavées où se desséchaient quelques vagues grumeaux et qui avait contenu des bonbons à la violette du café *Demel*, *Produziert in Österreich*. Elle s'attarda sur les photographies aux cadres tarabiscotés. Le profil d'Adèle, très jeune, les cheveux crantés coupés à la garçonne, avait une douceur aujourd'hui disparue. Elle était jolie, malgré ce regard vide propres aux vieux tirages de studio. Elle devait être châtaine, mais le noir et blanc ne permettait pas de distinguer avec certitude la nuance de ses cheveux. Ses sourcils, plus foncés, étaient dessinés au pinceau à la mode de l'époque. Sur un cliché de mariage, Adèle, déjà moins pimpante, toujours de profil, était passée au blond platine. À son côté, M. Gödel fixait l'objectif sans y croire. Une scène de groupe, avec en arrière-fond la Méditerranée, la montrait, énorme et hilare, sans son mari.

— Vous inventoriez avant la vente aux enchères ?

Anna chercha en vain une excuse. Elle travaillait, après tout ; à elle de définir la lisière entre le souvenir personnel et le patrimoine.

La soignante aida Adèle à regagner son lit.

— Voilà, madame Gödel. Reposez-vous maintenant

Anna capta le message : « Ne nous l'énervez pas. Elle a le cœur fragile. »

— Pensez-vous que je cache le *Nachlass* de Kurt Gödel dans ma table de chevet, mademoiselle ?

— Votre chambre semble très agréable à vivre.

— C'est un endroit pour mourir, pas pour vivre.

Anna avait de plus en plus envie d'une bonne tasse de thé.

— J'accepte de vous parler, mais épargnez-moi votre pitié de jeune femme ! *Verstanden*[*] ?

— J'ai cédé à la curiosité. J'ai regardé vos photos. Rien de malsain.

Elle s'approcha du portrait de jeunesse.

— Vous étiez belle.

— Je ne le suis plus ?

— Je vous épargne ma pitié de jeune femme.

— *Touché*. J'avais vingt ans quand mon père a pris ce cliché. Il était photographe professionnel. Mes parents tenaient une petite boutique à Vienne, en face de chez mon futur mari.

Elle lui reprit le cadre.

— Je n'ai pas le souvenir d'avoir été cette personne.

— Moi aussi, j'ai souvent cette impression.

— Ce doit être la coiffure, les modes changent si vite.

— Parfois, les gens sur les photos anciennes semblent appartenir à une espèce différente.

— Je vis désormais au milieu d'une autre espèce. Voilà ce que l'on nomme avec pudeur la « vieillesse ».

Anna fit mine d'apprécier l'aphorisme en silence.

*. « Compris ? »

Elle cherchait un biais pour aborder le sujet réel de sa visite.

— Je pontifie, n'est-ce pas ? Les vieux adorent ça. Moins nous possédons de certitudes, plus nous les assenons ! C'est pour masquer la panique.

— On pontifie à tout âge, on est toujours le vieux de quelqu'un.

À travers le sourire d'Adèle, Anna perçut un peu de la lumineuse demoiselle cachée dans cette grosse dame acerbe.

— Avec le temps, le menton se rapproche du nez. L'âge donne l'air dubitatif.

Anna toucha son visage par réflexe.

— Vous êtes encore trop jeune pour le vérifier. Quel âge avez-vous, mademoiselle Roth ?

— Appelez-moi Anna, s'il vous plaît. J'ai vingt-huit ans.

— À votre âge, j'étais si amoureuse. Vous l'êtes ?

La jeune femme ne répondit pas ; Adèle la regarda avec une tendresse inédite.

— Voulez-vous une tasse de thé, Anna ? Il sera servi au jardin d'hiver dans une demi-heure. Vous supporterez bien quelques vieilles biques supplémentaires. « Jardin d'hiver » est le nom prétentieux qu'ils donnent à cette affreuse véranda remplie de fleurs en plastique. Comme si aucun d'entre nous n'avait la main verte ! Alors, d'où venez-vous ? Vous avez éludé ma question, la dernière fois. Vous voyagez souvent en Europe ? Êtes-vous déjà allée à Vienne ? Enlevez donc ce gilet. C'est à la mode, ce beige-là ? Il ne vous flatte guère. Où habitez-vous ? Nous avions une maison dans le nord de Princeton, à deux pas de Grover Park.

Anna ôta son cardigan ; il faisait très chaud au

purgatoire. S'il lui fallait engager un *deal*, la vie de la vieille dame contre la sienne, elle en avait pour une éternité.

Adèle fut déçue d'apprendre que sa visiteuse n'avait jamais mis les pieds à Vienne, mais satisfaite de son cadeau, sa marque de bourbon préférée.

4.

1928

Le Cercle

> « Quel drôle d'oiseau es-tu, toi qui ne sais pas voler ?
> — Quel drôle d'oiseau es-tu, toi qui ne sais pas nager ? »
>
> Sergueï Prokofiev, *Pierre et le Loup*

Vienne nous a rapprochés. Ma ville vibrait d'une telle fièvre ! Elle bouillonnait d'une énergie féroce. Les philosophes dînaient avec les danseuses ; les poètes avec les bourgeois ; les peintres riaient au milieu d'une incroyable densité de génies scientifiques. Tout ce joli monde parlait sans fin, dans l'urgence des plaisirs à saisir : femmes, vodka et pensée pure. Le virus du jazz avait contaminé le berceau de Mozart ; sur des rythmes nègres, nous conjurions l'avenir et purifiions le passé. Les veuves de guerre flambaient leur pension au bras des gigolos. Les rescapés des tranchées ouvraient des portes jusque-là cadenassées. Une dernière danse, un dernier verre avant la fermeture. J'avais les yeux clairs, les jambes fines, j'aimais écouter les hommes. Je pouvais les amuser, ramener d'un mot sur terre les esprits égarés par l'alcool ou l'ennui. Ils clignaient des paupières comme des dormeurs tirés du lit, surpris d'être là, à cette table, dans ce bruit soudain. Ils cherchaient dans le vin renversé la trace d'une idée évaporée, pour, en fin de compte, décidés à en rire, reprendre la conversation là où elle avait commencé : au niveau de mon décolleté. J'étais jeune, ivre : un peu chic fille, un peu mascotte. J'avais ma place.

Pour notre premier vrai rendez-vous, j'avais sorti le grand jeu : il m'avait invitée au café *Demel*, un établissement raffiné, fréquenté par le beau monde. Je n'avais rien à envier aux élégantes siroteuses de thé : un chapeau cloche asymétrique masquait d'une ombre discrète ma peau tachée. Le soyeux crémeux de mon chemisier neuf flattait gentiment mon teint – un bon mois de salaire, mon père en aurait fait une jaunisse s'il l'avait appris. J'avais emprunté l'étole de mon ami Lieesa ; elle avait fait toutes les épaules des *girls* du *Nachtfalter* en chasse d'un mari respectable. Pour ma part, je n'avais aucune envie de me remarier. Mon respectueux étudiant me soulageait pour un temps des apprentis maquereaux du club. Nous en étions à la valse d'approche, par des cercles de plus en plus petits. À l'époque, je n'utilisais pas des mots comme « concentriques », Lieesa m'aurait regardée de travers : « Je sais d'où tu viens, ma fille, inutile de te la jouer avec moi. » Kurt et moi avions partagé quelques verres et quelques balades nocturnes au cours desquelles je lui avais arraché de maigres confidences. Il était né à Brno, en Moravie, terre tchèque. De caractère peu aventureux, il avait choisi Vienne par commodité, son aîné Rudolf y ayant déjà entamé ses études de médecine. Cette famille d'origine allemande semblait avoir peu souffert de l'inflation d'après guerre ; les deux frères menaient un train de vie très confortable. Kurt était le plus souvent silencieux, s'en excusant, séduisant sans le savoir. Il raccompagnait l'Adèle fatiguée des petits matins, il ne me connaissait pas encore à la lumière du soleil.

Ce jour-là, il avait choisi une place dans l'arrière-salle. Je fis tinter mes talons, me déhanchant entre les nappes blanches jusqu'à sa table. Il aurait eu tout le loisir de me détailler s'il n'avait été absorbé par sa lecture. Quand il sortit de son livre, je fus de nouveau frappée par sa jeunesse. Il était si lisse : une peau de bébé ; les cheveux naturellement disciplinés ; le costume impeccable. Il n'avait rien de ces acteurs de cinéma qui faisaient glousser dans les coulisses du club : ses épaules étaient taillées pour le travail de bureau, non pour l'aviron. Cependant, il était charmant. Il avait un regard plein de douceur, d'un bleu impossible à capturer. Bien que cette gentillesse ne soit pas feinte, la focale n'en était pas dirigée vers l'interlocuteur, mais tournée très loin à l'intérieur de lui-même.

À peine nous étions-nous salués qu'une des *Demelinerinnen*, toute d'austérité vêtue, s'empressa de prendre notre commande, nous sauvant d'un laborieux début de conversation. Je choisis un sorbet à la violette tout en regrettant les indécents gâteaux du comptoir. Un premier rendez-vous ne se prêtait pas à l'étalage de ma gourmandise. Kurt tomba dans un abîme de réflexion devant la carte des pâtisseries. La serveuse répondit avec patience à ses interminables questions. La description minutieuse de toutes ces douceurs attisait mon appétit. Je commandai un cornet à la crème en supplément. Au diable les bonnes manières ! Il ne fallait pas me faire attendre. À la fin, Kurt se contenta d'un thé. La demoiselle s'envola, soulagée.

— Qu'avez-vous fait de votre après-midi, monsieur Gödel ?

— Je suis allé à une réunion du Cercle.

— Une sorte de club anglais ?

Il remonta ses lunettes d'un doigt raide.

— Non, c'est un club de discussion fondé par les professeurs Schlick et Hahn. Hahn sera sans doute mon directeur de thèse à l'université.

— Je vois le tableau… Vous digérez en admirant les boiseries dans de gros fauteuils en cuir.

— Nous nous retrouvons dans une petite pièce au rez-de-chaussée de l'institut de mathématiques. Ou dans un café. Il n'y a pas de fauteuils en cuir et je n'ai pas remarqué de boiseries.

— Vous parlez sport et cigares ?

— Nous parlons de mathématiques, de philosophie. Du langage.

— Des femmes ?

— Non. Pas de femmes. Enfin, si. Parfois, Olga Hahn se joint à nous.

— Elle est belle ?

Il ôta ses lunettes pour en chasser une poussière invisible.

— Très intelligente. Drôle. Je crois.

— Elle vous plaît ?

— Elle est fiancée. Et vous ?

— Vous voulez savoir si je suis engagée ?
— Non, qu'avez-vous fait de votre après-midi ?
— Nous avons répété un nouveau spectacle. Vous viendrez me voir ?
— Je n'y manquerai pas.
J'admirai consciencieusement la salle.
— Un très joli endroit. Vous venez souvent ici, monsieur Gödel ?
— Oui, avec ma mère. Elle apprécie leurs pâtisseries.
— Vous ne commandez rien à manger ?
— Il y a trop de choix.
— J'aurais su commander pour vous.

La serveuse disposa devant lui la théière, la tasse, les pots de sucre et de lait. Il s'empressa de rectifier les positions respectives de l'ensemble. Il se retint de toucher à mon propre dispositif. Il prit une cuillerée de sucre, arasa le dessus avec grand soin, en évalua la quantité avant de la remettre dans le récipient puis recommença la manœuvre. Je profitai de son manège tout en dégustant ma glace. Kurt, lui, reniflait sa tasse.
— Cela ne vous convient pas, monsieur Gödel ?
— Ils utilisent l'eau au point d'ébullition. Il est préférable d'attendre quelques minutes pour infuser les feuilles.
— Vous êtes un peu maniaque.
— Pourquoi dites-vous cela ?
J'enfouis mon rire dans mon cornet à la crème.
— Vous avez un bel appétit. C'est un plaisir de vous regarder manger, Adèle.
— Je brûle tout. Je suis très énergique.

— Je vous envie. Je suis moi-même de santé fragile.

Il eut un sourire goulu ; je me sentis comme un *Strudel* dans la vitrine de la pâtisserie. Je tapotai mes lèvres à la serviette avant de me lancer dans le tango d'approche.

— En quoi consistent vos études précisément ?

— Je me prépare à un doctorat en logique formelle.

— J'en suis baba ! On peut suivre des études de logique ? La logique est pourtant une qualité qu'on a ou pas de naissance ?

— Non, la logique formelle n'a pas à voir avec une qualité.

— Alors, qu'est-ce que cette bête-là ?

— Voulez-vous vraiment discuter de ça ?

J'y allai à fond, tous cils dehors.

— J'adore vous entendre parler de votre travail. C'est si… fascinant.

Lieesa aurait levé les yeux au ciel. J'en restais à ma logique personnelle. *Plus c'est gros, plus ça fonctionne*. La vanité des hommes les rend sourds, mais bavards. Étape numéro un : le laisser vous expliquer la vie.

Il reposa sa tasse, l'anse alignée sur le motif floral de la soucoupe, puis changea d'avis, la replaçant selon son axe naturel, non sans lui avoir fait faire un tour complet. Je patientais, en me gardant bien d'exprimer mes pensées : *Allez mon petit écolier ! Tu ne peux pas résister à ça, tu es un homme comme les autres !*

— La logique formelle est un système abstrait n'utilisant pas le langage courant, celui que nous pratiquons, vous et moi, pour discuter par exemple. C'est une méthode universelle vouée à manipuler des objets mathématiques. Sans connaître le chinois, je pourrais comprendre la démonstration logique d'un Chinois[1*].

— À quoi cela vous sert-il, à part comprendre un Chinois ?

— Comment ça, « servir » ?

— Quel est le but de la logique ?

— Prouver ! Nous cherchons des protocoles destinés à établir des vérités mathématiques définitives.

— Comme une recette de cuisine ?

Sous ce jour nouveau, je déchiffrais mieux sa tactique de séduction. Il n'était pas si timide. J'étais un spécimen d'étude singulier ; il ne savait comment procéder avec moi. J'étais plus difficile d'accès que les étudiantes, car insensible à sa réussite universitaire. Il devait avancer pas à pas, validant chaque étape. Un hasard ; une promenade ; deux promenades ; un thé. De quoi lui parler ? La laisser parler. Comme il me l'avoua plus tard, sa technique de chalutage habituelle était bien différente. Il donnait rendez-vous à des jeunes femmes dans une salle de l'université où travaillait une autre étudiante qui était, elle, le réel objet de sa convoitise. Jalousie ; compétition ; billard par la bande : mathématiques appliquées.

— Vous ne pouvez pas tout prouver, n'est-ce pas, avec votre logique ? Par exemple, peut-on prouver l'amour ?

— Premièrement, pour prouver, il faut d'abord énoncer avec rigueur, morceler le problème en petits objets durs et immuables. Deuxièmement, on ne peut pas tout transposer dans ce domaine, ce serait incorrect. L'amour n'est pas régi par un système formel.

*. Les notes numérotées sont regroupées en fin d'ouvrage, page 521 et suivantes.

— Un système formel ?

— C'est un langage strictement objectif propre aux mathématiques. Il se base sur un ensemble d'axiomes. L'amour est subjectif par définition. Il n'existe pas d'axiomes de départ.

— Qu'est-ce qu'un axiome ?

— Une vérité évidente en soi sur laquelle on construit une connaissance plus complexe comme un théorème.

— Comme une brique ?

La tasse de thé repartit pour trois tours.

— Si vous voulez.

— Je vais vous apprendre le premier théorème d'Adèle. En amour, 1 plus 1 égale tout et 2 moins 1 égale rien[2].

— Ce n'est pas un théorème, c'est une conjecture tant que cela n'a pas été prouvé.

— Que faites-vous de celles qui ne résistent pas à l'épreuve ? Les envoyez-vous au cimetière des conjectures ?

Il ne m'accorda pas un sourire. J'arrêtai là les subtilités pour passer à l'étape numéro deux, la chauffe : la provocation vous rapproche du sujet.

— Je ne suis pas d'accord avec vous. L'amour est si prévisible dans ses répétitions. Nous vivons tous un enchaînement logique : désir, plaisir, souffrance, désamour, répulsion, etc. Tout n'est confus ou personnel qu'en apparence.

J'appuyai à dessein sur les mots « plaisir » et « souffrance ».

— Adèle, vous êtes une positiviste sans le savoir. C'est terrifiant.

Il expulsa un couinement aigu de souris. Cet homme n'avait-il donc jamais appris à rire ?

— Vous pensez devenir professeur, monsieur Gödel ?
— Certainement. Je serai sans doute *Privatdozent*[*] dans quelques années.
— Pauvres étudiants !
Positiviste. Autant me traiter de bolchevik ! Je décidai de secouer un peu ce sac de certitudes. Étape numéro trois, la trempe : refroidissement brutal du sujet.
Et je le plantai là.

Je n'ai pas savouré mon petit effet très longtemps. Le claquement de mes talons s'est évanoui dans le vacarme des fiacres de la Michaelerplatz. J'ai marché dans du crottin. J'ai pesté contre le monde entier, les chevaux et les hommes. Puis je me suis maudite. Certes, j'avais réussi à accrocher ses yeux bleus. Mais j'y avais lu de l'effarement, non de l'admiration. J'avais essayé une robe bien trop belle pour moi et je n'avais pas les moyens de me l'offrir. Je la regrettais déjà.

*. Équivalent, non rémunéré, du titre de maître de conférences.

5.

Anna profita de l'absence du cerbère de l'accueil pour inspecter le registre. Elle nota les rares visites enregistrées au nom de Mme Gödel ces dernières semaines : seulement des femmes et, sans doute, pas des plus jeunes si l'on se fiait à leurs prénoms.

Elle remit le cahier à sa place exacte avant de rejoindre son fauteuil stratégique. Elle était arrivée trop tôt. Elle patienterait, comme d'habitude. Cet automne, elle pourrait enrichir d'une nouvelle entrée sa liste noire des tâches idiotes : chercher le début du rouleau de scotch ; faire la queue à la banque ; choisir la mauvaise caisse au supermarché ou rater la sortie d'autoroute. Attendre Adèle. La somme des petits bouts de temps gaspillés et des retards des autres est égale à une vie perdue.

De l'extrémité du couloir, Gladys se précipita vers elle. Elle avait une vitalité étonnante pour son âge. Elle inspecta sans pudeur le fourre-tout ; elle fut déçue : la visiteuse n'avait rien apporté cette fois.

« Vous êtes toute pimpante, Gladys. » La miniature en angora rose sortait des griffes d'un coiffeur pervers : odeur écœurante de laque, d'ammoniaque et couleur surnaturelle. « Faut pas se laisser aller. Vous savez ce que c'est… les hommes. » Anna étreignit son sac. Elle ne voulait surtout pas savoir. Elle refoula des images dérangeantes de peaux vieilles, l'une contre l'autre, et de sexes mous entre des doigts desséchés.

— Il ne nous en reste pas beaucoup à la maison de retraite. À peine un pour six femmes. Je pourrais vous en raconter des vertes.

— Je ne préfère pas.

Gladys ne cacha pas sa déception : pas de friandises ni de potins à se mettre sous le dentier. Anna eut pitié d'elle et relança la conversation.

— Et Adèle ?

— Elle ne demande même plus le coiffeur. Faut dire qu'elle a des problèmes avec ses cheveux, elle les perd à poignées. Ils sont beaux, les vôtres. C'est votre couleur naturelle ?

— Elle est déprimée ?

La vieille dame lui tapota la main.

— Adèle est au foyer. Suivez la musique ! Je vous abandonne, ma petite. J'ai un rendez-vous.

Anna trouva la salle sans difficulté ; elle suivit les bribes d'un air entraînant joué sur un piano mal accordé. Les murs étaient vérolés de peintures criardes. Trônant dans son fauteuil roulant, Adèle tapait du pied en cadence. En apercevant la jeune femme, elle posa un doigt sur ses lèvres. Elle portait toujours son bonnet, une épaisse veste de laine qui avait dû connaître des jours de gloire au siècle précédent et des savates molles. Anna choisit le siège le plus proche ; rose, comme pour une maternité : le début et la fin en couleurs pastel.

Le pianiste, juvénile à l'échelle locale, se retourna

sur l'accord final. Il avait une cicatrice de bec-de-lièvre et un œil à demi fermé. L'autre était tendre. Il embrassa Adèle sur la joue avant de s'éloigner.

— Jack est le fils de l'infirmière en chef. Il est inadapté, mais charmant.

— Qu'est-ce qu'il jouait ? J'ai déjà entendu cette mélodie.

— Je suis la veuve joyeuse d'un homme qui adorait Offenbach.

Anna contracta son fessier qui glissait sur le skaï.

— L'humour est une condition de survie, mademoiselle. Surtout ici.

— Chacun sa façon de gérer son chagrin.

— Ce n'est pas un commerce, la douleur ! On ne gère pas une noyade. On cherche à remonter.

— Ou on se noie.

— Vous semblez être une spécialiste en la matière. Vous êtes si raide. Détendez-vous !

Pour Anna, rien n'était plus crispant que l'injonction de se relaxer. Adèle était bien trop en forme pour une veuve ; la jeune femme ne parvenait pas à la comprendre. Elle n'avait jamais été très douée pour déchiffrer les gens, et la vieille dame ne correspondait de surcroît à aucun des schémas répertoriés par son esprit procédurier. Elle aurait préféré se retrancher derrière son habituel quant-à-soi, mais elle n'avait ni le temps ni le talent des atermoiements tactiques.

— Vous ne vouliez pas me parler ? Vous me laissiez attendre à l'accueil.

— Vous me faites une scène ?

— Je ne me le permettrais pas.

— C'est bien dommage. Ramenez-moi à ma chambre, s'il vous plaît.

Anna s'exécuta, mais le fauteuil était bloqué.

— Le frein, jeune fille.

— Désolée.

— Bannissez ce mot de votre vocabulaire.

Adèle était, elle, de ces femmes qui ne s'excusent pas d'exister. Elles longèrent le couloir en silence. Les murs étaient masqués par une reproduction fatiguée de forêt automnale. Un rebelle discret avait commencé à décoller un lé dans un coin, à la recherche d'une sortie de secours inexistante.

— Nous étions beaucoup de veuves à l'enterrement. Les hommes partent avant, c'est comme ça.

Un vent frais agitait le store de la chambre ; Anna se précipita.

— Laissez-la ouverte. J'étouffe.

— Vous allez attraper froid.

— Je déteste les fenêtres fermées.

— Je vous installe dans votre lit ?

— J'aimerais profiter du monde vertical encore quelques instants.

Anna gara le fauteuil à l'abri du courant d'air et s'assit à son côté.

— Gladys ne change donc jamais de pull ?

— Elle en a toute une collection, une bonne vingtaine. Tous roses.

— Tous atroces !

— Quand vous oubliez d'être sérieuse, Anna, vous avez un très beau sourire.

6.

1929

Les fenêtres ouvertes, même en hiver

> « Entre le pénis et les mathématiques… il n'existe rien. Rien ! C'est le vide. »
>
> Céline, *Voyage au bout de la nuit*

Certains soirs après l'amour, Kurt me demandait de décrire mon plaisir. Il voulait le quantifier, le qualifier ; vérifier si sa teneur était différente du sien. Comme si « nous les femmes » avions accès à un autre royaume. J'étais bien en peine de lui répondre, du moins avec la précision attendue.

— Tu redeviens un adolescent boutonneux, Kurtele.

— Dans ce cas, je parlerais plutôt de tes seins. Pardon, de tes gros seins.

— Tu aimes mes seins ?

Il défroissa sa chemise. Je ne lui avais pas laissé le temps de plier ses affaires sur la chaise comme à son exaspérante habitude.

— Je t'aime.

— Tu mens. Tous les hommes sont des menteurs.

— Tout dépend de celui qui l'affirme. Est-ce une leçon de ton père ou de ta mère ? Syllogisme ou sophisme ?

— Tu me causes chinois, ô monsieur le doctorant !

— Si c'est ton père, tu ne pourras jamais savoir s'il ment ou non. Si c'est ta mère, sa vérité est contingente à son expérience avec les hommes.

— Le bon sens suffit à nous dire que l'éducation des filles est basée sur le mensonge. Inutile de tenter ta logique démoniaque avec moi. Tu as le cœur sec. Tu n'es qu'un homme !

— *Argumentum ad hominem**. Ta logique est inappropriée, ta morale injuste. Si j'utilisais des arguments aussi bas, je passerais pour un affreux goujat.

— Va donc remettre du charbon dans le poêle.

Kurt jeta un regard suspicieux à l'appareil ; il détestait cette corvée. Il ouvrit la fenêtre en grand.

— Que fais-tu ? Il gèle à pierre fendre !

— J'étouffe. Il y a un mauvais air dans cette pièce.

— Je mourrai d'une pneumonie par ta faute. Viens !

Il abandonna sa chemise et s'allongea contre moi. Nous nous cachâmes sous les couvertures. Il me caressa la joue.

— J'aime ta tache.

J'attrapai sa main.

— Tu es bien le seul.

Avec deux doigts, il décrivit un huit couché entre mes deux seins.

— J'ai lu une histoire très intéressante sur les taches de vin.

*. L'argument *ad hominem* consiste, en rhétorique, à opposer à l'adversaire ses propres conduites ou paroles.

Je le mordillai.

— Selon une légende chinoise, les taches de naissance proviennent des vies antérieures. Je t'ai donc fait une marque dans une vie précédente pour pouvoir te retrouver dans celle-ci.

— Autrement dit, je t'ai déjà supporté dans une vie passée et je suis condamnée à te souffrir dans toutes les autres ?

— J'en arrive à la même conclusion.

— Qu'est-ce qui m'aidera à te reconnaître, toi ?

— Je garderai toujours mes fenêtres ouvertes, même en hiver.

— Trop de fenêtres à inspecter, il serait plus prudent que je te laisse une trace, moi aussi.

Je le mordis, sans retenue cette fois. Il hurla.

— On n'oublie jamais la douleur, Kurtele.

— Tu es folle, Adèle !

— Qui de nous deux est le plus fou ? Regarde comme tu m'as défigurée ! J'espère que c'était à la toute dernière vie ! Je ne me vois pas me promener ainsi depuis la nuit des temps.

Mes mains se firent pardonner ma morsure. Je sentis son corps se détendre.

— Tu dors ?

— Je réfléchis. Je dois partir travailler.

— Déjà ?

— J'ai un cadeau pour toi.

Il sortit de sa pochette glissée sous le lit deux pommes, rouges et bien lustrées. Au couteau, il avait gravé sur l'une « 220 », sur l'autre « 284 ».

— Est-ce notre compte de vies antérieures ? Un de nous deux a pris de l'avance.

— Je mangerai « 220 », toi, « 284 ».

— Tu choisis toujours le plus léger.

— Tais-toi un peu, Adèle. C'est une coutume arabe. 220 et 284 sont des nombres amiables, des nombres magnifiques. Chacun est la somme des diviseurs de l'autre. Les diviseurs de 284 sont 1, 2, 4, 71 et 142. Leur somme est égale à 220. Les diviseurs de…

— Assez, c'est trop de romantisme, mon crapaud, je vais me pâmer !

— On connaît seulement 42 paires inférieures à 10 000 000.

— Cesse, je te dis !

— On ne sait démontrer si leur nombre est infini. On n'a jamais trouvé de couple pair/impair.

Je lui mis la pomme en bouche. En croquant la mienne, j'avais déjà la nostalgie de cet instant ; de ce que nous ne serions plus : des enfants beaux et stupides, étrangers à tout, sauf à nous-mêmes. Ce fut le plus précieux cadeau qu'il me fît jamais. J'ai gardé les pépins dans une boîte à bonbons du café *Demel*.

À notre première étreinte, quelques mois auparavant, j'avais craint de le briser en le caressant ; j'étais passée du torse massif et broussailleux de mon premier mari à son corps sec et imberbe. Je ne l'avais pas déniaisé, mais j'avais dû lui apprendre l'intimité, car au début de notre relation le sexe lui était une purge : un tribut concédé à la biologie. Un détail à ne pas négliger sous peine de voir son acuité mentale diminuer.

Bien sûr, je n'étais pas de son monde. Les intellectuels n'en sont pas moins des hommes, leurs appétits ne sont pas mis entre parenthèses. Au contraire, il y avait chez Kurt et ses amis un désir féroce, une revanche à prendre. Ils avaient tous soif d'un idéal impossible à atteindre sinon par la chair. Nous autres, *girls*, étions une réalité enfin pétrissable.

Il avait perdu sa virginité assez jeune avec une beauté mûre, amie de la famille. La découverte de la liaison avait lancé sa mère, Marianne, dans une intense campagne de sauvegarde de l'honneur familial. Un capital à ne pas dilapider avec une fille sans grandes espérances. Marianne envisageait pour son fils un mariage avec une femme d'un niveau social adéquat ; une union confortable pour ouater le quotidien de sa précieuse progéniture. Son épouse aurait une bonne éducation, mais pas d'ambition personnelle : une base nécessaire et suffisante pour perpétuer, ou plutôt *enraciner*, la dynastie de ces petits-bourgeois enrichie par le labeur acharné du père. Kurt, après la rupture forcée avec la dame, avait protégé son intimité et pris goût au secret. Plusieurs années après notre rencontre au *Nachtfalter*, la révélation de notre attachement sonnerait pour sa mère comme un injuste châtiment pour une vie si vertueuse. Marianne ne me pardonnerait jamais la duplicité de Kurt, sans admettre, bien entendu, que j'en avais été la première victime.

En cet hiver 1929, Mme Gödel était encore dans la bienheureuse ignorance de mon existence. Elle venait de rejoindre ses deux fils à Vienne après la mort de son mari. Kurt devait depuis lors réaliser des prouesses pour diviser son emploi du temps entre la soupçonneuse Marianne et l'exigeante Adèle, tout en poursuivant ses travaux à l'université. Lui qui n'aimait pas manger dînait chez moi, puis soupait après le théâtre avec sa famille. Il passait une partie de la nuit dans notre lit, courait à l'aube vers son bureau puis s'infligeait de longues promenades digestives au bras maternel sur le Prater. Comment aurait-il pu tenir ? Un roc aurait fendu. Pourtant, il disait lui-même qu'il n'avait jamais aussi bien travaillé. Je n'avais pas compris qu'il se consumait.

Son « 220 » à peine entamé, Kurt sauta du lit. Il brossa ses habits, astiqua ses chaussures et vérifia chaque bouton de sa tenue. J'avais ri, la première fois, avant qu'il ne m'explique le sens de sa chorégraphie intime. « Les boutons de chemise, toujours du bas vers le haut pour éviter de les décaler. » Il enfilait son pantalon par la jambe gauche : ayant plus d'équilibre sur la droite, il minimisait son temps d'instabilité. Il en était ainsi de chaque instant de sa vie.

Il passa sa chemise froissée sans rechigner. Il ne me mentait donc pas, il allait travailler ; il ne se serait pas permis d'arriver débraillé dans le salon de madame mère. En compte chez les meilleurs faiseurs de Vienne, il était si élégant. Marianne appréciait peu le chic bohème de certains étudiants. Elle considérait ses fils comme une vitrine de la réussite des Gödel. Après tout, le textile était une histoire de famille, le père avait prospéré du statut de contremaître à celui de directeur d'une usine de confection. Moi-même, j'étais plutôt approximative. Malgré mes soins, ma toilette laissait toujours à désirer : un bas filé, une manche mal tournée, une couleur de gants douteuse. Cependant, mon air de saut du lit l'excitait assez pour qu'il m'épargne ses manies. Pour Kurt, tout prenait une dimension extrême, mais il n'appliquait son terrorisme vestimentaire qu'à lui seul. Ce que j'avais jugé, au début, être du snobisme ou de l'atavisme bourgeois était une condition de survie. Kurt endossait ses costumes pour affronter le monde. Sans eux, il n'avait pas de corps. Il revêtait sa panoplie d'être humain chaque matin. Elle se devait d'être impeccable, car elle proclamait sa normalité. J'ai compris plus tard qu'il avait si peu de foi dans son équilibre mental qu'il quadrillait sa vie de banalité : une tenue normale ; une maison normale ; une vie normale. Et j'étais une femme banale.

7.

« Ce n'est pas mon anniversaire, pourtant. » Adèle hésitait à enlever son bonnet. Elle refusait d'exhiber son crâne clairsemé. Anna s'agenouilla, feignant de chercher dans son sac un miroir qu'elle avait déjà trouvé. Quand elle revint à la hauteur de Mme Gödel, celle-ci portait son offrande : un turban d'un gris bleuté très doux.

— Vous êtes belle, Adèle ! Vous ressemblez à Simone de Beauvoir. Il va bien avec vos yeux.

La vieille dame s'examina avec complaisance.

— Vous m'avez appelée par mon prénom. Je n'ai pas de problème avec ça. Cessez juste de l'utiliser en fonction des circonstances. Je ne suis pas sénile.

Elle replia et lissa le papier de soie en un carré parfait.

— Gladys ne se privera pas de dire que ça me vieillit.

— Depuis quand vous préoccupez-vous de l'opinion des autres ?

— Elle paraît inoffensive, mais c'est une peste. Elle fouille dans mes affaires.

— Je pense avoir compris le message.

— Gladys a le fiel discret. La voir trop souvent peut vous tuer, à la longue. D'ailleurs, elle a usé trois maris.

— Elle est encore en chasse.

— Certaines ne renoncent jamais.

Elle nettoya le miroir d'un revers de manche avant de le rendre à Anna.

— Alors, quel est le tarif de votre générosité ? Je ne suis pas née d'hier, jeune fille. Il y a toujours un prix à un cadeau.

— Cela n'a pas de rapport avec le *Nachlass*. J'aimerais vous poser une question personnelle, si vous m'y autorisez. Je me demande… de quoi vous pouviez discuter avec votre mari.

— Vous vous excusez sans cesse. C'est fatigant.

Adèle rangea le papier plié dans son chevet. Anna, elle, ne savait comment occuper ses mains ; elle les cacha entre ses cuisses jointes.

— Que font vos parents ?

— Ils sont professeurs d'histoire tous les deux.

— Rivaux ?

— Collègues.

— Vos parents, tout intellectuels qu'ils étaient, je suis sûre qu'ils se promenaient le dimanche en se tenant par la main.

— Ils parlaient beaucoup ensemble.

Elle s'entendit mentir sans frémir. Si elle avait été tout à fait honnête, Anna aurait dû remplacer « parler » par « crier ». Entre eux, tout était objet de compétition, même leur enfant. Les conférences de l'un faisaient écho aux travaux de l'autre, quand ils ne bataillaient pas au grand jour. Ils avaient attendu l'entrée de leur fille à l'université pour signer une trêve tacite. Chacun avait délimité un territoire assez large où exprimer sa grandeur : Rachel avait rejoint Berkeley sur la côte ouest et George avait pris d'assaut Harvard sur ses terres natales. Anna était restée à Princeton, seule dans la ville qu'elle avait toujours voulu quitter.

— Comment se sont-ils rencontrés ?

— Pendant leurs études.

— Ça vous épate qu'une femme comme moi ait su capturer une grosse tête comme lui ?

— Je vis entourée de grosses têtes. Elles ne m'impressionnent pas. Mais votre mari est une légende, même parmi ces gens. Il était connu pour être singulièrement hermétique.

— Nous étions un couple. Ne creusez pas plus loin.

— Et vous discutiez de son boulot le soir à table ? Aujourd'hui, j'ai prouvé la possibilité du voyage dans l'espace-temps, passe-moi le sel, chérie ?

— C'était comme ça chez vous ?

— Je ne prenais pas mes repas avec mes parents.

— Je vois. Éducation bourgeoise ?

— Prophylaxie.

— Je ne comprends pas.

— J'ai été éduquée à l'ancienne.

L'enfance d'Anna avait été nourrie d'un chaos domestique perpétuel bien circonscrit entre des portes capitonnées. Dîner en tête à tête avec la gouvernante ; écoles privées ; cours de danse et de musique ; robes à smocks et inspection générale avant la parade en société. Au retour des raouts où papillonnait sa mère et pontifiait son père, elle se recroquevillait sur la banquette arrière de la voiture, simulant le sommeil pour ne pas être asphyxiée par leur conversation.

Devant le sourire amer de la jeune femme, Adèle

préféra s'absorber dans l'examen de ses doigts. Elle sembla satisfaite du décompte.

— Pour être tout à fait franche, dans les débuts de notre relation, je le harcelais. Je ne supportais pas d'être exclue. Je n'avais pas accès à la plus grande part de sa vie. J'ai dû apprendre à garder ma place. Je n'étais pas là pour ça. Cela me dépassait vraiment, même si je ne voulais pas l'admettre ! Et puis... nous avions d'autres soucis.

Anna servit un verre d'eau à la vieille dame pour soulager son palais desséché. Adèle l'accepta d'une main hésitante. Elle tentait en vain d'en maîtriser le tremblement.

— Kurt était dans une quête de la perfection incompatible avec l'idée de vulgarisation. Elle implique une certaine forme de compromission et d'inexactitude. Ce que je sais de son travail, je l'ai grappillé chez les autres. J'ai beaucoup écouté.

— Quand avez-vous pris conscience de son importance ?

— Dès le début. Il était une petite vedette à l'université.

— Avez-vous assisté à la genèse du *théorème d'incomplétude* ?

— Pourquoi ? Vous comptez écrire un bouquin ?

— J'aimerais entendre votre version. Ce théorème est devenu une sorte de légende pour initiés.

— Cela m'a toujours bien fait rire, tous ces gens qui parlent de ce foutu théorème. En réalité, je serais étonnée que la moitié d'entre eux l'ait compris. Quant à ceux qui s'en servent pour démontrer tout et n'importe quoi ! Moi, je reconnais les limites de ma compréhension. Elles ne sont pas celles de ma paresse.

— Ces limites ne vous mettent pas en colère ?

— À quoi bon lutter si on n'y peut rien ?

— Ça ne vous ressemble pas.

— Vous pensez déjà me connaître ?

— Vous êtes plus que vous n'en laissez paraître. Mais pourquoi moi ? Pourquoi m'autorisez-vous à revenir ?

— Vous n'avez pas hésité à me malmener. J'ai horreur de la condescendance. J'apprécie votre mélange d'excuses et d'insolence. J'aimerais découvrir ce que vous cachez sous votre jupe de première communiante.

D'un geste délicat, elle enfouit une maigre mèche échappée du turban.

— Savez-vous ce que disait Albert ? Oui, Einstein était de nos intimes. Ça la pose, non ? *Ach !* Qu'est-ce qu'il nous bassinait avec celle-là !

Anna se pencha pour ne pas perdre un mot.

— « L'expérience la plus belle et la plus profonde que l'on puisse avoir est le sentiment de mystère. » Bien sûr, on peut en déduire une preuve de foi. J'y lis autre chose. J'ai effleuré le mystère. Vous relater des faits ne traduira jamais cette expérience.

— Racontez-le-moi comme une belle histoire. Je n'écrirai pas un rapport là-dessus en rentrant. Cela n'a rien à voir avec eux. Juste vous, moi et une tasse de thé.

— Je préférerais un peu de bourbon.

— Le jour n'est pas encore tombé.

— Bon, alors un doigt de sherry.

8.

Août 1930
Le café de l'incomplétude

> « Je me suis gardé de faire de la vérité une idole, préférant lui laisser son nom plus humble d'exactitude. »
>
> Marguerite Yourcenar, *L'Œuvre au noir*

Les soirs de relâche, je l'attendais à la sortie du café *Reichsrat* en face de l'université. Ce café n'était pas pour moi ; on y parlait plus qu'on y buvait. On y refaisait un monde dont je ne soupçonnais pas qu'il ait besoin d'être reconstruit. La réunion de ce soir-là devait être consacrée à la préparation d'un voyage d'études à Königsberg. Je n'avais aucun regret de ne pas y être conviée : un congrès sur la « théorie de la connaissance des sciences exactes » n'avait rien d'une villégiature amoureuse. Les jours précédant cette réunion, Kurt avait été animé d'une vibration particulière : il était enthousiaste ; un état inédit. Il avait hâte de présenter ses travaux.

Je patientais sous les arcades quand je le vis enfin

sortir du café, seul, longtemps après le gros de la troupe. J'avais soif, j'avais faim et je m'apprêtais à lui faire une scène, par principe. À sa voussure, je compris que le moment était mal choisi.

— Tu as envie d'aller dîner ?

— Ce n'est pas nécessaire.

Il boutonna sa veste avec soin. Elle n'avait plus le tombé impeccable de l'été passé. Elle semblait appartenir à un autre homme, plus épais.

— Marchons, si tu veux bien.

Pour lui, « marcher » signifiait s'imprégner de silence. Au bout de quelques minutes, je n'y tins plus. Que faire, sinon parler, pour réconforter un homme qui refuse de manger ou de vous toucher ? Je ne connaissais pas de meilleur remède à l'angoisse.

— Pourquoi t'obstines-tu à participer à ce Cercle si tu ne partages pas leurs idées ?

— Ils m'aident à réfléchir et j'ai besoin de faire circuler mes recherches. Je dois publier ma thèse pour être habilité à enseigner.

— Tu ressembles à un petit garçon déçu par ses cadeaux de Noël.

Il releva son col et enfouit les mains dans ses poches, insensible à la moiteur de la nuit. Je passai mon bras au sien.

— J'ai lâché une bombe sur la table et tout le monde me tapote dans le dos, demande l'addition et puis… c'est tout.

Je frissonnais, moi aussi. La faim, sans doute.

— Tu es sûr de toi ? Tu n'as pas pu te tromper dans tes calculs ?

Il repoussa mon bras et choisit un autre couloir de pavés pour sa translation.

— Ma démonstration est irréprochable, Adèle.

— J'en suis certaine. Je connais ta manière d'ouvrir trois fois une fenêtre pour t'assurer qu'elle est bien fermée.

Un groupe de fêtards nous bouscula. Je galopai sur mes talons pour revenir à sa hauteur. Il n'avait pas interrompu le fil de sa pensée et je dus me raccrocher aux branches.

— Charles Darwin a dit que les mathématiciens sont des aveugles cherchant dans une pièce sombre un chat noir qui n'existe pas. Je suis, moi, dans la plus pure des lumières.

— Comment peuvent-ils douter alors ? Votre domaine est celui de la certitude. Tout le monde sait que 2+2 = 4. C'est la Vérité pour toujours !

— Certaines vérités sont des conventions transitoires. 2 et 2 ne font pas toujours 4.

— Mais enfin, si je compte sur mes doigts…

— Il est très loin le temps où l'on se basait sur ce qu'on ressent en mathématiques. Au contraire, on s'efforce de manipuler des objets non subjectifs.

— Je ne comprends pas.

— J'ai beaucoup de respect pour toi, Adèle, mais il est des sujets qui te dépassent vraiment. Nous en avons déjà parlé.

— Parfois, les idées les plus compliquées progressent quand on tente de les énoncer simplement.

— Certaines idées ne peuvent s'énoncer simplement dans le langage des hommes.

— Nous y voilà ! Vous vous prenez pour des dieux ! Vous feriez mieux de vous intéresser de temps en temps à ce qui se passe autour de vous ! Es-tu conscient de la misère des gens ? Te sens-tu un tant soit peu concerné par les prochaines élections ? Oui, je lis le journal, Kurt, il est écrit dans le langage des hommes !

— Tu dois apprendre à maîtriser ta colère, Adèle.

Il me prit par la main, ce qui, en public, était une première. Nous marchâmes jusqu'à l'angle de l'avenue en suivant les arcades silencieuses.

— Dans certains cas, on peut démontrer une chose et son contraire.

— Cela n'a rien de neuf, je suis une spécialiste en la matière.

— En mathématiques, cela se nomme « inconsistance », Adèle. Chez toi, c'est l'esprit de contradiction. Je viens de prouver qu'il existe des vérités mathématiques impossibles à démontrer, c'est l'incomplétude.

— Et c'est tout ?

L'ironie ne pouvait être un pont entre nous ; il la percevait comme une simple erreur de communication. Elle l'obligeait, parfois, à reformuler, à trouver une illustration acceptable. Ces rares efforts étaient de réelles preuves d'amour ; une relâche temporaire du joug de la perfection.

— Imagine un être doué d'une vie éternelle et dont l'immortalité serait consacrée à recenser les vérités mathématiques. À définir ce qui est vrai et ce qui est faux. Il ne pourrait jamais achever sa tâche.

— Dieu, en résumé.

Il hésita un instant à avancer, l'usure du sol brouillait la piste qu'il s'était fixée.

— Les mathématiciens sont comme des enfants qui empilent des briques de vérité les unes sur les autres pour construire le mur qui remplira le vide de l'espace. Ils se demandent si certaines sont vraiment solides, si elles ne vont pas faire s'écrouler l'ensemble. J'ai prouvé que, sur une certaine partie du mur, certaines briques sont inaccessibles. On ne pourra jamais donc vérifier que tout le mur est solide.

— Sale gosse, ce n'est pas *joli joli* de casser les jeux des autres !

— Ce jeu est aussi le mien, mais je n'envisageais pas de le détruire au départ, bien au contraire[3].

— Pourquoi ne retournes-tu pas à la physique, alors ?

— Tout y est encore plus incertain. Surtout en ce moment. Ce serait trop long à t'expliquer. Les physiciens sont plutôt dans l'empilement. Ils cherchent le seau plus grand qui pourrait recouvrir les seaux des camarades précédents. Des théories plus globales.

— Les uns ou les autres essaient, de toute façon, de pisser plus loin que leurs petits camarades.

— Je suis certain que mes confrères apprécieraient pleinement ta vision des scientifiques, Adèle.

— Qui z'y viennent ! Je vais leur apprendre la vie, moi.

Il évalua quelques secondes l'idée de m'envoyer en guise de représailles dans les bureaux feutrés de l'université. Elle ne suffit pas à le détendre.

— Je n'ai pas leur respect, je sais ce qu'ils racontent dans mon dos. Même Wittgenstein[4], qui se méfie pourtant des positivistes, me prend pour un prestidigitateur. Un manipulateur de symboles.

— Celui-là n'a pas toute sa tête. Il a laissé sa fortune à des poètes pour vivre dans une cabane. Et tu ferais confiance à un gars pareil ?

— Adèle !

— J'essaie de te faire rire, Kurt, mais je vois bien que nous sommes devant une impossibilité on-to-lo-gi-que.

— Tu as appris ce mot dans les vestiaires du *Nachtfalter* ?

Nous arrivâmes au coin de sa rue. J'apercevais au loin leurs fenêtres éclairées ; sa mère ne dormait jamais avant d'entendre le bruit de ses pas dans le couloir. Choisir de ne pas rentrer était la condamner à l'insomnie. Nous en plaisantions. Parfois. Cette nuit, la solitude serait pour moi.

— En résumé, avec ta logique, tu as prouvé qu'il y a des limites à la logique ?

— Non, j'ai démontré les limites du formalisme. Les limites de notre langage mathématique *actuel*.

— Tu n'as donc pas mis toutes leurs foutues mathématiques à la poubelle ! Tu leur as seulement prouvé qu'ils ne seraient jamais des dieux.

— Laisse Dieu en dehors de tout ça. C'est leur foi en la toute-puissance de l'esprit mathématique qui est atteinte. J'ai tué Euclide, j'ai abattu Hilbert… Je suis sacrilège.

Il sortit son trousseau, signe habituel de clôture des débats : *Ne t'approche pas trop, ma mère pourrait t'apercevoir de la fenêtre.*

— Je dois mieux préparer ma conférence. Je revois Carnap en tête à tête dans deux jours.

— Cette grenouille qui se veut plus grosse que…

— Adèle ! Carnap est un homme bon, il m'a beaucoup aidé.

— Un rouge. Il ne tardera pas à avoir des ennuis.

— Tu ne comprends rien à la politique.

— J'écoute la rue. Et ce que j'y entends n'est pas en faveur des intellos, crois-moi !

— J'ai assez de soucis comme cela, Adèle. Je suis très fatigué.

Il remit ses clefs dans sa poche ; nous dormirions donc ensemble : l'attente serait pour elle ce soir.

— Te voilà enfin raisonnable.

— Je ne connais qu'une seule façon de te faire taire.

Il avait mis à bas l'espoir de ses maîtres : non celui qu'ils avaient placé en lui, mais celui qu'ils avaient érigé pour leur propre omnipotence. Ses amis positivistes voulaient réduire *l'indicible*, ce que le langage des hommes ne pouvait atteindre. En mathématiques, borner la recherche à la seule machinerie était un leurre ; Kurt leur avait fourni un résultat destructeur construit avec le langage même qu'il était censé consolider.

Il n'avait jamais été un disciple aveugle du Cercle positiviste, il se révélait même être le loup dans leur bergerie, mais dans ce tout petit monde il lui fallait se creuser une place. Il avait besoin d'eux pour se stimuler ; ne pas se laisser porter par le *Zeitgeist*[*]. Voilà aussi peut-être ce qu'il avait aimé en moi : ma candeur. J'acceptais mon intuition avec plus de naturel. Mes jambes lui ont plu, je l'ai retenu par ma radieuse ignorance. Il disait : « Plus je pense au langage, plus je suis stupéfié que les gens parviennent à se comprendre. » Il n'était, lui-même, jamais approximatif. Dans ce monde de beaux parleurs, il préférait le silence à l'erreur. Il aimait l'humilité face à la vérité. Il possédait cette vertu en quantité toxique ; craignant les faux pas, il en oubliait d'avancer.

*. L'esprit du temps.

La bombe existait, mais elle fut à retardement. Je n'étais pas la seule à ne pouvoir le comprendre. Les outils mêmes de sa démonstration étaient novateurs, les mathématiciens les plus doués de l'époque avaient besoin de les digérer. À la conférence tant attendue, Kurt rongea son frein derrière des poids lourds comme le physicien Heisenberg. L'omnivore von Neumann intervint pour le soutenir, mais, dans le compte rendu des réunions, Kurt n'apparut même pas.

En quelques mois pourtant, ses résultats s'imposèrent puis devinrent incontournables. La preuve en fut le nombre d'adversaires acharnés à en trouver la faille. Les effets de la bombe se firent entendre au-delà de l'Atlantique pour nous revenir sous la forme d'une proposition de vacation à Princeton et donc d'une probable séparation. Entre-temps, j'avais vu le doute s'installer chez lui et ne plus jamais partir.

Il a commencé à se sentir incompris. Lui, le petit génie, l'enfant chéri. Le brillant taiseux au milieu des verbeux, des politiques. Des malins. Il pensait avoir rejoint un îlot de paix parmi les siens, il y avait gagné, certes, des amis fidèles, mais aussi des haines insoupçonnées et, avec douleur, découvert l'indifférence. J'étais à ses côtés, tendre et disponible, mais je m'engageais dans une bataille avec si peu d'armes à ma disposition : on ne remplit pas un abîme métaphysique avec de l'*Apfelstrudel*.

Le monde autour de nous pourrissait. Il avait, lui, soldé le siècle bien avant l'heure. Le doute et l'incertitude en seraient les nouveaux fondements. Il a toujours été en avance.

9.

Anna débarqua en nage dans la chambre d'Adèle ; les visites étaient presque terminées.

— Vous êtes en retard, ce n'est pas votre genre.

— Moi aussi, je suis contente de vous voir, madame Gödel.

Sans ôter son imperméable, elle brandit une boîte en carton, estampillée d'un merveilleux *Delicatessen* de Princeton. Adèle s'illumina en découvrant son contenu. « De la *Sachertorte*[*] ! » La jeune femme lui tendit une cuillère en plastique ornée d'une faveur bleue. Adèle s'attaqua au gâteau sans attendre. Elle déglutit une énorme bouchée.

— La mienne était meilleure. Mais vous êtes douée. Vous savez parler aux vieilles dames.

— Seulement aux vieilles dames indignes.

— Montrez-m'en une seule qui soit digne et je mange la boîte avec ! Alors, où en êtes-vous ? Vous vous dépatouillez des filets de ce fameux Adams ?

— Je ne vous cache pas son inquiétude.

— Pas pour ma santé, j'en suis certaine. Je suis son nuage noir, sa petite épine.

*. Gâteau au chocolat, spécialité viennoise.

— Vous n'êtes pas non plus une priorité planétaire.

— Je m'en doute bien ! Et vous ? Pourquoi vous accrocher ainsi à moi ? Votre place est-elle si précaire ?

— Je me délecte de votre conversation.

— Autant que j'apprécie vos cadeaux. Vous en voulez ?

Anna refusa ; son abnégation n'allait pas jusqu'à partager la cuillère de la vieille dame.

— Il est comment, ce directeur ?

— Il porte des cols roulés sous ses chemises.

— Je me souviens de lui. Ça fait un moment qu'il pouponne à l'Institut. D'après ce qu'on dit, les secrétaires reboutonnent leurs chemisiers avant d'entrer dans son bureau.

Adèle, cuillère en l'air, le menton taché par le chocolat, observait sa visiteuse. Anna cacha son trouble en farfouillant dans sa besace. Le contenu en était impressionnant : une trousse à stylos, une autre à médicaments, deux dossiers en instance, un livre pour l'attente – *L'Aleph* de Borges –, un nécessaire à raccommoder, une bouteille d'eau, un agenda obèse et un trousseau de clefs relié à un long câble. Elle se déplaçait avec un sac si lourd qu'elle avait mal au dos en permanence. Elle s'en souvenait le soir, mais reprenait son barda le matin. Elle réussit à mettre la main sur un mouchoir qu'elle plaça à plat sur le lit près de la boîte à pâtisseries. Adèle l'ignora.

— Vous pourriez tenir un siège avec un sac pareil. C'est dur de ne pas tout maîtriser, jeune fille ?

— Vous faites psy à vos heures perdues ?

— Vous connaissez la blague juive « Qu'est-ce qu'un psychiatre ? » ?

Anna se raidit ; une catholique dans l'Autriche des

années trente, elle avait une résolution simple à ce type d'équation sans inconnue.

— Un psychiatre, c'est un Juif qui aurait voulu être médecin pour faire plaisir à sa mère mais qui s'évanouit à la vue du sang.

— Vous avez un problème avec les Juifs ? Ce n'est pas la première fois que vous me testez là-dessus.

— Ne soyez pas si prévisible ! C'est Albert Einstein qui m'a raconté cette histoire.

— Vous n'avez pas répondu à la question.

— Je vous en excuse. Je comprends votre méfiance.

Anna replongea dans son sac à la recherche d'un élastique pour ses cheveux. Elle était incapable de réfléchir sans la tension d'une queue-de-cheval. Adèle l'observait avec tendresse.

— Vous devriez lâcher vos cheveux plus souvent.

— Psy *et* esthéticienne ?

— C'est le même métier, à peu de chose près. Vous avez un teint incroyable. Pas une tache ! Vous êtes immaculée comme une madone. Vous avez un long nez et un regard trop doux. Vous pourriez vous en sortir avec un rouge à lèvres bien fort.

— L'inspection est terminée ?

— Pourquoi êtes-vous si peu coquette ? Vous êtes plutôt jolie.

— Ma famille n'est pas du genre frivole.

— Je suis sûre que vous auriez rêvé d'être *pom-pom girl* et que votre mère a failli en avoir une attaque. Les gens qui se disent profonds sont souvent si malheureux.

— Je n'ai jamais aimé me peinturlurer.

Sur ce point, Anna ne mentait pas : elle avait décidé très tôt que la compétition féminine ne serait pas son sport. Pourtant, elle n'avait pas manqué d'entraînement, sa mère était avare de caresses, mais prodigue en conseils. À peine sa fillette falote avait-elle su marcher qu'elle s'était donné pour mission d'éveiller sa féminité à grands coups de papier peint rose, de poupées et de robes à volants. À l'époque, Rachel n'avait pas encore adhéré au féminisme ; la séduction était une arme naturelle. Elle aimait à théoriser son maternage intermittent ; elle s'évertuait à ne pas oblitérer l'épanouissement de sa fille par une image de femme trop parfaite : elle évitait de se maquiller le dimanche. Mais sa mansuétude n'allait pas jusqu'à ôter ses fards les autres jours de la semaine. Elle avait le khôl gris des cours ou des conférences, les paupières nacrées et les lèvres beiges des soirées mondaines. Ses yeux mauves extraordinaires étaient charbonnés à l'extrême pour ses rendez-vous nocturnes sans intitulé. La petite fille guettait son retour de la fenêtre de sa chambre. Le lendemain matin, l'oreiller de sa mère était taché de suie et, parfois, celui de son père n'était pas froissé. À l'âge où ses camarades de classe se ruaient sur le mascara, Anna avait boutonné son chemisier jusqu'au col et s'était perdue dans les livres.

Elle s'était vite aperçue que la coquetterie ne lui était pas nécessaire. Au contraire, elle connaissait peu de garçons qui résistaient à l'envie de bousculer sa froideur. Qu'ils soient à la hauteur de ses espérances était une autre histoire.

— Il ne faut pas mépriser le plaisir, ma belle. Il nous est donné en même temps que la vie.

Anna essuya la bouche de la vieille dame.

— La douleur aussi.

— Mangez donc un peu de *Sachertorte*. Hypoglycémie est mère de mélancolie.

10.

1931

La faille

> « Si la nature ne nous avait faits un peu frivoles, nous serions très malheureux ; c'est parce qu'on est frivole que la plupart des gens ne se pendent pas. »
>
> Voltaire, *Correspondances*

J'étais folle d'inquiétude. Aucune nouvelle de Kurt depuis six jours. Ses rares amis avec lesquels j'avais pu être en contact avaient déjà émigré : Feigl aux États-Unis, Natkin à Paris. À l'université, on m'avait toisée avant de m'annoncer du bout des lèvres sa mise en disponibilité provisoire. En dernier ressort, je m'étais résolue à frapper à la porte interdite de la Josefstädterstrasse. J'avais transgressé notre accord pour rien, sa famille n'était pas là. La concierge n'avait pas daigné ouvrir son guichet. J'avais dû glisser un schilling par la fente pour obtenir ses confidences. Elle m'avait alors tout raconté : les allées et venues en pleine nuit ; les messieurs contrits ; la mère, les yeux rouges ; le frère encore plus raide que d'habitude.

— Ils l'ont emmené à Purkersdorf, au sanatorium. Là où ils mettent les zinzins de la haute. M'a jamais semblé très costaud, ce jeune homme. Dites voir, vous qui les connaissez, ils sont juifs, ces Gödel ? Jamais réussi à savoir. Je les repère pourtant de loin.

Je me suis enfuie sans la saluer. J'ai erré des heures en me heurtant aux passants, avant de me décider à rebrousser chemin vers l'appartement de mes parents sur la Lange Gasse. Je ne pouvais supporter l'idée de me retrouver seule chez moi.

Ce n'était pas possible, pas acceptable. Pas lui. Je l'aurais vu venir. Nous avions dîné ensemble le samedi précédent. Non. Je mangeais et il me regardait. Comment avais-je pu être aussi aveugle ? Ces derniers temps, il n'avait plus goût à rien. Il n'avait même plus envie de moi. Je mettais cette indifférence sur le compte de son extrême fatigue. Il avait tant travaillé. Mais c'était fini, il disait lui-même que ses travaux commençaient à être acceptés. Il avait eu son doctorat, il était publié ; la route était ouverte. Je n'avais pas *voulu* voir. Dans mon milieu, ce genre de mal se soignait à coups d'alcool. Le sanatorium, c'était pour les tubards.

Je ne voyais pas de causes particulières à sa faiblesse. Juste un peu trop de pression. Trop de nuits blanches. Trop de moi, trop d'elle. Trop d'obscurité après la grande lumière. À la première difficulté, je me retrouvais éjectée de sa vie. Sa famille n'avait pas cru bon de m'avertir. Marianne et Rudolf étaient au courant de notre liaison, mais, à leurs yeux, je n'existais pas. Pour ses connaissances, je n'étais que la « *girl* du club ». La poule dont on tolère l'existence. Deux mondes séparés par l'escalier de service.

J'ai posé un mot sur la table de la cuisine de mes parents et j'ai foncé à la Westbahn, où j'ai attrapé le dernier train pour Purkersdorf. Je me suis écroulée sur une banquette et, ensuite seulement, j'ai réfléchi. Comment allais-je l'approcher ? Je n'avais aucun droit. Sa mère était capable de me faire jeter dehors comme une malpropre. Je faisais partie de sa vie, elle ne pouvait rien contre cela. Elle ne gagnerait pas cette fois. Je ne laisserais pas cette vieille truie creuser la tombe de son fils à coups de jalousie et de culpabilité.

Mes parents ne comprenaient pas davantage. Je n'appartenais plus à leur monde et je n'appartiendrais jamais tout à fait au sien. J'étais seule. Et si je manquais à l'appel ce soir au *Nachtfalter*, je n'étais pas certaine de retrouver ma place au retour. J'avais déjà un peu trop d'heures de vol pour une *girl*. Peu m'importait. Même si personne ne voulait le savoir, moi j'étais sûre de pouvoir le sauver de lui-même. Je devais le lui rappeler, s'il l'avait oublié.

Pendant le trajet, j'ai rafraîchi comme j'ai pu ma tenue froissée, ravalé mon visage défait. Très vite, les façades hautaines de Vienne ont cédé la place à la verdure. Toute cette nature m'écœurait.

Je me suis présentée à l'embauche du sanatorium, un bâtiment immaculé, plus apparenté à un hôtel de luxe qu'à un hôpital malgré son austère modernité. On a toujours besoin de filles comme moi dans ce genre d'établissement, mais je n'avais aucune recommandation, et l'époque était rude, on m'a donc poliment renvoyée à ma misère. J'ai traîné à la lisière du parc en évitant la porte principale. La fraîcheur des pelouses ; le silence, pointillé du cri des corneilles ; une vague odeur de soupe et de buis taillé : je l'ignorais encore, mais c'était un avant-goût de nos prochaines années de purgatoire.

Une femme de chambre prenait sa pause à l'entrée des livraisons. Je lui quémandai du tabac. Mes mains refusèrent de rouler une cigarette correcte.

— Vous avez connu des jours meilleurs.

Je parvins à un semblant de sourire.

— À Purk, on est habitué à croiser des gens tristes. On dirait même que c'est une spécialité maison. On en reçoit par charrettes. Ça fait tourner la baraque !

— Je suis amie avec quelqu'un qui est soigné ici. Je ne suis pas autorisée à le voir.

Elle retira un brin de tabac de sa bouche.

— Il s'appelle comment, votre ami ?

— Kurt Gödel. Je n'ai aucune nouvelle depuis plusieurs jours.

— La chambre 23. Il est en cure de sommeil. Ça va à peu près.

Je serrai son bras. Elle me repoussa avec gentillesse.

— Il est quand même mal en point, votre bonhomme. Il est maigre comme un clou. Je l'aime bien. Il remercie quand on fait sa chambre. C'est pas le cas de tous. En dehors de ça, il ne dit pas un mot. Par contre, la mère, faut se la faire. Et vas-y qu'elle rouspète par-ci, qu'elle engueule les infirmières par-là. Une enquiquineuse de première !

— Qu'est-ce qu'ils peuvent pour lui ?

— Ça dépend du docteur Wagner-Jauregg, ma mignonne. S'il est de bonne humeur, votre ami aura droit à quelques jets d'eau et quelques séances de tire-jus avant le retour au bercail. Le patron est un grand pote à M. Freud. Une célébrité. Il nous amène beaucoup de clients. La plupart des patients sortent de son cabinet avec un mouchoir trempé à la main. Il paraît que ça les aide. Pour les autres, Wagner préfère les soins plus musclés.

Je tirai une bouffée poussive de ma cigarette mal roulée.

— Wagner n'est pas connu pour être un tendre. À l'entendre, la science autorise tout. Il traite les cas spéciaux à l'électricité.

— Pour quoi faire ?

Elle envoya son mégot d'une pichenette vers la haie.

— Pour les ramener à la réalité. Comme s'ils avaient encore besoin de comprendre que c'était bien réel, toute cette merde. Moi, j'aime à me dire qu'ils ont des bouts de cerveau qui partent en vacances. L'avantage avec l'électricité, c'est qu'ils ne crient plus en se tapant la tête contre les murs. Il y a donc un bénéfice. Mais ils chient dans leur lit. Ça nous donne du travail. Je vous laisse, j'ai mon service à reprendre.

Elle rajusta la coiffe blanche sur sa tignasse rousse et me tendit sa pochette à tabac.

— Une autre pour la route ? Vous faites pas trop de mouron. Votre amoureux n'est pas un cas spécial. Il souffre de mélancolie, comme ils disent. C'est juste un homme triste. C'est l'époque qui veut ça. Revenez demain à la même heure. Je vous ferai entrer. Sa mère ne sera pas là. Elle a tellement collé le train aux infirmières qu'on l'a interdite de visite pour deux jours. C'est thérapeutique.

— Merci mille fois. Comment vous appelez-vous ? Moi, c'est Adèle.

— Je sais, mon chou. C'est le nom qu'il chuchote quand il dort. Moi, je suis Anna.

11.

— Un petit tour au jardin ?

— Il fait froid. Je suis fatiguée.

— On se croirait au printemps ! Je vous emballe et on sort.

Anna emmitoufla la vieille femme avec soin. Elle desserra le frein du fauteuil et passa la porte de la chambre sans encombre. Malgré la virtuosité de la manœuvre, Adèle s'agrippait aux accoudoirs.

— Je ne supporte plus d'être trimballée dans cette maudite machine. J'ai l'impression d'être déjà morte.

— Vous êtes bien trop revêche. La mort doit avoir peur de vous approcher.

— Je l'attends de pied ferme, cette garce. Si j'avais toutes mes jambes… J'avais de belles jambes, vous savez ?

— Vous dansiez comme une reine, j'en suis persuadée.

Adèle relâcha sa prise et enfouit ses mains sous la couverture. « Accélérez un peu, je ne suis pas en sucre. » Elles remontèrent le couloir à un rythme sportif, évitant de peu un spécimen hagard qui traînait par là.

— Inutile de vous excuser, Anna. Roger ne vous

entend pas. Il a passé les dernières années de sa vie à chercher sa valise. S'il la trouve avant le grand départ, il n'en aura plus besoin.

— Le pauvre homme.

— Et moi, alors ? Je suis coincée ici avec des baveux à la mémoire de poisson rouge. Personne ne veut finir comme ça.

— Il faut donc mourir jeune ?

— Partir avant ceux qu'on aime est la seule façon de ne pas souffrir.

— C'est atroce pour ceux qui restent, Adèle.

— Mon ultime luxe est de proférer des horreurs. Ceux qui apprécient prennent cela pour de la sagesse, les autres pour de la sénilité.

— Ou du cynisme.

— Quand j'ai eu mon premier accident vasculaire, je me suis dit : « Voilà, c'est fini, ce n'est pas si terrible, après tout. » Mais j'ai pensé à Kurt. Je me suis demandé ce qu'il deviendrait sans moi. Je suis revenue. En plein dans la douleur. J'ai tout de suite regretté.

— Voir du vert chassera vos idées noires.

— Vous me servez de la poésie à quatre sous. Attention ! Demi-tour ! Attaque de pull rose par le flanc gauche !

La minuscule Gladys se précipitait vers elles.

— Mademoiselle Roth, comment vous portez-vous ? Et notre petite Adèle ?

Mme Gödel devait peser le double de son poids et lui compter cinq ou six années de plus. Elle leva les yeux au ciel.

— *Machen Sie bitte kurz*[*] !

*. « Abrégez, par pitié ! »

— Qu’est-ce qu’elle dit ?

— Elle a envie d’aller aux toilettes.

Elles repartirent à un train d’enfer jusqu’à l’ascenseur. Les portes s’ouvrirent sur une volée de blouses blanches, dans une grande bouffée de cigarettes et de désinfectant. La jeune femme hésita un instant sur l’étage à choisir : les repères étaient effacés. Adèle pressa le bouton adéquat d’un revers de pouce impératif.

— Anna, les créatures comme Gladys sont des vampires. Vous ne survivrez pas dans ce monde si vous n’apprenez pas à être impolie avec les monstres.

— Avec vous, je suis à bonne école.

Elles contournèrent la pelouse, en ignorant les rares pensionnaires et les non moins rares visiteurs, et elles se cachèrent derrière un vénérable sycomore. Anna extirpa de son sac sans fond un thermos, un paquet de biscuits à la cannelle et une flasque.

— Alléluia ! Il y a de la Mary Poppins en vous. Pas trop tôt pour l’apéro eu égard à vos principes ?

— Il fait nuit à Vienne en ce moment.

Anna prépara deux thés agrémentés de bourbon. Adèle fit tourner son breuvage en pestant contre la dose d’alcool trop raisonnable. Elles toquèrent leurs coupelles de plastique.

— Regardez-moi dans les yeux, demoiselle. Sinon trinquer ne veut rien dire. À Vienne ! Un jour, vous embrasserez la ville de ma part.

La lumière dorée s’accrochait aux poussières dansant dans l’air. Anna eut la fugitive sensation de se trouver, pour une fois dans sa vie, à la bonne place au bon moment.

Adèle engloutit son cocktail.

— J'ai passé la moitié de mon existence dans ce genre de prison. Des deux côtés de la scène. Quand j'étais visiteuse, j'allais au cinéma pour me changer les idées.

Elle tendit son gobelet pour un second service. Anna obtempéra avec plus de générosité et moins de thé.

— Que faites-vous, après, pour vous laver de toute cette vieillesse ?

La jeune femme inspecta le fond ambré de sa tasse. Elle opta pour la sincérité.

— Un bain, un verre de blanc et un bouquin.

— En même temps ?

— Il faut savoir vivre dangereusement.

— Je n'ai jamais apprécié la lecture. J'ai toujours eu du mal à me concentrer. J'avais la bougeotte. Je relisais trois fois les phrases. Kurt, lui, se retranchait dans ses livres. Les livres étaient une barrière supplémentaire entre nous.

Elle posa le gobelet sur ses genoux dans un équilibre précaire. Elle simula des lunettes avec ses doigts et prit une voix pointue.

— *Je suis ailleurs, inutile d'insister !* J'en étais venue à fuir le silence, à chercher l'agitation de la foule. Je finissais au cinéma. Vous ne pouvez pas imaginer à quel point cela me manque !

Anna s'entendit parler et, dans le même temps, regretta sa phrase.

— Et si je demandais l'autorisation de vous emmener au cinéma ?

— Je vous couche illico sur mon testament ! Mon triste et vaste postérieur est scotché à la réalité depuis bien trop longtemps.

La jeune femme réfléchissait déjà aux multiples complications qu'engendrerait sa proposition. Elle versa une deuxième rasade de bourbon dans son liquide tiédasse.

— Je n'ai pas détruit ces papiers, Anna. Mais n'allez pas croire que je vous dis ça parce que vous voulez me sortir. Je ne suis pas une fille facile !

— Moi non plus, Adèle. Moi non plus.

La vieille dame claqua des lèvres.

— Qu'y a-t-il de bon à l'affiche en ce moment ?

— *Manhattan*, un film en noir et blanc de Woody Allen, un réalisateur new-yorkais.

— Je connais ce nom. Trop intellectuel pour moi. J'ai l'impression d'avoir passé ma vie entière dans un film en noir et blanc. Et presque muet, le film ! Donnez-moi du Technicolor, bon sang de bois ! De la musique ! Pourquoi Hollywood ne produit-il plus de comédies musicales ?

— À vrai dire, je n'apprécie pas le genre.

— Trop populaire pour vous ? Sa Majesté préfère le cinéma *français*, sans doute.

— Où prenez-vous ce droit de me juger ?

— Pauvre petite chose. Moi, j'ai été jugée toute ma vie. Incapable, stupide, vulgaire. Jamais à la hauteur. J'ai pleuré, tapé du pied contre toutes ces portes closes, mais je suis restée « l'Autrichienne ». Princeton n'était pas un monde pour moi. Un jour, j'ai dit « *Scheisse*[*] *!* » J'ai planté un flamant rose au beau milieu du jardin. Vous imaginez les commentaires ? Un flamant rose chez Kurt Gödel… Sa mère en a avalé son rang de perles. Ça m'a fait un bien fou. J'aime les comédies

*. « Merde ! »

musicales. Les chansons d'amour. La peinture avec de jolies couleurs. Je ne lis pas… *Et je vous emmerde !* comme disent justement ces foutus Français. Si vous voulez voir des films déprimants ou boire un petit verre avant le coucher du soleil, Anna, libre à vous. Ce qui compte, c'est la joie. La joie !

— Qu'a pensé votre mari de ce flamant rose ?

— A-t-il seulement réalisé que nous avions un jardin ?

12.

1933

Séparation

> « L'amour, c'est que tu sois pour moi le couteau avec lequel je fouille en moi. »
>
> Franz Kafka

Avec la complicité de la femme de chambre, j'avais pu, durant les quelques mois de son premier séjour au sanatorium, visiter Kurt en contournant la censure familiale. Anna était la fille d'émigrés russes ; ses parents, employés de maison, avaient suivi leurs maîtres lorsqu'ils avaient fui la menace bolchevique. Elle avait épousé par amour un horloger viennois qui tenait boutique sur le Kohlmarkt à deux pas du café *Demel*. Ses beaux-parents, très catholiques, n'avaient jamais accepté cette union avec une Juive. Quand son mari était mort de tuberculose peu après la naissance de leur fils Peter, elle s'était retrouvée seule, avec un enfant et un père sénile à charge. Par miracle, elle avait pu trouver cette place à Purkersdorf, où elle vivotait dans une chambre de service. Son salaire suffisait à peine à couvrir les frais de nourrice et ceux de l'hospice. Elle ne voyait son gamin qu'une fois par mois, après un interminable trajet à vélo vers une campagne éloignée. Elle me montrait souvent des photographies de son petit bonhomme qui avait les cheveux roux de sa mère et, sans doute, le regard noir de son père. Anna masquait son accent russe sous une gouaille toute viennoise, mais elle ne pouvait dissimuler ses origines slaves : elle avait un visage rond, aux pommettes saillantes, et des yeux pâles étirés en un perpétuel sourire. Sa chevelure flamboyante et indocile la précédait toujours ; elle ne passait pas inaperçue. Je lui avais interdit de se faire décolorer en blonde ; j'enviais sa tignasse de Danaé qu'elle avait le plus grand mal à contenir sous sa coiffe blanche. Elle avait une vie bien plus difficile que la mienne, pourtant, elle ne se plaignait jamais. Elle savait écouter et ne demandait rien en retour. Je la connaissais trop peu pour être malhonnête avec elle. Après chaque rencontre avec Kurt, je courais me cacher pour pleurer à l'arrière du bâtiment, me lamentant sur mon sort et sur mon impuissance ; il était si maigre, si faible. Anna roulait des cigarettes et nettoyait mes joues barbouillées de mascara sans un commentaire. Elle ne s'était permis qu'un seul conseil : « Si leurs drogues fonctionnaient vraiment, ça se saurait. Pour moi, y a pas de secret. Il a seulement besoin d'amour, ton bonhomme. Va falloir y mettre du tien, ma jolie. »

J'étais venue chaque jour, patientant des heures au coin de l'entrée de service pour grappiller quelques minutes d'intimité avec Kurt. Les Gödel n'avaient pas été dupes de ces retrouvailles furtives ; mon homme était peu doué pour le mensonge, mais ils n'avaient pu saborder ce qui, à leurs yeux, devait être mis au compte d'une faiblesse passagère à enfouir sous le déni, comme cet épisode déplaisant.

Quand Kurt eut retrouvé une apparence de santé, sa mère l'avait envoyé se reposer dans des thermes yougoslaves, près de la frontière. J'avais rongé mon frein tout l'été à Vienne. Kurt était rentré en pleine forme et rassuré sur son avenir : il avait été recruté par le mathématicien Oswald Veblen pour donner une série de conférences à l'IAS.

Louis Bamberger et sa sœur avaient fondé l'Institut de recherche avancée de Princeton quatre ans auparavant. Ces philanthropes à la mode américaine avaient cédé leur chaîne de magasins à *Macy's* quelques jours avant le krach de 29 et créé une fondation consacrée à la recherche pure avec le produit de la vente. L'époque était propice au débauchage dans les universités européennes ; toute l'intelligentsia se bousculait au portillon pour fuir vers les États-Unis. À Vienne, le futur immédiat d'un jeune doctorant se résumait à un titre de *Privatdozent*, sans rémunération. Kurt ne pouvait envisager un poste d'ingénieur dans le privé : cette idée le faisait sourire quand elle ne lui donnait pas la nausée. L'invitation outre-Atlantique, en plus d'une reconnaissance, était un passeport pour une carrière universitaire brillante et une vraie émancipation financière. Notre séparation était le tribut à payer.

Princeton était une chance à ne pas rater. Un monde pour lui, doté du même langage. Il était si excité à l'idée de partir ! J'avais quand même des doutes. Les voyages transatlantiques étaient longs et fatigants, même sur les ponts supérieurs. Comment, lui, l'anxieux capable de tomber en transe pour une broutille, pourrait-il résister à cet exil ? À ce pays et ces gens inconnus, à toute cette zone floue ? Lui qui redoutait tant l'absence de routine.

Il m'avait promis de revenir. Il m'avait demandé de ne pas pleurer. D'attendre. Qu'avais-je fait d'autre durant toutes ces années ? Les télégrammes coûtaient cher, les lettres prenaient le bateau. L'attente était tout ce qu'il me restait. Nous avions pourtant déjà survécu à une distance bien plus grande, celle qui sépare un génie d'une danseuse.

J'ai fini mon service peu avant minuit. J'ai évacué les derniers soûlards avant de baisser le store, accroché mon *Dirndl* sur son cintre et me suis repoudrée à la lumière du bar. Trop vieille pour danser, pas assez pour se résigner. Si on m'avait dit cinq ans auparavant que je servirais un jour des bières en costume traditionnel, j'aurais ri et soulevé ma jupe au nez du mauvais prophète. L'époque avait changé, j'avais renoncé à ma chambre et à mon indépendance : mon père venait me chercher à la sortie du travail ; les rues était devenues trop dangereuses. Vienne pourrissante lâchait ses pets nocturnes : des échauffourées, des rixes politiques auxquelles je ne comprenais rien. La question venait d'être tranchée en Allemagne, elle le serait très vite en Autriche. Certains avaient déjà choisi leur camp. Lieesa fricotait avec les milices catholiques du Heimwehr, ce qui, en mémoire de son passé à la cuisse très légère, ne manquait pas de piquant. D'autres amis fêtards avaient abandonné la nuit pour la politique : la milice socialiste du Schutzbund. Tous des marionnettes. Aucun des gouvernements successifs de coalition n'était parvenu à conjurer la misère de la Grande Dépression. La tension de la rue croissait, attisée par les nazis : menaces de grève générale et d'invasion. Le chancelier Dollfuss avait repris le pays en main en arasant toute forme d'opposition, de droite comme de gauche. Seul maître à bord d'un vaisseau naufragé.

Plus rien n'empêcherait les nazis d'arriver au pouvoir. Ils ne brûleraient pas notre Parlement comme ils avaient incendié le Reichstag. Il n'y avait plus de Parlement. Des frontières montait une rumeur sourde d'ordre nouveau. Bientôt, ils brûleraient aussi les mauvais livres, interdiraient la musique, fermeraient les cafés et éteindraient les lumières à Vienne.

Ce soir-là, mon père se faisait attendre. Pour tromper mon inquiétude, je relus une centième fois la dernière lettre de Kurt. Je vivais en suspens entre ses lettres, rassurée par leur constance, déçue par leur froideur. Haïssant parfois leur auteur, jamais très longtemps. M'attendrissant sur des traces d'amour qui n'en étaient pas, m'inquiétant à chaque ligne ; moitié mère, moitié amante. Dort-il suffisamment ? Pense-t-il à moi ? M'est-il fidèle ? Il semblait heureux, mais pour combien de temps ? Dans combien de jours fermerait-il les rideaux ? Aurait-il mal au ventre, à la tête ? Je cherchais, sans oser me le dire, les signes avant-coureurs d'une rechute dans une phrase trop neutre. Pour ne pas les rater, cette fois.

Princeton, le 10 octobre 1933

Ma très chère Adèle,

Dans ta précédente lettre, tu réclamais des détails sur Princeton et ses alentours. Je n'ai guère le temps de faire du tourisme. Mais pour couper court à tes reproches, en voici une description succincte.

Princeton est un village universitaire de la grande banlieue de New York. Le trajet vers la ville est épuisant. Pour rejoindre la petite gare isolée de Princeton Junction depuis l'université, il faut prendre le *Dingy*, une navette inconfortable. Après deux heures de train, on débarque à Penn Station à Manhattan, 7e Avenue, 31e Rue, dans un carrefour de Broadway écœurant de lumière et de bruits. Il est donc inutile de me demander de « ne pas traîner à New York tous les soirs ». Je n'en ai ni la force ni l'envie.

Je suis, en revanche, satisfait par l'IAS. Le programme est très ambitieux et le recrutement à la hauteur des espérances d'Oswald Veblen et d'Abraham Flexner, le premier directeur. Ils ont réuni toute la « crème » scientifique du moment. Ils ont même réussi à convaincre Herr Einstein. Un bel exploit, puisque toute l'Amérique était prête à le recevoir. Je ne suis pas impressionnable, mais le rencontrer était une expérience inoubliable. Nous avons conversé plus d'une heure à propos de philosophie et à peine parlé de mathématiques ou de physique. Il s'avoue trop mauvais en mathématiques ! Tu apprécierais ce grand homme et son humour. Sais-tu ce qu'il dit de Princeton ? « C'est un petit endroit merveilleux, au cérémonial excessivement amusant, peuplé de minuscules demi-dieux montés sur des échasses. »

Je suis un simple conférencier invité, mais j'envie les premiers résidents : von Neumann, Weyl, Morse. Libérés des obligations d'enseignement, leur seule mission est de penser. Personne ne se soucie de ce que vous faites à partir du moment où vous avez l'air occupé.

Princeton est charmant à l'automne. Tu détesterais toute cette forêt flamboyante et ces gazons impeccables, toi la fille des nuits viennoises. L'IAS loge provisoirement dans le Fine Hall de l'université pour cette première année académique. Les bâtiments sont acceptables, les Américains montrent un sens de l'hygiène tout à fait remarquable. Je prépare mes prochaines conférences : « De l'indécidabilité des postulats des systèmes mathématiques formels ». Je te fais grâce des détails, bien qu'un énoncé obscur ne soit en rien capable de t'arrêter ! Sache que mes travaux reçoivent enfin un chaleureux accueil.

Mes journées sont très denses. Je suis une sorte de professeur émérite le jour et un étudiant esseulé le soir. Les échanges avec mes confrères sont cordiaux, mais, au final, assez limités. Les cafés viennois me manquent. Mme Veblen veille à ma vie sociale et organise des thés ou des soirées musicales.

Je suis atterré par les quantités de nourriture qu'avalent ces gens. Ici, tout est *huge* : un *steak* me ferait tenir une semaine, un *dry martini* remplirait un tub. Je serais malade si je ne faisais tout particulièrement attention à mon régime alimentaire. Je surveille aussi ma température. Je fais de longues promenades quotidiennes dans la nature environnante.

Je ne serai pas présent pour ton anniversaire. Nous nous rattraperons à mon retour. Que veux-tu que je te rapporte de New York ? J'ai très peu de temps à consacrer à ce genre de mission, mais je peux mandater l'épouse d'un de mes confrères. L'Amérique produit tant d'objets exotiques qui contenteraient ta curiosité. De la musique peut-être ? J'ai entendu ici des choses étranges dont, j'en suis sûr, tu serais friande.

Je t'embrasse, prends soin de toi.

Kurt. ∞

Je caressais la petite boucle d'infini déjà presque effacée quand trois coups frappés au store de bois me firent sursauter. Par le judas, j'aperçus Lieesa qui rajustait sa gaine avec fort peu de discrétion. J'hésitai à me montrer. Mon amie avait changé ; elle n'était plus cette blonde funambule passant de main en main avec son sourire pur, cette jeune fille sans peur capable de défier un Hongrois à la vodka. Je n'appréciais pas ses nouvelles fréquentations et elle n'avait jamais aimé Kurt. Je répondis par trois coups identiques et sortis par la porte donnant sur la cour. Adossée au mur envahi de lierre, Lieesa fumait une cigarette

— Tu viens boire un verre ? J'ai quelqu'un à te présenter.

— Mon père ne va pas tarder. Je rentre.

Elle jeta sa cigarette et l'éteignit d'un talon éraflé par trop de *black bottom*. J'avais toujours envié ses petits pieds.

— Il ne reviendra pas. Tu n'étais qu'un passe-temps pour lui. Tu as trente-quatre ans. Tu perds tes plus belles années à attendre. Viens ! La nuit est jeune !

Je frissonnai dans mon léger manteau ; l'hiver serait rude et je n'avais plus les moyens de ma coquetterie.

— Tu t'accroches à un fantôme. Qu'est-ce que tu trouves encore à ce fi-fils à sa maman qui ne décroche jamais un mot ?

J'étais trop fatiguée pour écouter ses reproches. Je scrutais la rue ; j'étais seulement préoccupée par le retard de mon père. Elle me força à tourner mon visage vers elle. Ses mains étaient sèches. Je la repoussai et enfonçai un peu plus mon chapeau.

— Tu crois qu'il va débarquer pour te demander en mariage, te faire des enfants et t'inviter à dîner à table avec belle-maman le dimanche ? Réagis, bon Dieu ! Il est parti !

— Il reviendra.

— Tu sais très bien que ton jules n'a pas toutes ses tasses dans l'armoire ! C'est un malade mental entouré de youpins et de cocos. Tu vas trop au cinéma, ma grande. Il n'y aura pas de *happy end.* Occupe-toi de tes fesses tant qu'elles le valent encore !

— Il y a quelque chose de particulier entre nous.

— Ça dure depuis combien de temps, cette histoire ? Six, sept ans ? As-tu déjà rencontré sa famille ? Jamais !

— Et toi, qui es-tu pour me faire la morale ?

— Tu pètes plus haut que ton cul, ma pauvre. Regarde d'où tu viens ! Qu'est-ce que tu crois ? Pour eux, tu n'es qu'une pute, Adèle ! Et encore, une pute se fait payer ! Toi, tu fais la serveuse pour lui offrir des extras. Dans quel monde vis-tu, bordel ?

— Pas dans le tien.

Elle claqua la langue et partit en tortillant le popotin. En cet instant, je disais adieu à nos vertes années.

Elle avait choisi de survivre. Aussi me pressait-elle de le faire. Chaque habitant de cette ville devait faire ce choix, animé non par l'espoir, mais par la peur : qui était le plus dangereux ? Les rouges ou les bruns ? Qui sauverait Vienne telle que nous l'avions connue ? Ceux qui le pouvaient encore fuyaient. La fête était finie. Tout n'était que confusion. J'étais seule. Je ne voulais pas choisir, je ne voulais pas avoir peur. Je voulais juste descendre du manège, m'asseoir avec Kurt au café *Demel* et manger une glace en le faisant tourner en bourrique.

13.

Anna se tenait bien droite, genoux serrés. Elle se sentait toujours oppressée en compagnie du directeur de l'IAS ; il lui rappelait trop son père : cette suffisance, cette atavique façon de considérer le monde comme une superposition de boîtes étanches. Son bureau avait la même odeur : livres à dos de cuir, souvenirs d'Ivy League* et vagues relents d'alcool hors de prix caché derrière un panneau d'acajou. Elle se concentra sur les pellicules qui constellaient sa veste bleu marine. Le col roulé sous la chemise lui fit penser à Adèle.

— Vous semblez satisfaite, mademoiselle Roth. Vous avez donc progressé ?

— Si vous espérez que je vous livre demain matin trois caisses de documents, alors, non, je ne progresse pas, monsieur.

Calvin Adams se leva pour la toiser de sa haute taille.

— Qu'est-ce que cette soudaine agressivité, mademoiselle Roth ?

*. Groupe des huit universités privées les plus prestigieuses du nord-est des États-Unis.

Elle se contracta davantage. Elle ne devait pas se le mettre à dos. Elle l'avait déjà vu à l'œuvre dans ses colères sèches.

— Je vous prie de m'excuser. Je suis un peu débordée ces derniers temps.

— Prenez de l'aide. Je ne suis pas un tortionnaire, que diable ! Vous n'êtes pas tenue à vos visites gériatriques tous les trois jours. Nous avons suffisamment à faire ici. Nous recevons une délégation européenne. Je ferai appel à vos talents de traductrice.

— Ce n'est pas ma fonction.

— Nous en avons discuté avec votre père. Vous avez besoin d'une activité plus socialisante. Vous avez perdu trop d'années au milieu des vieux papiers.

La jeune femme s'attendait à ce que son géniteur revienne un jour ou l'autre fourrer son nez patricien dans ses affaires. La devise de Princeton, gravée au fronton de la bibliothèque, le lui rappelait constamment : « *Dei sub numine viget*[*] ». Sous l'omnipotence du sien, elle s'était fanée.

— Je vous suis très reconnaissante de m'avoir proposé ce poste, même si je suis consciente de le devoir à mon père.

Le directeur dégrafa son blazer et recula son fauteuil d'une poussée. Le monde d'Anna était envahi de roulettes.

— Nous sommes entre nous. George est un ami de longue date, son inquiétude est tout à fait légitime. Je n'en ferais pas moins pour mon propre fils.

— Nous parlions de Mme Gödel.

L'allusion du directeur à Leonard avait achevé Anna.

*. « Sous la puissance de Dieu, elle s'épanouit. »

Surtout dans ce bureau où, vingt ans auparavant, ce dernier lui avait offert sa collection de *Strange* pour lui faire baisser sa petite culotte. Ce jour-là, leurs pères respectifs étaient en grande discussion dans l'antichambre, mais elle avait eu le temps de lui montrer furtivement son sexe, cachée derrière la porte capitonnée ; pour le plaisir d'être à la hauteur de sa provocation et non pour ses *comics* sans intérêt.

— Si l'affaire n'aboutit pas, inutile de vous attarder. J'ai un énième biographe d'Einstein sur les bras et une douzaine de conférences à préparer.

— Mme Gödel m'a certifié qu'elle n'avait pas détruit de documents.

— C'est un excellent début. Il vous suffit maintenant de la convaincre de notre bonne foi.

— Ce n'est pas aussi simple.

— Vous avez quand même réussi à l'amadouer. Je vous en félicite.

Anna n'avait pas eu le choix : elle devait donner un os à ronger à Adams avant qu'il ne l'affecte à une nouvelle mission. Il passait au véritable motif de cet entretien, tripotant les boutons dorés de sa veste, signe chez lui d'une sorte de gêne. Pour autant qu'il fût capable d'être embarrassé.

— Je compte sur votre présence à Thanksgiving. Virginia sera ravie de vous revoir. Nous aurons deux ou trois Prix Nobel potentiels, une Médaille Fields certifiée et un héritier Richardson.

— Je vous remercie, mais je ne suis pas à mon aise dans ce genre de dîner.

— Ce n'est pas une invitation, c'est une affectation, mademoiselle Roth ! Je n'ai pas d'interprète disponible ce soir-là et ce maudit mathématicien français a un accent si étrange que je ne saisis qu'un mot sur trois de son sabir. J'ai besoin de vos lumières. Vous ferez un effort sur la tenue, n'est-ce pas ?

Anna se demanda s'il lui porterait le coup de grâce en lui rappelant la légendaire élégance de sa mère. Il n'osa pas. L'ombre du père était suffisante pour plomber cette conversation. Il ne manquerait plus que Leo soit présent à Thanksgiving. Elle s'empressa de prendre congé ; elle avait envie de hurler. Pour ça, elle attendrait le refuge de sa douche. Les gazons impeccables de Princeton appréciaient modérément les démonstrations hystériques.

Le directeur suivit du regard la frêle silhouette par la fenêtre de son bureau. Il n'avait jamais réussi à comprendre la fillette, il ne savait guère plus de la jeune femme. Il eut un pincement au niveau du pelvis en pensant à celle qui, une trentaine d'années auparavant, s'était assise à son côté lors d'un raout d'étudiants à Princeton. L'austère Anna en était l'exact reflet inverse ; Rachel était une créature irrésistible : une brillante universitaire au décolleté ravageur. Tous deux, déjà engagés, n'avaient partagé qu'une seule danse, bien frustrante. Il se gratta l'entrejambe. Autres temps, autres mœurs. Aujourd'hui, il lui aurait suffi de lui offrir à boire. Il ferma la porte et s'accorda un petit réconfort liquide pour effacer de son esprit ses visions obsédantes de cuisses blanches et de seins comme des ballons de football. Il devait prévenir sa femme de la présence d'Anna à leur dîner. Virginia ne l'aimait pas ; elle n'avait jamais aimé sa mère. Avec un peu de chance, son extraterrestre de fils daignerait les rejoindre. Avec un peu de chance,

Andrew W. Richardson Jr lui trouverait quelque chose à faire. Et, par miracle, Virginia ne serait pas soûle à la fin du repas. Mais la chance n'avait rien à voir là-dedans. Il se resservit un fond de verre et cacha la bouteille avant d'appeler sa secrétaire.

— Madame Clarck, je veux parler à Leonard de toute urgence. Téléphonez au concierge du MIT* et demandez-lui de réveiller l'individu qui dort au milieu des cartons de pizza vides.

*. Le MIT (Massachusetts Institute of Technology) est considéré comme l'une des universités les plus avancées en science et technologie.

14.

Janvier 1936

Nécessaire, mais non suffisante

> « L'enfer ne saurait inventer pire torture que de se voir imputer une faiblesse anormale, en raison d'une puissance anormale. »
>
> Edgar Allan Poe, *Marginalia*

Comme sa famille, j'avais voulu croire que sa première dépression resterait un malheureux incident de parcours. Sa santé s'affermirait quand nous serions réunis ; je serais suffisante. L'ordre reviendrait après le désordre. Mais en 1934, à son retour des États-Unis, Kurt s'était de nouveau effondré et son état l'avait contraint à une longue cure de repos.

Sa deuxième dépression s'était déclarée peu après la mort de Hans Hahn. Son directeur de thèse avait succombé à un cancer fulgurant, la veille de l'assassinat de Dollfuss. Kurt était à Princeton, bouleversé de n'avoir pu l'accompagner dans ses derniers instants. La maladie avait emporté son mentor en trois mois. Encore un père à qui il n'avait pas dit au revoir.

Principe d'entropie, aurait-il pu conclure : le désordre d'un système va croissant. Une tasse brisée ne se recollera jamais d'elle-même. L'univers est désordre, jouit du désordre pour engendrer du désordre.

Le sanatorium de Purkersdorf était donc devenu sa seconde maison. J'en étais réduite à guetter ses rares sorties ; j'avais droit à une étreinte furtive, un semblant de dîner, parfois même à une soirée au cinéma, puis il repartait vite chez sa mère pour attester de ses progrès : elle détenait les clefs de sa liberté provisoire. Anna la rousse m'avait convaincue de ne pas quémander davantage : « Tu dois être forte pour deux, Adèle. Voilà ta mission. Et estime-toi heureuse, la plupart des gens ne savent pas quoi faire de leur putain d'existence. »

Kurt ne s'attardait jamais très longtemps à Vienne, où la tension constante annihilait son peu d'énergie. L'université se vidait de ses forces vives : intellectuels juifs et non-sympathisants nazis avaient été remplacés par de « bons Autrichiens » ayant fait allégeance au chancelier Schuschnigg, successeur de Dollfuss et, à travers lui, au pouvoir national-socialiste. Hitler avait beau se défendre d'une préparation d'Anschluss, la hyène pissait déjà sur la frontière. Seules les réticences de Mussolini l'empêchaient de passer à l'acte. L'émigration de l'intelligentsia était désormais massive. Kurt y perdait ses amis les plus chers, mais aussi l'environnement fertile nécessaire à sa pensée.

Malgré sa santé précaire, il avait eu l'inconscience d'accepter une deuxième tournée de conférences à Princeton pour la rentrée universitaire de 1935. J'avais tempêté, supplié, menacé d'une rupture ; il n'avait pas cédé. Ni sa famille ni son entourage médical n'étaient à même de le raisonner. Il se méfiait des médecins alors que son propre frère était radiologue. Il avait seulement confiance dans les livres. Mais quand il compulsait plus de manuels de médecine que de philosophie ou de mathématiques, le retour au sana était proche. Cet été-là, les signes de dépression avaient été nombreux. Rudolf n'avait pu les ignorer ; il n'aurait jamais dû autoriser son frère à partir. Kurt ne mangeait presque plus, éparpillant sa nourriture en tout petits morceaux au bord de son assiette pour dissimuler son manque d'appétit. Il se plaignait des dents, du ventre. Il ne dormait pas. Il ne se couchait même plus. Il ne me touchait plus ou s'obligeait à une parodie d'accouplement, pour ne pas avoir à en parler. Kurt était un taiseux mais, cette fois, le silence lui collait à la peau.

Il était reparti à l'automne, me laissant ruminer mon manque d'influence sur cet homme faible, obtus et mal entouré. Quelques jours après son arrivée, il s'était senti sombrer. Dans sa dernière lettre, il m'annonçait que le médecin américain auquel l'avait adressé le directeur Flexner l'incitait à regagner Vienne au plus vite. Quand cette lettre m'était parvenue, il était déjà en chemin. Le secourable Veblen l'avait remis sur un bateau en direction de l'Europe en promettant de ne pas inquiéter sa famille. Il avait cependant câblé à Rudolf pour le prévenir du retour de son frère au Havre le 7 décembre. Dans un demi-coma, Kurt avait rejoint Paris, d'où il avait appelé son aîné au secours. En vain. Il était donc resté trois jours à Paris avant de pouvoir, je ne sais comment, trouver l'énergie de regagner Vienne par le train. Seul.

Je n'ai jamais pu lui faire raconter ces trois journées, mais je sais qu'elles furent d'une douleur inouïe. J'ai passé des années à lui en extirper de pauvres détails. Je ne saurai jamais. Je ne serai jamais lui. Encore aujourd'hui, je ne peux qu'imaginer sa détresse : un homme debout devant un lit, dans une mauvaise lumière de chambre d'hôtel.

Je le vois plier et déplier ses affaires pour occuper ses mains. Les laver et les sécher dans les serviettes brodées au monogramme pompeux du *Palace Hôtel*. Descendre au restaurant, commander un repas et ne pas le toucher. La serveuse est jolie. Elle lui sourit. Il parvient à lui dire quelques mots en français. Il regagne sa chambre par l'escalier pour essayer de mesurer physiquement le temps. Il se concentre un moment sur le numéro de la clef pour y trouver un signe. Il ouvre et ferme la porte en se demandant s'il fait ce geste pour la dernière fois. S'il ôte sa veste et s'assoit sur cette chaise pour la dernière fois. Il sent la vague odeur des précédents occupants qui flotte encore dans cette chambre. Il tend la main vers son carnet. Il l'ouvre et le referme, caresse sa couverture de moleskine brune. Il pense au sourire de la serveuse. À cet instant, il pense à moi. À notre dernière rencontre, sur le quai de la gare. Il ne parvient pas à se souvenir de mon visage distinctement. Il se dit : « Curieux comme il est parfois impossible de décrire les choses les plus familières. » Il pense à Hans Hahn. Il pense à son père. Puis il a une idée. Insaisissable, elle glisse dans son esprit avant de disparaître vers les profondeurs : une carpe à la surface d'une mare troublée par la vase. Là, sur cette chaise qui lui fait mal au dos, il ne bouge pas, pour ne pas effaroucher cette pensée. Il ne tente même pas d'ouvrir son carnet. Il a l'idée que l'idée est encore possible, s'il reste à cette place, immobile. À ne pas remuer l'eau opaque. Il se souvient de notre dernière dispute, de mes paroles crues, de celles qu'on adresse comme une claque à l'homme qui refuse de respirer : « Tu es un homme, bon sang ! Mange ! Dors ! Baise ! » Il ne sait plus depuis combien de temps il est sur cette chaise. Son dos lui rappelle les heures passées et il aime cette douleur. Au petit matin, il ferme la fenêtre et refait sa valise.

Lui qui a mis une vie entière à se suicider aurait pu abréger ses souffrances à Paris. Personne n'aurait été là pour l'en empêcher. Mais il était rentré à Vienne et s'était présenté de son plein gré au sanatorium. Mon amour pour lui n'expliquait pas ce renoncement, ni celui de sa mère, encore moins sa foi. Il avait dû obéir à une injonction d'une autre nature, bien plus forte : un dernier soubresaut du corps en révolte contre son esprit anthropophage.

Je suis peut-être condamnée à percevoir une dualité là où il n'y en a jamais eu.

Un matin de janvier 1936, à travers le fouillis de la vitrine du magasin de mon père, j'ai reconnu la silhouette de son frère Rudolf. J'ai pensé : *Kurt est mort*. Pour quelle autre raison aurait-il daigné me rencontrer ? Depuis son retour catastrophique de Paris, j'avais vécu entre parenthèses : il avait été placé en strict isolement à Purkersdorf. Même Anna n'était plus en mesure de m'aider. Le peu d'informations glanées auprès de ses infirmières était terrifiant. Il refusait toute nourriture et passait ses journées à dormir, abruti par des drogues. Je n'osais m'avouer les deux issues probables : attendre un homme enfermé sans espoir de rémission ou devenir veuve sans avoir le droit d'afficher mon deuil. Je n'étais même pas capable de fuir. J'étais simple spectatrice d'un naufrage.

Je me suis assise et j'ai fermé les yeux. J'ai entendu le carillon aigrelet de la porte puis le salut sobre adressé à mon père. J'ai attendu la sentence sans bouger.

— Mademoiselle Porkert ? Kurt vous a réclamée.

Il avait fait le suprême effort de prendre contact avec moi : si Kurt n'était pas mort, il n'en était pas loin.

— Il est au plus mal. Il refuse de s'alimenter. Il pense que ses médecins cherchent à l'empoisonner. Voulez-vous m'accompagner à Purkersdorf ? Il a besoin de vous.

Mon père n'a rien dit, ayant abandonné depuis longtemps l'idée de sauver sa fille perdue. À l'étage, mes sœurs ont rassemblé mes affaires en chuchotant. Ma mère m'a habillée avec tendresse ; l'irruption de la vérité crue en place des non-dits habituels m'avait changée en poupée désarticulée. Mais, aux yeux de ma famille, la visite de Rudolf était la preuve de mon importance dans la vie de celui dont on ne parlait jamais, de ce fantôme responsable de mon indignité.

Rudolf m'a conduite en automobile jusqu'à la clinique de Purkersdorf. Dans le long silence gêné du trajet, j'ai pu recouvrer mes esprits. Je l'ai observé du coin de l'œil : les frères Gödel se ressemblaient peu, sinon par cette raide tristesse qui leur était constitutive. Il a attendu les premiers faubourgs de Vienne avant de lâcher quelques phrases sèches. Nous avons éludé le « pourquoi » et le « à qui la faute ». Nous avons échangé du factuel, des arrangements. Des mots dépourvus de sentiments. Kurt aurait apprécié la stricte objectivité de notre dialogue : qui aurait sa garde et quels jours. Je serais présentée à l'équipe médicale comme une amie très proche de la famille. Nous éviterions le scandale. Ne pas faire de bruit, ne pas le brusquer. Juste essayer de ne pas dénouer ce dernier fil si fragile. Nous aimions une personne différente.

Rudolf a rangé la voiture devant le sanatorium. Malgré la lumière sale de l'hiver, le bâtiment immaculé affichait une santé insolente. J'avais fini par détester ses petites frises géométriques, sa modernité triomphante pourtant impuissante à conjurer le malaise des patients.

Rudolf ne bougeait plus, ses mains gantées étaient crispées sur le volant. Sans me regarder, il a réussi à articuler les mots qui devaient être prononcés.

— J'aurais dû aller le chercher à Paris.

J'ai effleuré un bout de peau livide, à la découpe du cuir. Cet homme-là aussi était fragile, même s'il n'en voulait rien laisser paraître. Ils sont tous si fragiles.

— Cela n'aurait rien changé. Vous le savez bien.

Il s'est raidi à mon contact ; je mentais mal : il aurait dû aller le chercher à Paris, mais, plus encore, il n'aurait jamais dû le laisser partir.

— Notre mère ne sera pas avertie de votre présence. Kurt n'est pas en état de gérer ce genre de situation.

— Je le fais pour lui. Ne croyez pas que je prenne ce revirement pour une quelconque victoire, monsieur.

J'ai attendu qu'il fasse le tour de la voiture et m'ouvre la portière pour descendre. Je suis entrée la tête haute et par la porte principale, cette fois.

Sa vie, notre histoire, l'avenir du pays : tout était désordre. Je devais faire le ménage dans cette saleté. Je devais apprendre à apprivoiser son chaos si je voulais nous imaginer un futur. Je suis faite ainsi : dites-moi que je suis nécessaire et je vous soulève des montagnes.

15.

La direction de la maison de retraite avait refusé sa demande de sortie. Une expédition au cinéma était impensable ; on parvenait à peine à soulager Mme Gödel de ses douleurs. La vieille dame vivait en sursis. Anna ne savait pas comment lui annoncer la mauvaise nouvelle. Elle n'aurait pas dû faire la moindre promesse. Pour ne rien arranger, submergée par son retard dans son travail, elle avait été contrainte d'annuler sa dernière visite.

Devant la porte entrouverte, elle hésita un instant. La chambre était sombre, les rideaux tirés. La pièce n'avait pas été ventilée ; l'odeur lui fit monter un haut-le-cœur. Elle se composa un sourire avant d'entrer.

— Veuillez m'excuser de mon retard, Adèle. J'ai eu un problème en chemin.

La forme enfouie sous les couvertures ne répondit pas.

— Vous dormiez ? Pardonnez-moi.

— Vous me fatiguez à toujours vous excuser pour la pluie.

Adèle se cala avec peine contre ses oreillers. Elle avait la bouche pincée et le sourcil belliqueux. Anna se dit qu'elle n'aurait pas la force de ferrailler, pas ce soir-là ; après tous ces enquiquineurs, ce pneu crevé et ce bouton qui lui brûlait le menton. La lumière était tombée depuis longtemps, elle pensait déjà à la longue route solitaire qui la ramènerait vers son réfrigérateur vide.

— C'est quoi, ces manières ? Vous venez tous les deux jours et puis vous ne venez plus ?

— J'ai eu beaucoup de travail.

— Je ne suis pas d'humeur à vous recevoir. On est fermé. Pas de *Nachlass* sur le *Nachlass** aujourd'hui !

— Vous ne vous sentez pas bien ? J'appelle la garde ?

— Vous n'avez pas autre chose à foutre que de jouer les sangsues ?

Anna mit cette animosité sur le compte de son assignation à résidence. L'annonce avait été faite par d'autres, elle en payait la note. Elle s'approcha du lit en exhibant un sac de friandises.

— J'ai apporté quelques douceurs. On ne dira rien à l'infirmière.

— Vous cherchez à accélérer ma mort pour récupérer plus vite ces maudits papiers ?

— J'espérais vous faire plaisir. Je vous sais gourmande, Adèle !

Elle la gronda du doigt. Ses gestes et ses mots sonnaient faux : elle en percevait la dissonance, sans parvenir à la rectifier.

— Ne me parlez pas comme à une enfant !

Anna avait brûlé ses réserves de patience ; elle se rabattit sur les sucreries méprisées.

*. « Soldes sur l'héritage » : *Nachlass* a aussi le sens de « réduction, remise ».

— Au moins, si vous aviez des gamins, vous ne seriez pas là à draguer une ancêtre pour gagner du galon.

— Vous pouvez me donner des leçons dans bien des domaines, mais certainement pas là-dessus !

— *Bist deppert*[*] *!* Ne me prenez pas de haut !

— Je vous aime beaucoup, madame Gödel, ne gâchez pas tout.

— J'en ai rien à secouer de votre soi-disant affection. Du théâtre ! Des mensonges !

— J'ai toujours du plaisir à vous voir, Adèle.

— Vous ne connaissez pas le plaisir. Vous êtes une peine-à-jouir avec vos grandes mains crochues. Vous prenez tout avec des pincettes. Vous devez embrasser du bout des lèvres. Jouir de loin… Et encore, si vous jouissez ! Vous devez aussi vous excuser au lit. En fait, non. Vous n'avez même pas une tête à être frigide. Vous n'êtes qu'une pucelle imbaisable !

Chez Anna, le sentiment d'injustice se révélait très handicapant : il anesthésiait sa volonté. Elle se vit statufiée, se trouva une sale mine et se dit qu'une vraie colère lui ferait, à elle aussi, un bien fou. Adèle, congestionnée, virait à l'écarlate, ce qui n'était pas sans danger pour son cœur fatigué.

— *Raus*[**] *!* J'ai déjà eu mon compte d'éclopés dans la vie. *Raus !*

Alertée par le bruit, une infirmière entra dans la chambre.

— Il ne manquait plus que vous ! Avec vos sabots de paysanne !

*. « Idiote ! »
**. « Dehors ! »

— Madame Gödel, je vais vous mettre sous sédatif. En attendant, plus de visites !

Anna s'enfuit en abandonnant les friandises sur le lit.

Elle fouilla dans son sac à la recherche d'un mouchoir. Le distributeur du hall lui fit de l'œil. Elle renifla, respira un bon coup et sortit de la monnaie ; elle avait mérité un petit réconfort. La Gödel avait encore beaucoup de jus pour une carne en sursis. Elle réprima une nouvelle vague de larmes. Cette vieille folle pouvait être si blessante. *Vous avez gagné, sorcière ! Je ne reviendrai pas !* Pourquoi devrait-elle continuer à s'infliger pareil calvaire ? Elle regarda ses mains tremblantes. *Crochues ?* Il valait mieux ne pas s'appesantir sur ses vacheries. Ce n'était pas sa faute si la direction avait refusé l'autorisation de sortie. Et puis elle n'était pas obligée de lui tenir le crachoir tous les jours. Elle engloutit la barre chocolatée. Tout ce temps gâché, ces visites inutiles. *Pucelle imbaisable ?* Quelle garce ! Elle n'était plus vierge depuis son dix-septième anniversaire. Elle était tout à fait dans la moyenne ; elle avait sauté le pas le soir du bal de *prom* avec un certain John. Ils avaient tous deux trop bu, mais l'expérience, bien que décevante, lui avait permis de s'affranchir d'une formalité nécessaire. Elle se souvenait avec plus d'amertume du corollaire associé à ce choix : la déchirure définitive avec son ami d'enfance, Leonard Adams, qui avait toujours considéré que sa virginité lui revenait. Ils en avaient souvent parlé : il serait doux et, s'il prenait de l'avance technique avec d'autres filles, c'était pour ne pas la décevoir. Élevés ensemble, ils vieilliraient ensemble. À quinze ans, Leo avait déjà clos leur système : sa brillante carrière, leur maison, leurs deux enfants et un bureau où elle pourrait écrire ce qui lui chanterait, puisque, il n'en doutait pas, elle serait une artiste. Elle n'avait pas envie d'être son âme sœur *par défaut*. Elle était plus qu'un postulat. Elle avait donc choisi de s'émanciper avec l'aspirateur à femelles de sa classe. Leo était à l'internat, elle s'était empressée de lui décrire en détail son expérience : lui ne s'était jamais privé de faire de même avec ses conquêtes. Après cette lettre, il ne lui avait plus donné signe de vie pendant des mois. Il était d'une extrême susceptibilité : sa mémoire prodigieuse lui servait aussi à stocker les prétendus affronts. Il était capable de vous resservir une phrase anodine des années après, non sans l'avoir analysée dans toutes ses acceptions. Il n'était pas prêt à lui pardonner de l'avoir privé de son dû. *Peine-à-jouir* ? Qu'est-ce qu'elle en savait, cette vieille peau ! Elle qui n'avait pas touché un homme depuis Pearl Harbor ! D'autres avaient ensuite enseigné à Anna les subtilités de l'affaire. Aucun de ceux qui réussissaient à passer la barrière apparente de son austérité ne s'était plaint de sa froideur. Bien au contraire, Anna avait le plus grand mal à se débarrasser de ces petits guerriers qui, une fois dégorgés, n'avaient plus qu'une envie : déposer leurs pantoufles au pied de son lit.

Décidément, elle ne voyait jamais rien venir ; elle se faisait toujours avoir. Adèle Gödel, comme tant d'autres, n'était qu'une femme aigrie cherchant sur qui retourner sa rancœur.

Un scintillement rose entra dans son champ de vision. Elle soupira : Gladys ferait un merveilleux finale pour cette journée apocalyptique.

— Alors comme ça, vous avez eu une petite dispute ?

— Les nouvelles vont vite.

— Adèle est un peu soupe au lait. Toutefois, elle n'est pas rancunière. Vous y penserez la prochaine fois.

— Je penserai à quoi ?

Gladys posa ses mains tavelées et manucurées sur ses hanches. Aux yeux d'Anna, elle évoquait une insupportable publicité pour une Barbie troisième âge.

— C'était son anniversaire aujourd'hui ! Elle n'a eu aucun visiteur. À part votre tournée éclair. Sans oublier que c'est sans doute le dernier. Elle n'a plus trop d'illusions là-dessus.

La jeune femme se sentit douchée d'une sensation très familière de culpabilité. Comment elle, si méticuleuse, avait-elle pu négliger cette date ? Elle connaissait déjà la suite : dans deux minutes, elle commencerait à lui trouver des excuses ; dans trois, elle chercherait comment se faire pardonner.

16.

1936
La pire année de ma vie

> « La vie mathématique d'un mathématicien est brève. Le travail s'améliore rarement après vingt-cinq ou trente ans. S'il n'a pas déjà produit le meilleur, il n'en produira pas beaucoup plus. »
>
> August Adler, mathématicien

Rudolf était entré le premier dans la chambre de son frère. J'attendais mon tour au côté du mathématicien Oskar Morgenstern, un ami très proche de Kurt auquel je n'avais jamais eu l'honneur d'être présentée jusqu'alors. S'il n'avait pu être dupe de l'étiquette « une amie de la famille », il n'en avait rien laissé paraître. Selon Kurt, dont l'aptitude à la suspicion était pourtant sans limites, je pouvais avoir toute confiance en cet homme bon et flegmatique.

— Comment va-t-il, mademoiselle Porkert ? À notre dernière rencontre, il semblait si faible.

— À la pesée d'hier matin, il était à cinquante-trois kilos. Le docteur a fixé la barre à cinquante-huit pour sa sortie.

J'osais à peine chuchoter ; j'étais encore intimidée par l'élégance du salon d'accueil du sanatorium. Anna m'avait raconté bien des potins sur les célébrités viennoises ayant séjourné en ce lieu. Gustav Mahler, Arnold Schönberg et Arthur Schnitzler étaient venus ici goûter à un repos de luxe au milieu des maharanis et des millionnaires de toutes nationalités. Avant la Crise, bien sûr ! En 1936, à Purkersdorf comme dans la nuit viennoise, les riches désespérés commençaient à se faire rares.

La sophistication un peu austère de l'aménagement intérieur me fatiguait les yeux. L'architecte, un certain Joseph Hoffmann, portait un amour maladif au damier : frises, céramiques du sol, ouvertures, croisées des portes, jusqu'à l'armature de ces inconfortables fauteuils où je perdais ma vie à patienter. La façade, elle aussi, était rythmée par le percement des fenêtres, elles-mêmes cloisonnées en petits carrés. J'ai toujours eu besoin de moelleux : ce n'était ni dans ces chambres épurées ni dans la rigidité du parc tiré à quatre épingles que j'aurais pu trouver du réconfort. En revanche, l'endroit était parfait pour Kurt : propre, silencieux, ordonné. Le distingué Morgenstern – un rejeton illégitime de la famille impériale allemande, selon la rumeur – semblait lui aussi très à son aise dans cet univers trop vertical.

— Vous lui avez été d'un grand secours, mademoiselle. Kurt me l'a confié. Il n'est pourtant pas homme à s'épancher.

Oskar Morgenstern me serra les mains avec chaleur :

l'unique fois dans notre histoire commune où cet homme m'ait touchée.

— Savez-vous s'il a repris ses travaux ? J'ai avec moi des articles récents qui pourraient l'intéresser, en particulier ceux d'un jeune mathématicien anglais, Alan Turing.

Il se méprit sur ma gêne.

— Je ne voulais pas présumer de votre intimité.

— Nous ne sommes plus autorisés à lui apporter des documents. Une bonne âme lui a fait parvenir un courrier de je ne sais quel Allemand et Kurt a cessé de nouveau de s'alimenter pendant des jours. Il s'était mis en tête que l'on désavouait tout son travail. Il y voyait un complot visant à l'enfermer de façon définitive.

— Un certain Gentzen a cherché à le contourner, mais il n'a pas remis ses théorèmes en cause. Ils s'accrochent encore tous à Hilbert comme au sein de leur mère. Les recherches de Turing devraient l'intéresser davantage.

— Ses lectures sont strictement filtrées. La consigne actuelle est de ne lui fournir ni livre, ni papier, ni crayon.

— Quelle idiotie ! Empêcher Gödel de travailler, c'est l'empêcher de respirer.

Je pouvais, d'expérience, abonder dans son sens : le travail était autant une bouée qu'une ancre pour mon homme. Je me retournai pour voir si Rudolf était déjà de retour. Morgenstern m'inspirait confiance ; Kurt avait besoin d'amis sûrs.

— Nous sommes convenus d'un arrangement. Je lui apporte ses affaires en cachette, en fonction de sa prise de poids. Je lui retire ses jouets s'il se laisse aller.

Je ne fus pas surprise de son effarement.

— Cela peut vous paraître barbare, cependant c'est la seule façon de procéder. Il ne supportait plus d'être nourri de force et d'être abruti par les médicaments. Il mérite d'avoir encore un semblant de maîtrise sur lui-même.

— Rudolf a-t-il été averti ?

— Il ferme les yeux. Les progrès de son frère le rassurent.

— Donc il travaille ? Enfin une bonne nouvelle ! A-t-il fait allusion à ses sujets d'étude ?

Je ne perçus pas de condescendance dans sa question, j'étais passée du rôle de poule à celui d'infirmière. Ces quelques galons supplémentaires n'étaient pas pour me déplaire, même si je méritais des titres plus officiels. J'hésitais cependant. Jusqu'à quel point pouvais-je me fier à lui ? Kurt m'avait tellement rebattu les oreilles de la jalousie de ses confrères.

— Je l'ai entendu parler du premier problème.

— Du programme de Hilbert ? *L'hypothèse du continu* de Cantor ? Il persiste à en démontrer la consistance ?

— Je ne saurais vous dire.

— Bien sûr. Le premier problème de Hilbert. Kurt avait fait part de ses ambitions lors d'une conférence à Princeton. La teneur même de son choix de recherche me semble… Mais je m'égare, veuillez m'en excuser. Rudolf est de retour, je vais saluer Kurt avant de vous laisser la place.

Je le retins par la manche.

— Monsieur Morgenstern ! Qu'est-ce que ce programme de Hilbert et de quoi devrais-je m'inquiéter ?

— C'est un sujet fort compliqué.

— Je fréquente Kurt depuis si longtemps. J'ai l'habitude de ne pas tout comprendre.

— Le programme de Hilbert est une sorte de liste de devoirs à faire pour les mathématiciens du XXe siècle. Une suite de questions à résoudre afin de consolider une partie des mathématiques connues. Kurt a déjà en partie réglé la deuxième avec son *théorème d'incomplétude.*

— En quoi est-ce inquiétant pour lui, alors ?

— Sur ces vingt-trois problèmes, il en reste au moins dix-sept. Kurt a justement démontré que certaines résolutions nous étaient inaccessibles. Quant à savoir lesquelles…

— Il pourrait y passer sa vie, en vain ?

— S'il y a une personne capable de terrasser cette première question du programme, c'est bien lui !

— Et les autres ?

— Dix existences ne lui suffiraient pas. Je doute même qu'on y parvienne un jour.

— C'est ce genre d'idée qui le torture.

— Mais non, voyons ! Notre ami aime plus le voyage que la destination. Vous avez fait le bon choix, mademoiselle Porkert.

Il laissa sa place à Rudolf, qui s'écroula dans l'hostile fauteuil, au risque de se briser le dos.

— L'infirmière semble à deux doigts de l'étrangler.

— Ne vous en faites pas, il aura des jours meilleurs.

Le frère de Kurt se réfugia dans la lecture d'un journal. Il s'agita, pesta puis brandit un feuillet, daté du 23 juin.

— Écoutez ce que cet ignoble « Dr Austriacus » a écrit dans le *Schönere Zukunft*[*]. Il n'a même pas le courage de signer ses ordures sous son vrai nom.

*. Journal catholique progouvernemental.

Il parcourut l'article à voix basse. Je me penchai pour en saisir la teneur :

— « Le Juif est l'antimétaphysicien-né et il aime en philosophie le logicisme, le mathématicisme, le formalisme et le positivisme – des caractéristiques que Schlick possédait toutes en abondance. On peut espérer que le meurtre épouvantable de Schlick qui a été commis à l'université de Vienne accélérera la découverte d'une solution réellement satisfaisante de la question juive. »

Il lança le journal dans la corbeille.

— Quel torchon ! Kurt ne le supportera pas.

J'avalai la nouvelle : Moritz Schlick venait d'être assassiné sur les marches de l'université par un étudiant antisémite. Schlick, philosophe, membre fondateur du Cercle positiviste, était plus qu'un professeur pour Kurt : un parrain, un ami. Comment pourrait-il accepter cette nouvelle disparition, peu après celle de Hahn ?

— Hans Nelböck, le meurtrier, a étudié les mathématiques à la même période que mon frère et il habitait la Lange Gasse.

Je frissonnai ; cette rue était aussi la mienne.

— Ils ne se connaissaient pas. Mais nous étions voisins, nous nous sommes forcément croisés un jour.

— Ces fous saccagent tout ce qu'il subsiste d'intelligence à Vienne. Les nazis ont jeté dans le même sac les positivistes, la logique, les mathématiques et les Juifs, peu importe l'absurdité du propos. Kurt aura lui aussi des ennuis, j'en suis certain. Dès qu'il sera rétabli, je lui conseillerai de partir. Morgenstern m'a averti qu'il mettait ses affaires en ordre. Il prendra le bateau sous peu.

— Kurt n'est pas encore en état de voyager, monsieur.

— Ils ne vont pas l'oublier comme ça. Ils ont les idées courtes, mais la mémoire longue.

— Il a eu très peu de contacts avec l'université ces derniers mois.

— Nelböck a été soigné dans différents instituts psychiatriques. Je vois comment mon frère pourrait traiter ce genre de données. Il est capable de voir en lui un fumeux *Doppelgänger*[*]. Il serait plus sage de temporiser. Qu'en pensez-vous, mademoiselle Porkert ?

J'étais peu habituée à donner mon avis à Rudolf. J'étais cependant devenue une intermédiaire indispensable : grâce à mes soins, Kurt avait enfin repris des forces.

— Il a une façon particulière d'associer les faits, surtout ceux que l'on tente de lui cacher. Les mensonges entraînent toujours d'autres mensonges.

— Vous vous en chargerez donc ?

J'aperçus Anna qui traversait le hall. Elle me fit un signe discret de la main : elle sortait fumer à l'entrée de service. Je décidai de la rejoindre ; j'avais besoin d'une petite bouffée de camaraderie pour anesthésier cette angoisse qui ne me lâchait plus : il était à peine rétabli et sa famille pensait déjà à l'expédier loin de moi. Anna ne pourrait pas, à elle seule, convaincre son docteur de les en dissuader, mais il ne coûtait rien d'essayer.

— Je le ferai. Aujourd'hui, il est encore trop tôt.

Nous ne devions pas saborder ses récents progrès avec cette terrible nouvelle. J'avais vu un homme

*. En allemand, « sosie » ; ici, au sens de « double maléfique ».

fragile partir à Princeton et récupéré une ombre. Durant les mois suivant son retour solitaire de Paris, Kurt avait cessé de s'alimenter. Pesant moins de quarante-six kilos, il était tombé dans une léthargie d'où seule ma voix parvenait, parfois, à le sortir.

Je n'avais ni la science ni la légitimité, mais j'ai écouté les conseils d'Anna la rousse qui en avait vu d'autres se désagréger. J'ai donné tout ce que j'avais : du beau et de la joie. J'ai ouvert les rideaux pour laisser entrer l'air et le soleil quand les médecins l'emprisonnaient dans la cage obscure du sommeil. J'ai fait livrer son gramophone quand ils recommandaient le silence. J'ai apporté les premières fleurs du printemps. Je lui ai parlé, sans jamais m'arrêter, quand il se retirait de plus en plus loin à l'intérieur de lui-même. J'ai menti sur l'état du monde, j'ai menti en lisant le journal, menti sur ma propre joie. Je lui ai parlé des premiers fruits de l'été que nous mangerions ensemble, de la jolie lumière revenant sur Vienne, des cris des enfants sur le Prater, de la douce Anna et de son adorable fils aux cheveux carotte. Je lui ai parlé de la mer qu'eux non plus n'avaient jamais vue, et où nous irions tous ensemble. Je l'ai consolé, grondé, je lui ai fait du chantage comme à un enfant. Je l'ai nourri, cuillerée après cuillerée. J'ai touché sans pitié ni dégoût son corps si étranger à celui que j'avais désiré. J'ai écouté ses délires, goûté chacun de ses plats, encore et encore, pour lui prouver que personne ne tentait de le tuer. J'ai accepté de lui taire la seule vérité : c'était lui qui s'empoisonnait.

J'ai accepté sa faiblesse, son autoapitoiement, ses suppliques, son irrespect puis sa colère qui avait le mérite de ramener les premiers mots sur ses lèvres.

Faible, il n'était pas à la hauteur de sa pensée et voir celle-ci se déliter l'affaiblissait. Lui, le scalpel, l'outil parfait, craignait de devenir un couteau émoussé. Il était une magnifique mais si fragile mécanique de précision. J'ai nettoyé comme j'ai pu ces rouages. Même ainsi, la machine refusait de fonctionner. Il avait, à trente ans, l'âme d'un vieillard. Il disait : « Le génie mathématique est une affaire de jeunesse. » Avait-il déjà dépassé l'âge des fulgurances ? Là était la vraie question. Il préférait le silence à la médiocrité. Pour cela, je n'avais ni réponse ni remède, sinon celui de choisir entre deux poisons : je lui ai apporté ses carnets. J'en ai pleuré. Je me suis détestée. Je ne voyais pas d'autre issue. Je devais fournir son opium à un drogué pour le soulager et l'intoxiquer dans le même temps. J'étais comme son docteur Wagner-Jauregg inoculant la malaria aux psychotiques pour les faire sortir de leur catalepsie. Le mal par le mal. Que n'aurait-il pas tenté sur lui si je n'avais pas fait ce choix ? L'électricité ? L'enfermement définitif ? J'ai entendu tant de fois que les mathématiques mènent à la folie. Comme si c'était aussi simple ! Les mathématiques ne l'ont pas rendu fou ; elles ont sauvé mon homme de lui-même et elles l'ont tué.

Avant de monter dans sa chambre, j'ai récupéré le journal dans la poubelle après y avoir découpé la rubrique des spectacles. Elle me donnerait matière à digression entre deux cuillerées forcées de bouillie.

Assise sur son lit, une blouse blanche aux tempes grisonnantes tripotait le poignet de Kurt en regardant sa montre. Il m'enveloppa d'un regard lubrique insultant de franchise. Mon homme se redressa. Je m'installai à son côté et attendis le départ du docteur pour sortir le feuillet.

— Ton idole s'est envolée, Kurtele. Maria Cebotari chante désormais à l'Opéra de Berlin.

17.

Elle gratta de nouveau à la porte ; la réponse se fit attendre. Adèle n'avait réagi ni à sa lettre de contrition, ni au coûteux paquet joint. La colère d'Anna naviguait de la vieille dame à elle-même sans savoir où s'agripper vraiment. La jeune femme n'aurait pas dû se fier à cette intimité si rapide. Elle repensa au sycomore. Elle s'était montrée trop confiante ; elle avait pensé devenir indispensable. *Pucelle imbaisable*. Elle n'était pas près de digérer ces paroles.

— *Kommen Sie rein** *!*

Elle entra sur la pointe des pieds dans la chambre saturée de lavande. Mme Gödel, poudrée et parfumée, avait fait grande toilette.

— Anna, je suis contente de vous voir.

Que sa mémoire soit défaillante était peu probable ; elle avait décidé d'agir comme si rien ne s'était passé.

— Ma chère enfant, j'ai reconnu votre petite frappe timide. Comme vous aimez plonger votre nez dans les histoires des autres, je vous ai préparé quelques miettes.

La jeune femme redressa les épaules ; Adèle n'avait

*. « Entrez ! »

pas tout oublié. Elle se contenterait de cette trêve. Elle se défit de son manteau en l'observant en train d'ouvrir une enveloppe de papier cristal avec des gestes délicats.

— Où ai-je donc mis mes lunettes ?

Anna les lui apporta docilement. Adèle tapota la couverture.

— Venez vous asseoir près de moi. J'avais mis de côté ces souvenirs avant d'être amenée ici.

Anna sentit fondre son ressentiment en contemplant la première photographie : un tirage désuet où posaient deux garçonnets dont le plus petit était Kurt. Son frère Rudolf tenait un cerceau ; lui, une poupée : il était à l'âge des robes.

— Voilà mon *kleine Herr Warum*[*].

— J'adorerais voir une photo de vous enfant.

— Nous sommes partis si vite de Vienne. Quand je suis revenue, après la guerre, tout avait disparu.

— Vous deviez être une fillette très joyeuse !

La vieille dame se gratta la nuque sous le turban. La lisière avait déjà perdu son bleu délicat pour un gris jaunâtre.

— J'étais l'aînée des trois sœurs Porkert. Liesl, Elizabeth et Adèle : un sacré trio ! Nous faisions un ramdam ! Mon père m'appelait sa « tête de mule ».

Anna n'osa pas formuler le commentaire qui lui chatouillait la langue ; elle doutait d'avoir regagné son droit à l'ironie.

— Je ne suis pas née à la bonne époque. Les filles d'aujourd'hui ont tant de possibilités. Nous étions si… prisonnières. Chaque liberté se payait cher. Et puis,

*. « Petit monsieur Pourquoi. »

nous avions subi tant de guerres. Nous vivions toutes dans la crainte de voir nos hommes partir. Même mon mari. Il avait des certificats dans tous les sens, ils l'ont quand même déclaré apte !

— Avez-vous émigré vers les États-Unis pour qu'il échappe à la conscription ?

— Nous avions bien d'autres formes de bataille, ma douce.

Anna changea de cliché ; elle avait trop apprécié le mot gentil que la vieille dame avait glissé dans sa phrase. Elle n'oublierait pas son humiliation pour une petite trace d'affection. Elle choisit un minuscule tirage où Adèle, sur fond de rideau de théâtre, portait un uniforme de groom. Elle tenait par la main un homme dont la figure avait été passée au cirage.

— Le seul témoignage de ma brillante carrière de danseuse. On était loin du ballet classique. C'était plutôt de la pantomime !

— Un temps où les gens de couleur n'étaient pas les bienvenus au spectacle.

— Mon premier Noir, je l'ai vu en débarquant à San Francisco en 1940. Même dans les boîtes de nuit viennoises, je n'en avais pas rencontré.

— Billie Holiday racontait qu'à ses débuts elle n'était pas considérée comme assez noire pour chanter du jazz. Elle se fonçait le visage avec du maquillage. Étrange époque.

— *Étrange fruit*[*]. *Ach !* Billie… L'Amérique avait

*. Allusion à *Strange Fruit*, chanson de Billie Holiday. […] *Black body swinging in the Southern breeze/Strange fruit hanging from the poplar trees.* […] Un corps noir se balance dans la brise du sud/Étrange fruit pendu au peuplier.

quand même du bon. Quand je suis arrivée, la musique m'a tant aidée. À part le be-bop que je ne supportais pas. Comment s'appelait-il celui-là ? Charlie Parker ! Il me donnait le tournis. Certains étudiants en étaient fous. Ils comparaient son vacarme à du Bach et aux mathématiques. Je n'ai jamais saisi le rapport. De toute façon, Bach m'a toujours foutu le bourdon.

— Vous alliez dans les clubs de jazz avec votre mari ?

— Avec Kurt ! Vous plaisantez ? Il détestait le bruit ou la foule ! Non, j'écoutais les voix à la radio. Ella, Sarah… J'avais un faible pour Lady Day. Même si je ne comprenais pas toutes les paroles. Vous vous rappelez cette chanson : « *Easy to remember but so hard to forget** » ?

— Les vieilles photos ne doivent pas vous faire du bien, Adèle.

— Je ne les regarde pas souvent. Inutile, j'ai tout là.

Sous la poussée de son doigt, le turban se décolla de sa tempe, laissant échapper un effluve rance. Anna respira par la bouche. L'odeur de ce corps mêlée à la lavande familière la remplit de désarroi. Son cadeau d'anniversaire, un flacon du parfum préféré de sa grand-mère, avait été entamé avec générosité. À sa nostalgie, Anna comprit qu'elle avait commis une erreur en choisissant le parfum d'un être aimé et disparu pour une autre.

— Celle-là, si je me souviens bien, c'était en 1939, un peu avant notre grand départ.

— Vous étiez terriblement blonde.

*. Autre chanson de Billie Holiday : « [il est] si facile de se souvenir, mais si difficile d'oublier ».

— Vous ne vous êtes jamais décolorée. Ce n'est pas votre genre. *Mein Gott !* Que j'ai pu souffrir avec ces décolorations ! C'était la mode. Vous avez vu cette poitrine ? J'étais encore mince à la quarantaine ! À l'époque, les femmes de mon âge étaient déjà périmées.

L'Adèle en noir et blanc portait un tailleur sombre à manches gigot, au décolleté échancré, avec une jupe à godets sous le genou. À ses côtés, Kurt, campé sur deux jambes, regardait droit devant lui, l'imperméable entrouvert sur un impeccable complet.

— J'avais mon éternel pébroque sous le bras. Un jour, je vous parlerai de ce parapluie.

— Vous évitiez l'objectif.

— Adèle l'Égyptienne, toujours de profil. Adèle l'infirme. Toujours une moitié de femme.

Anna étala les photographies sur la couverture. Elle visualisait l'accélération impitoyable d'une vie : Adèle grossissait ; Kurt semblait rétrécir jusqu'à disparaître dans ses costumes. Ils finissaient par ressembler à ces couples d'oiseaux dont elle avait oublié le nom. Elle saisit un cliché au hasard. Sur un fond de bastingage, M. Gödel se tenait comme un vieil homme, le dos voûté.

— Vous étiez sur le bateau pour l'Amérique ?

— Je n'aime pas cette image, oubliez-la. Regardez celle de notre anniversaire de mariage. Nous dînions à l'Empire State Building.

— Vous étiez sur votre trente et un ! Qui a pris cette photo ?

— Le photographe du lieu, sans doute. Celui qui vous importune avec son bagout de comptoir. Trente ans après, on est content d'avoir cédé.

— Joli chapeau !

— Je l'avais acheté sur Madison. Une folie, nous étions si serrés. Mais j'avais fait un caprice. Dix ans de ménage, je l'avais bien mérité.

— Vous étiez heureux.

— Celle-ci est un excellent souvenir. 1949, notre installation à Linden Lane. Nous possédions enfin un vrai chez-nous !

— C'est rare de le voir sourire ainsi.

— Kurt n'était pas un homme expansif.

— Vous avez eu beaucoup de courage. Vous avez vécu une histoire absolue.

— Vous êtes naïve ! À l'échelle d'une vie, l'absolu est pavé de beaucoup de petits renoncements.

— J'étais au collège quand mes parents ont divorcé. Le renoncement n'était pas inscrit dans leur plan de carrière.

Adèle rassembla les photographies ; elle tenta d'y mettre de l'ordre avant d'abandonner. Elle posa sa main sur la cuisse d'Anna.

— Il y a un âge où il faut savoir régler la note toute seule, ma belle.

Anna se leva brusquement ; la parole d'Adèle était comme une férule cherchant à redresser de force son dos récalcitrant. Dans ses mauvais moments, Anna aurait préféré ne pas être une enfant désirée. Elle n'était pas si niaise, même en asséchant la mythologie familiale de tout romantisme, elle ne pouvait se repaître de cette amertume. Elle n'était pas le fruit honteux d'un coup tiré à l'arrière d'une Buick, mais l'aboutissement naturel d'une affection sincère. George, doctorant bien peigné, avait rencontré Rachel, dernière pousse d'un arbre généalogique cossu, à la réception des nouveaux étudiants en histoire à Princeton. La jeune fille frissonnait, il lui avait prêté son gilet. Elle avait été impressionnée par sa décapotable et son accent bostonien. Il avait admiré son corps de déesse hollywoodienne et sa détermination encore raisonnable. Il lui avait téléphoné le lendemain. Elle lui avait présenté sa famille. Ils s'étaient mariés ; avaient appris à haïr leurs différences après les avoir aimées ; s'étaient trahis pour le sport, puis par habitude, avant de se séparer avec fracas. Anna avait quatorze ans. « Rien que de très gaussien », avait tenté de la réconforter Leo à l'annonce du divorce. À l'époque, les métaphores prétentieuses du génie en herbe étaient autant de poils au menton qu'il désespérait de ne pas avoir. Lui avait commencé tôt à préparer la note qu'il servirait à ses géniteurs. Anna avait peu à reprocher aux siens ; ils avaient choisi des nourrices compétentes et des écoles idoines. Sa famille n'avait pas connu de ces drames qui vous forgent un caractère et, plus tard, une histoire. Pas d'inceste identifié, pas d'alcoolisme ni de suicide. Ses parents n'avaient même pas souffert d'une bonne petite névrose bourgeoise. Le désenchantement n'était pas assez à la mode. Leur trentaine avait profité de l'opulence d'après guerre et leur quarantaine de la libération des mœurs. Les fantômes de la Shoah ne sortaient pas de l'appartement de grand-mère Josepha. Elle était la seule à oser entretenir le souvenir des disparus. À table, on changeait de sujet quand elle se permettait d'y faire allusion. Anna ne pouvait les blâmer d'avoir déposé les bagages de leurs propres ascendants à la consigne. Ils avaient voulu vivre.

— Vous êtes bien songeuse, demoiselle.

— Je pensais à la courbe de Gauss. C'est une représentation des moyennes statistiques.

— Vous n'allez quand même pas me parler de mathématiques !

— Elle montre que les caractéristiques des éléments d'un ensemble ont tendance à se ranger selon une courbe en forme de cloche. Les valeurs moyennes forment la bosse, la majorité. En comparaison, il existe peu d'items mineurs ou majeurs. Comme la distribution des QI dans une population donnée.

— J'ai eu plus que mon compte de ce genre de discussion.

— Vous êtes sortie de la loi de Gauss, Adèle. De la *loi normale*. Vous avez eu un destin exceptionnel.

— Comme j'ai déjà pu vous le dire, Anna, tout cadeau a un prix.

18.

1937
Le pacte

> « Si les gens ne croient pas que les mathématiques sont simples, c'est uniquement parce qu'ils ne réalisent pas à quel point la vie est compliquée. »
>
> John von Neumann,
> mathématicien et physicien

À mi-chemin de la côte du cimetière, je sentis mon bas dégringoler le long de ma jambe. En le rajustant, j'accrochai une maille. J'étais en retard. J'arriverais suante et dépenaillée devant sa mère. J'avais gaspillé mon temps à élaborer la tenue appropriée pour ce rendez-vous. J'étais nerveuse ; j'avais peu à perdre pourtant. Si elle avait décidé de faire cesser notre relation, pourquoi n'en avait-elle pas sommé Kurt avant de quitter Vienne pour Brno ? Avant de nous laisser enfin la possibilité de vivre ensemble.

Alors, que me voulait-elle ? Elle m'avait déjà

soupçonnée d'avoir un enfant caché, comme me l'avait avoué Kurt, ce qui m'avait particulièrement blessée. Elle ne pouvait plus m'accuser de courir après leur fortune. Car, minée par la crise, leur aisance était vacillante. Le frère aîné, Rudolf, radiologue à Vienne, était le véritable soutien pécuniaire des Gödel. Kurt était encore loin de pouvoir subvenir à nos besoins, même si je m'étais toujours débrouillée avec peu. Sans doute avait-elle conscience que j'étais désormais inscrite au cœur de leur vie familiale : qu'il s'agisse des multiples rechutes de Kurt ou des ennuis de Marianne avec les autorités. Je pouvais lui reconnaître du courage : elle clamait haut et fort sa répugnance contre les nazis au mépris de toute prudence.

J'étais tombée des nues en recevant sa courte lettre : Mme Marianne Gödel souhaitait me parler, en privé, dans un endroit calme. En clair, elle voulait pouvoir m'approcher hors de la présence de Kurt. Elle ne m'avait jamais fait l'honneur de me rencontrer malgré une liaison de dix ans avec son fils. J'avais répondu par une missive réécrite cent fois, lui suggérant de nous retrouver au café *Sacher*, à côté de l'Opéra, allusion à son amour de la musique et gage de bonne volonté. Elle m'avait retourné un mot sec, en expliquant qu'elle aspirait à plus de calme. Elle ne désirait sans doute pas être vue en ma compagnie. J'avais donc proposé le cimetière de Grinzing, près de la tombe de Gustav Mahler. Cette ironie ne la mettrait pas dans de très bonnes dispositions ; je n'en espérais pas moins de sa part. Elle avait refusé tout net de se rendre chez nous. Je lui avais pourtant fait miroiter l'avantage qu'elle aurait à constater de visu la douillette installation de son fils à Grinzing. Nous vivions à deux pas du terminus du 38 : Kurt n'avait qu'à attraper le tramway au pied de l'université pour rentrer à la maison. Tout ce vert était bénéfique à sa santé. Le célèbre docteur Freud lui-même avait une maison de campagne dans cette banlieue tranquille ; nous étions en respectable compagnie. J'avais accumulé beaucoup de ressentiments à son égard, mais la tentation de rencontrer la *Liebe Mama** parée de toutes les vertus – une hôtesse sans pareille ; une musicienne accomplie ; une mère attentionnée – était irrésistible.

Austère et définitive, elle attendait devant la tombe de marbre gris. Sans me saluer, elle m'inspecta du licol aux sabots.

— Mahler est enterré avec sa fille, morte à cinq ans.

— Voulez-vous vous asseoir, madame ? Il y a un banc de l'autre côté de l'allée.

Elle balaya mon offre d'un geste impérial.

— Vous ne connaissez pas l'angoisse maternelle, mademoiselle. J'ai cru perdre Kurt à huit ans d'une fièvre rhumatismale. Il ne s'est pas passé une minute depuis sa naissance où je n'ai eu peur pour lui.

Ne pouvoir partager cette expérience signait ma défaite. Elle s'en servait. Je devais étouffer la rage qui montait en moi.

— Kurt m'a toujours été très attaché. Savez-vous que mon fils, à cinq ans, hurlait et se roulait à terre quand je quittais la pièce ?

La langue me démangeait. J'observai la dame en détail pour me distraire de la pénible entrée en matière. De toute façon, elle n'était pas là pour me faire une

*. « Chère maman. »

simple apologie de sa maternité : c'était un postulat de son système, aurait dit Kurt.

Je connaissais Rudolf : élégant ; les yeux clairs et perçants ; une jolie calvitie en devenir. Je n'avais jamais vu Marianne auparavant, même en photo. Je cherchais dans les traits de la déesse-mère ceux que j'aimais chez mon homme. Elle accusait la cinquantaine. Ses yeux inquisiteurs étaient enfoncés sous des paupières tombantes : un regard à la fois étonné et vigilant, d'une intelligence redoutable, parfaitement incarnée. Le double éveillé du regard somnambulique de son fils. Sa bouche était encore belle, mais les commissures étaient affaissées par l'amertume. À moins qu'elle ne soit née avec ce sourire hermétique de porte cossue. Elle semblait plus méfiante que méchante, corsetée par son éducation bourgeoise et la très haute idée qu'elle avait de la destinée de sa progéniture. Le nez, peut-être, était le même.

— Princeton a de nouveau fait à mon fils une offre très intéressante. Il a déjà décliné plusieurs propositions. Celle-ci est inespérée, malheureusement, il refuse de vous quitter. L'ambiance à Vienne le perturbe beaucoup. Tout cela va très mal finir. Vous devez le convaincre d'émigrer, au besoin avec vous.

— Pourquoi le devrais-je ? Ma famille est ici. Notre vie est ici.

— Vous êtes bien naïve. L'Italie lâchera l'Autriche, ce n'est qu'une question de mois. Cette ville va devenir folle sous peu et accueillir les Allemands à bras grands ouverts. Il faut partir. Et vite !

— Nous ne sommes ni juifs ni communistes. Nous n'avons rien à craindre.

— Tout le monde devrait les craindre. Comment pourrais-je laisser mon fils faire allégeance aux nazis et enseigner à une bande de barbares ? Tous ses amis juifs ont quitté le pays. Sans eux, il ne fera plus rien de bon. Pas un scientifique ou un artiste digne de ce nom n'acceptera de se soumettre au nazisme. Pour moi, Vienne est déjà morte.

— Qu'est-ce que j'y gagnerais ? Avant votre lettre, je n'existais même pas pour vous.

— Kurt déteste les conflits. Il est faible, il ne vous épousera pas sans mon aval. Vous n'êtes pas toute jeune et je peux vivre encore très longtemps.

J'avalai la couleuvre sans broncher.

— Vous m'engagez donc comme infirmière ?

— En quelque sorte. Vous serez payée en respectabilité et en stabilité.

— Respectabilité est un mot que j'ai pris mon parti d'oublier. Quant à la stabilité, Kurt est fragile, vous le savez très bien.

— C'est le revers de son don. Mademoiselle, vous ne semblez pas réaliser quelle chance est la vôtre. Mon fils est une personne exceptionnelle. Nous avons décelé très tôt chez lui les traces du génie.

C'était le début tant attendu des laudes. Le clocher approuva ma pensée de quelques tintements opportuns.

— Connaissez-vous la différence entre un être doué et un génie ? Le travail, mademoiselle, beaucoup de travail. Il a besoin de sérénité pour mener à bien son destin. Jusqu'à présent, vous avez été un frein à sa réussite universitaire. Cela doit changer.

— C'est faux !

Elle se contenta d'une moue de sa bouche sèche.

— J'ai quelques recommandations à vous faire. Taisez-vous jusqu'au bout, si vous en êtes capable.

Je rajustai mes gants pour garrotter mes doigts

démangés par l'envie d'en découdre. Kurt valait bien une petite humiliation supplémentaire.

— Kurt est mû par un questionnement sans limites. Enfant, nous l'appelions *Herr Warum*. Ainsi, dans la vie quotidienne, vous vous devez d'être « madame Comment ». Ses « pourquoi » concernent des domaines trop grands pour vous.

— Pas pour vous ?

Elle redressa la tête, bien plus haut que les lois de l'anatomie ne l'autorisaient.

— La question n'est pas là. Vous devez aplanir toutes les difficultés triviales afin qu'il se consacre à sa vocation. Sachez que sa concentration est une lame à deux tranchants. Si un sujet le passionne, il s'y brûlera entièrement. Ne le laissez jamais conduire une automobile. Perdu dans son monde intérieur, il est distrait et dangereux.

Je calquai ma posture sur la sienne : dos droit et mains croisées sur le pubis ; la pochette tenant lieu de bouclier.

— Rassurez-le, tolérez ses bizarreries, mais soyez attentive aux signes. Faites-le soigner à temps. Et surtout, n'oubliez pas de le flatter, même si vous n'y connaissez rien. Certains hommes ont un ego si insatiable que les compliments d'une linotte suffisent à les combler.

— Rien sur sa recette préférée et le cache-col en hiver ?

Elle pinça les narines.

— J'ai longtemps pensé que vous alliez détruire sa carrière. Vous ne la ferez pas avancer, mais vous lui avez, au moins, permis de survivre. Je dois vous concéder cette qualité, vous êtes insubmersible.

— Il n'est jamais trop tard pour le reconnaître.

— Vous n'êtes sans doute pas pour rien dans sa…

faiblesse. Il a besoin de tranquillité. D'après ce qu'on m'a dit, vous êtes une personnalité agitée. Contentez-vous de le nourrir, de le protéger et de ne pas lui transmettre de maladies douteuses.

Elle avait une vie d'avance en matière de self-control ; je brandis ma pochette.

— Ne m'insultez pas ! J'aurais beaucoup à dire sur les défaillances de votre petit surdoué !

— Kurt sera éternellement un enfant. Son intelligence le rendra malheureux, solitaire et pauvre. C'est à moi, sa mère, d'assurer son avenir.

— De vous trouver une remplaçante ? Vous oubliez quelque chose, Marianne.

Je me rapprochai de son visage.

— C'est moi qui chauffe son lit !

Je ne sais ce qui la choqua le plus : que je l'interpelle par son prénom, que je puisse avoir la prétention de me hausser à son niveau ou que je prononce ces mots. Enfin, si, je sais. Nous étions d'un temps où l'on se devait d'assortir ses chaussures à son sac et de sortir avec gants et chapeau. J'avais le droit de vote, mais à peine celui de vivre à ses yeux.

— Votre vulgarité ne me surprend pas de la part d'une divorcée, d'une danseuse de bastringue minable. En dehors de son travail, Kurt a toujours eu des goûts assez médiocres.

— Sans oublier le goût pour les femmes plus âgées, madame. Vous n'y êtes certainement pas pour rien !

Elle me fixa, impassible ; je vis la louve sous le loden, prête à me déchiqueter.

— Il n'y aura pas d'enfants, n'est-ce pas ? Il ne le supporterait pas. De toute façon, c'est déjà trop tard pour vous.

Je faillis perdre l'équilibre sur mes talons trop hauts.

— Vous assisterez au mariage ?

— Votre bas est filé. Kurt est très sensible à ce genre de détail.

Elle passa devant moi sans même s'offrir un sourire de victoire. Pas une seule fois elle ne m'avait appelée par mon prénom. Nous n'échappions pas aux clichés. Une femme et sa belle-mère sont comme deux savants se disputant la primauté d'une découverte. Aucune avancée ne naît sans matrice, elle-même fruit d'une autre matrice. Nous étions les deux versants d'une même médaille : elle l'avait mis au monde ; je le verrais sans doute mourir.

J'aurais aimé la conduire jusqu'à la Himmelstrasse*, notre rue, la bien-nommée ; lui ouvrir la porte de notre foyer, mais elle était partie très vite, aussitôt « l'affaire » conclue. J'aurais peut-être dû baisser la tête, faire allégeance moi aussi. Une vie commune méritait plus qu'un pacte à la sauvette dans un cimetière. J'étais fatiguée des non-dits et des faux-semblants. J'ai toujours été mauvaise à ce jeu pour lequel elle avait reçu une éducation parfaite.

Je suis allée me faire consoler par l'ange de ma tombe préférée. La statue avait une taille d'homme. Kurt et moi avions eu une discussion absurde devant cette sculpture. Les anges ont-ils une taille ? Assis en prière au milieu du lierre, celui-ci veillait sur le repos d'une famille inconnue. Nous le saluions toujours lors de notre promenade dominicale. Kurt aimait les anges, lui aussi.

*. « Route du ciel. »

19.

Mme Gödel rangeait ses photos avec soin, surveillant du coin de l'œil la jeune femme qui ne se décidait pas à partir. La journée avait un goût de dernière fois qu'Anna refusait d'accepter.

— Si nous allions prendre un thé, Adèle ?

— Il est trop tard, ils ne vous serviront pas. Ils sont occupés à la grande mascarade annuelle.

— Vous n'aimez pas Halloween ?

— Je déteste la fausse joie.

— Vous appréciez pourtant l'alcool.

Anna disciplina une mèche qui pendouillait sur sa tempe. Elle avait besoin d'un bon shampoing. Après la pluie de l'après-midi, ses vêtements exhalaient des relents de vieux labrador. Elle était à deux doigts de se coucher par terre pour se rendre au sommeil. Elle resserra sa queue-de-cheval. La douleur sur son crâne lui donna du courage ; elle devait prévenir un nouvel accès de ressentiment chez Adèle. La franchise semblait la meilleure option.

— Je ne fêterai pas Thanksgiving avec vous, Adèle.

— Je ne guette pas votre retour à la fenêtre, ma belle.

Mme Gödel tortura un bouton de sa veste à grosses mailles. Anna la laissa se dépatouiller un moment avec ses petits accommodements intérieurs. Elle eut un pincement au cœur. Où était la pimpante demoiselle de la photographie ? Sa compassion englobait la vieille femme et celle qu'elle-même deviendrait un jour, avec un peu de malchance. Elle avait encore droit au luxe des illusions juvéniles ; mieux vaut mourir que vieillir.

— Je suis un peu bourrue parfois.

— Merci pour les photos. J'ai été touchée par cette attention.

— J'étais sûre de vous plaire. Un rien vous amuse, jeune fille.

— Moi non plus, je n'aime pas ces fêtes. Trop de plats, trop de famille.

— Je me souviens de notre premier Thanksgiving à Princeton. Nous avions été conviés par le doyen dans une superbe maison. Je ne comprenais rien à la conversation. À l'époque, je balbutiais à peine deux mots d'anglais. J'étais fascinée par l'abondance de nourriture sur la table. Je n'avais pas vu ça depuis… En fait, nous n'avions jamais vu ça. Vous le fêtez en famille ?

— Le directeur de l'IAS m'a invitée.

— Vous êtes en faveur !

— Cela ressemblait plutôt à une sommation.

Anna écarta d'un doigt deux lames du store ; les lampadaires enjolivaient d'une lumière chaude les flaques de l'après-midi. Une colonie d'ombres traversa le parking en zigzaguant. Le dîner fatidique approchait et elle n'avait pas encore trouvé d'excuse acceptable pour fuir la confrontation avec Leonard. Il était fort probable qu'il serait présent à Thanksgiving : il n'avait jamais raté l'occasion d'empoisonner une fête à l'Olden Manor.

— Pine Run m'a fait haïr Thanksgiving. Ici, vous n'avez que deux options. Recevoir des gamins mal élevés dont les parents ont, par miracle, retrouvé l'adresse de votre maison de retraite. Ou bouder dans votre coin en n'attendant personne.

Anna ne lui demanda pas si elle espérait des visites. Le registre de l'accueil lui avait donné un aperçu de sa solitude. Elle abandonna son poste de guet.

— Je pensais que vous aimiez les enfants.

— J'ai passé l'âge de faire semblant. Les vieux me pourchassent avec des photos de leur descendance. Ou ils agitent une pauvre carte postale comme s'il s'agissait d'une révélation divine ! Ils sont pathétiques. Prenez Gladys. Selon elle, son fils serait un mélange de Superman et de Dean Martin. Pourquoi croyez-vous qu'elle soit si pomponnée ? Pas pour dégotter un nouveau croulant, quoi qu'elle en dise. Elle se tient prête pour une visite constamment reportée. Mieux vaut ne pas avoir de mioches plutôt que d'être blessé par leur ingratitude !

— Rachel, ma mère, prétend que la maternité est un *syndrome de Stockholm*. Les parents s'attachent malgré eux aux enfants qui prennent leur vie en otage.

— Elle a un humour particulier.

— Je ne suis pas tout à fait sûre qu'il s'agisse d'une plaisanterie.

— Soyez plus indulgente ! Vous avez la chance d'avoir une famille.

Anna sourit ; l'indulgence était son pire défaut. Elle avait négligé l'intérêt d'une bonne crise d'adolescence ;

elle avait tenté de ne pas envenimer un divorce déjà explosif. Adulte, elle ne détestait pas ses parents comme elle l'aurait voulu. Elle les aimait comme elle aurait aimé l'être : avec constance et sans demande de rançon. Elle s'était persuadée qu'ils économisaient les démonstrations d'affection pour leurs vieux jours. Proches du départ, ils éprouveraient sûrement un irrépressible besoin de la toucher enfin. Ils étaient toujours en retard à leur rendez-vous.

— La famille est aussi un poison.

— Surtout chez vous autres.

Anna se raidit, l'allusion à ses origines juives avait déclenché toutes ses alarmes internes.

— Je ne peux pas parler de votre famille sans passer pour une nazie ?

— Je n'apprécie pas vos préjugés.

— Ce n'en est pas un. Les familles juives sont un peu étouffantes. J'ai eu beaucoup d'amis juifs. La majorité de la communauté de Princeton avait fui la guerre.

Anna enroula une mèche autour de son doigt ; elle faillit la porter à sa bouche, mais elle obéit à l'injonction maternelle bien accrochée à son subconscient. « Ne mange pas tes cheveux ! On dirait une attardée. »

— Vous êtes gênée ? Il ne faut pas ! Je ne suis pas dupe, cette question vous turlupine depuis le début. Je lis dans vos pensées : la Gödel a un vieux fond pas très net de bonne catholique autrichienne. Je me trompe ?

À défaut de sa mèche, la jeune femme tortura ses lèvres. Son enfance était hantée par cette histoire jamais évoquée, pourtant omniprésente.

— Un membre de votre famille est mort dans les camps ?

Anna refoula une douloureuse montée de nostalgie ; grand-mère Josepha et sa galerie de photos des chers disparus : cadres d'argent ceints de noir. Son « mur des Lamentations », comme la taquinait son fils. Poussière des livres entassés ; chaleur ; porte fermée à triple tour ; *Apfelstrudel* ; crincrin des cours de violon et comptines en allemand : ses souvenirs formaient un gruau impossible à digérer.

— Du côté de mon père. Deux de ses oncles qui n'avaient pu émigrer à temps d'Allemagne. Beaucoup d'autres, moins proches.

Adèle mima un geste d'impuissance. Anna était prête à écouter, sans pardonner pour autant, mais la légèreté affichée de son aînée brûlait comme une gifle à la face de son histoire personnelle.

— À Vienne en 1938, vous n'avez rien vu venir ? Tout cela ne vous révoltait pas ?

— J'avais mes propres problèmes à l'époque.

— Comment était-il possible de ne rien faire ? Il y avait des rafles, des gens massacrés.

— Vous voulez entendre des excuses ? De la honte ? Je ne peux pas revenir en arrière. Je ne renie pas celle que j'étais et que je suis encore. Je n'ai pas été courageuse. J'ai sauvé mon mari. J'ai sauvé ma vie. C'est tout.

Anna luttait pour ne pas répliquer. Elle avait tant besoin d'admirer, de trouver chez Adèle une sagesse supérieure, fruit d'un destin hors du commun. Personne n'échappe à la cloche, à la malédiction de Gauss ; la vérité toute médiocre lui salissait la vue. Elle aurait préféré la haïr.

— Ne me jugez pas. Vous ne pouvez pas savoir comment vous réagiriez au pied du mur. Peut-être seriez-vous une héroïne. Peut-être pas.

— Je connais cette rhétorique. Elle ne m'apaise pas.

— J'ai perdu des proches dans cette guerre, moi aussi.

Ce n'était pas une excuse pour Anna, surtout pas ce genre d'excuse.

— Pourquoi serais-je plus coupable que Kurt ? Il n'a pas agi autrement ! Son intelligence lui donnait-elle un permis d'aveuglement ?

— Vous vous cachez derrière lui.

— Si vous lisiez sa correspondance, vous comprendriez à quel point il était aveugle. Cela faisait sourire son ami Morgenstern. Sans doute pour l'empêcher de frémir. Kurt n'était préoccupé que de lui-même.

— Votre mari était un lâche ?

— Non ! Il avait juste une grande capacité à ignorer. Il ne supportait aucune forme de conflit. Même si j'avais voulu réagir, si j'avais été capable, moi, de me défaire de mon éducation ou de ma peur, je n'aurais pu le forcer à regarder la vie en face. Il lui suffisait d'agiter le spectre de Purkersdorf.

— Il se servait de ses dépressions comme d'une excuse ?

— Comme d'un rempart contre la réalité. Parfois.

— Alors, vous avez suivi ?

— Vous exigez de moi d'être à la fois plus bête et plus lucide que lui ! D'être tout ce qu'il n'était pas.

— Je ne vous demande rien.

— Vous avez besoin d'une bonne petite vieille un peu folle qui distille sa sagesse entre deux verres de sherry. Je ne suis pas cette personne, ma chère petite. Je suis comme vous, une femme qui a renoncé. Vous ne vous reconnaissez pas en moi parce que votre abandon est tout neuf. C'est sur le tard que cette légèreté vous pèsera.

— Vous vous trompez sur moi. Je suis tout sauf légère ! Et si j'avais vraiment renoncé, je ne serais pas là.

Adèle saisit son poignet sans qu'Anna eût le cœur de le lui refuser. Elle sentit la vie palpiter encore dans cette grosse main tavelée. Elle hésita un instant, mais ne se pencha pas pour embrasser la vieille dame. Elle n'avait pas de pardon à offrir. Ni le droit, ni l'envie. Leur affection précaire n'aurait pas survécu à une parodie d'absolution. Adèle semblait déjà s'assoupir, à moins qu'elle ne simulât pour éluder les adieux. Anna la borda avec soin.

Elle prit le temps de tirer le store et d'éteindre les lumières avant de partir. Dans le couloir, elle croisa un couple de visiteurs harassés : l'homme portait dans ses bras un enfant endormi, la bouche maculée de sucreries. Sur le visage contracté de sa compagne, on devinait la liste des reproches qu'elle se préparait à dévider dans le rétroviseur. L'accueil était enlaidi de guirlandes criardes et l'infirmière de nuit avait mauvaise mine. Inutile de faire appel aux fantômes intérimaires d'Halloween : chacun se promène avec sa propre escorte.

20.

1938
L'année du choix

« Es-tu d'accord avec la réunification de l'Autriche avec le Reich allemand qui fut décrétée le 13 mars 1938, et votes-tu pour le parti de notre chef Adolf Hitler ? »

Bulletin de vote
pour le plébiscite du 10 avril 1938

J'ai ouvert les fenêtres sur le ciel gris d'un petit matin comme les autres. J'entendais au loin les cris des vendangeurs. J'ai allumé le poêle en chantonnant, préparé son petit déjeuner, une tasse de thé et une tranche de pain brun, aligné les couverts selon son protocole ; tout devait être parfait. Je me suis permis de tracer un huit couché avec de la confiture de prunes. En espérant qu'il ne s'en formaliserait pas. Je forçais un peu ma joie : c'était le jour de mes noces, tout ce que je désirais depuis des années. Je me suis servi du thé pour réprimer la nausée. J'ai ciré ses chaussures, repassé avec soin ses vêtements, avant de disposer le tout sur une chaise en prenant garde aux plis. Les habits de mon homme se révélaient parfois plus bavards en son absence.

Je ne m'étais pas autorisée à rêver d'une grande cérémonie à l'église avec tout le gratin ; j'avais déjà donné dans le blanc. Mais ce mariage en petit comité, qui serait expédié comme une formalité pénible, avait une vague odeur de tristesse. En passant dans l'entrée, j'ai vu une femme fatiguée dans le miroir. Était-ce là la jeune fiancée ? J'ai enlevé les pinces pour faire bouffer mes cheveux. *Allez ma fille, estime-toi heureuse et fais bonne figure. Profite de cet instant, madame Gödel !* Je me suis habillée avant d'aller le réveiller d'un baiser.

Il m'avait donné carte blanche pour nos noces. Je m'étais habituée à ce genre de liberté : « Occupe-toi des détails ! » J'étais l'intendance ; l'intendance je resterais. Kurt était absorbé par la préparation de ses prochaines conférences à l'Université catholique de Notre-Dame, aux États-Unis. Contre toute attente, après une année de cours à Vienne, son université avait autorisé sa mise en disposition. Il avait pu accepter l'invitation de son ami Karl Menger dans l'Indiana et celle d'Abraham Flexner à Princeton. Son départ était planifié depuis janvier, malgré les incertitudes liées à cette période chaotique. Kurt ne semblait pas s'en inquiéter. Après quelques mois de concentration euphorique, rasséréné d'avoir récupéré ses capacités de travail, il ne pensait qu'à quitter l'Autriche.

La décision précipitée de notre union avait surpris ma propre famille et les rares intimes informés de notre liaison. Les « festivités » ne grèveraient pas notre budget : la cérémonie civile serait suivie d'un repas très simple en présence de mes parents, de mes sœurs et de son frère Rudolf. Les témoins seraient Karl Gödel, un cousin de son père, et Hermann Lortzing, un ami comptable. Certaines absences sont plus humiliantes qu'une figuration hostile : sa mère avait décliné l'invitation. Quant à ses collègues les plus proches, ils avaient, pour la plupart, déserté l'Europe.

Nous avons pris le tramway afin de rejoindre nos invités devant l'hôtel de ville. Le déjeuner était réservé dans une taverne attenante à la mairie, non loin de l'université et des cafés où il avait passé tant d'heures. Le genre de « détails » qu'appréciait Kurt : il quitterait son état d'étudiant célibataire pour celui d'homme marié dans un même périmètre, sans déroger à sa routine. Son univers familier avait cependant changé : les façades étaient pavoisées aux couleurs nazies. Les bottes de cuir arpentant sans relâche les vénérables bâtiments avaient fait fuir la majorité de ses compagnons. Nous nous accrochions, je le reconnais maintenant, à une Vienne disparue. Il nous faudrait encore un peu de temps pour le comprendre, l'un comme l'autre.

Nous avons monté les marches de l'hôtel de ville suivis de notre maigre cortège. Mes parents et mes sœurs, trop endimanchés, un peu gênés par la raideur bourgeoise de Rudolf, se taisaient.

Je n'avais invité ni Anna ni Lieesa à mon mariage. J'aurais aimé avoir l'avis d'Anna la rousse sur ma redingote en velours bleu qui avait déjà connu quelques pluies. Elle aurait pu venir choisir avec moi le bibi tout simple, gris à parement de ruban, que je m'étais offert, seul accroc à nos finances plus que vacillantes. J'avais emprunté une broche à ma sœur, j'aurais pu taper son étole chasse-mari à Lieesa. Elle m'avait porté chance avant d'être, comme nos souvenirs, rongée par les mites. Mais mes amies étaient deux pans de mon histoire que l'Histoire ne me permettait pas de voir cohabiter. Ne pas inviter Lieesa revenait à trahir ma jeunesse. Ne pas inviter Anna revenait à trahir ma gratitude envers elle. Il était inenvisageable, voire dangereux, de mettre Anna, mon amie juive, en présence de Lieesa. Et nous préférions, Kurt et moi, effacer par cette cérémonie un passé délicat. Alors qu'il consentait enfin à me donner son nom, Kurt m'avait donc transmis la pire part de lui-même : son incapacité à faire un choix devant un problème difficile pour peu qu'il se formule en êtres de chair et non en symboles mathématiques. Anna ne s'était pas formalisée ; elle comprenait. Je lui avais apporté une tranche du gâteau de mariage et des dragées pour son fils. Lieesa ne me parlait plus depuis bien longtemps. « Madame Gödel » : j'appartenais *à la haute* désormais.

En quelques minutes, le 20 septembre 1938, après dix ans de liaison honteuse, moi, Adèle Thusnelda Porkert, sans profession, fille de Joseph et Hildegarde Porkert, j'ai épousé le docteur Kurt Friedrich Gödel, fils de Rudolf Gödel et de Marianne Gödel, née Handschuh. J'ai ôté mes gants blancs pour signer le registre. Il a pris le stylographe en m'offrant un de ses sourires contrits. Il m'a embrassée en évitant de regarder son frère. J'ai rajusté la fleur à sa boutonnière. J'étais heureuse. Une toute petite victoire ; une victoire tout de même. Peu importaient les circonstances, cette vieille redingote ou ces questions ravalées : pourquoi maintenant ? Pourquoi si vite, à deux semaines du départ ? Sa mère, restée à Brno, emplissait la trop grande salle des cérémonies de sa désapprobation muette. Marianne

Gödel avait donné son consentement, pas sa bénédiction. Elle avait cependant une bonne excuse : la crise sudète rendait le voyage problématique. En des temps plus cléments, elle n'aurait pas fait le déplacement pour autant. En des temps plus cléments, Kurt ne m'aurait pas épousée non plus.

Vingt ans après, sur le parvis fleuri d'une église de Princeton, je pleurerais au mariage d'une radieuse inconnue. Je pleurerais, non de jalousie pour sa robe de meringue blanche, pour sa famille prospère se congratulant ou ses amies empaquetées de satin lavande : je regretterais l'espoir que j'avais nourri dans les mêmes circonstances. Comme cette mariée inconnue, j'avais pourtant respecté la tradition : *« Something old, something new. Something borrowed, something blue and a silver sixpence in her shoe*[*]*. »* Je portais bien quelque chose de neuf sous ma veste bleue ; un peu de lui, un peu de moi. Il l'ignorait en signant ce registre. Il ignorait aussi que je ne le suivrais pas aux États-Unis. Comment aurais-je pu négliger cet espoir ? Prendre un train suivi d'un bateau pour risquer de perdre cet enfant qui, à trente-neuf ans, ressemblait fort à une dernière chance ? La mère Gödel aurait considéré une grossesse avortée comme le regrettable mais juste châtiment infligé à la divorcée qui avait osé ligoter son fils. De toute façon, Kurt avait toujours évité le sujet. La paternité ne faisait pas partie de son programme. « Occupe-toi des détails », m'avait-il dit.

*. Selon la tradition, la mariée doit porter : « Quelque chose de vieux, quelque chose de neuf. Quelque chose d'emprunté, quelque chose de bleu et une pièce de six pence dans sa chaussure. »

Je l'ai laissé s'affoler et câbler à tous les vents pour réclamer les frais d'un deuxième billet. Son égoïsme et son aveuglement étaient sans limites. Il me voulait avec lui aux États-Unis parce qu'il ne se sentait pas capable d'affronter cette nouvelle année scolaire comme un vieil étudiant célibataire. L'unique façon d'obtenir un double visa avait été de m'épouser. Je ne me faisais pas d'illusions : il n'était pas affecté par le cours de l'Histoire ; il n'était pas effrayé à l'idée d'abandonner sa mère en Tchécoslovaquie ; il se souciait à peine de notre situation financière précaire. Il avait son travail, des désirs d'homme ; le reste importait peu. Qu'étaient le tumulte du monde ou les jérémiades d'une femme comparés à l'infini des mathématiques ? Kurt s'est toujours placé en dehors du jeu. « Ici » et « maintenant » étaient une position de l'espace-temps déplaisante, un impératif dont je devais, moi, tenir compte pour nous permettre de survivre.

L'idée d'une émigration officielle l'effleurait sans le préoccuper sérieusement. Oskar Morgenstern et Karl Menger, installés aux États-Unis depuis quelques mois, lui avaient écrit qu'ils comptaient y rester. Ils l'incitaient à envisager l'exil. J'ai commencé à y réfléchir. S'il m'épousait, l'invitation de Princeton était une occasion de partir à la sauvette en laissant tout derrière nous. J'ai fait deux listes. Ici : ma famille ; sa mère, retranchée dans une Tchécoslovaquie en pleine déroute ; sa carrière académique déjà bien établie et l'université qui lui faisait encore confiance ; son frère, seul garant de nos finances, et, certes, une situation politique explosive, mais qui ne suscitait pas de véritables inquiétudes pour nous. Là-bas : ses amis ; des vacations ; l'inconnu. Aurions-nous un visa pour deux ? Comment allions-nous vivre sur ses maigres émoluments ? Quel serait mon avenir dans ce monde lointain dont je ne parlais pas la langue, seule, soumise aux caprices de sa santé ? La balance a penché quelques semaines avant le mariage, quand j'ai commencé à vomir en cachette le matin. Je demeurerais à Vienne sans lui.

J'avais été l'amante, la confidente, l'infirmière ; à Grinzing, j'ai découvert la solitude d'une existence à deux. Ses manies ne se résumaient pas à une cuillerée de sucre cent fois mesurée. Elles régentaient chacun de ses gestes. J'ai dû admettre qu'il n'avait pas abandonné ses obsessions dans la chambre de Purkersdorf. Elles vivaient désormais avec nous. Son égoïsme n'était pas la conséquence de sa faible santé, mais constitutive de son caractère. Avait-il jamais pensé à quelqu'un d'autre qu'à lui-même ? J'ai caché mon état ; dix ans de patience valaient bien un petit mensonge par omission.

J'avais prié mon père d'éviter tout sujet politique le jour de mes noces. À table, après quelques verres, il ne put se contenir. Mes doigts se crispèrent sur ma serviette en l'entendant réclamer le silence. Il fit tinter sa coupe de son couteau et déclama avec une solennité vacillante :

— Aux mariés, à nos amis tchèques et à une paix enfin durable en Europe !

Je vis Rudolf, notre « ami » tchèque, froncer les sourcils en ravalant une repartie cinglante.

Peu de temps après l'Anschluss, Hitler avait déclaré vouloir « libérer les Allemands des Sudètes » de l'« oppression » tchécoslovaque. Les émeutes violentes de ces derniers jours étaient sans doute attisées par les nazis eux-mêmes. Rudolf était persuadé d'une invasion imminente que Daladier et Chamberlain n'oseraient contrecarrer. Une semaine après notre mariage, les accords de Munich lui donneraient raison.

Kurt, inaccessible à ce genre de tension, se leva pour porter un toast lui aussi.

— À Adèle, ma femme bien-aimée ! À notre voyage de noces aux États-Unis.

Je lui adressai mon sourire le plus radieux. Dans son esprit, Princeton débloquerait sans tarder les frais d'un second billet, malgré l'annonce tardive de notre union. J'en doutais fort. Je protégeais son insouciance puisqu'il n'aspirait qu'à la paix.

J'avalai mon bouillon en réprimant une nausée. Je caressais distraitement mon ventre quand je croisai le regard inquisiteur de ma mère ; elle s'était aperçue de mon malaise. Elle ne releva pas. Kurt, lui, devait mettre mon manque d'appétit et mon mutisme inhabituel sur le compte de l'émotion. Il n'aurait pas vu Hitler dansant nu sur la table de noces.

Une fois le frugal repas expédié, nous sortîmes du *Rathauskeller* pour faire une promenade sous un léger crachin. En passant devant les petites baraques en bois des vendeurs de *Bratwurst*[*], mon père maugréa avec peu de discrétion.

— Pour si peu de dépenses, on aurait mieux fait de déjeuner sur ces bancs ou dans une guinguette à Grinzing.

Ma mère le tira par le bras pour le faire taire.

Les façades des bâtiments autour du parc, dont

*. « Saucisse grillée. »

celle du Parlement, étaient souillées de bannières à croix gammées. Depuis le 12 mars, date de l'entrée des troupes nazies dans notre pays, l'Autriche était devenue *Ostmark*, la « marche de l'Est » et Vienne, allemande. Les rues offraient un calme étrange après les déchaînements de violence qui avaient accompagné l'annexion.

Mon père ne voulait pas croire aux desseins de guerre de l'Allemagne, comme il n'avait pas cru à l'Anschluss. Pourtant, la fin de l'hiver 1937 avait semoncé nos illusions. Notre chancelier Schuschnigg avait beau protester contre les manœuvres militaires à la frontière et les manifestations de puissance des nazis autrichiens, il avait concédé, sous la pression de Hitler, la nomination de Seyss-Inquart en tant que ministre de la Sûreté. Celui-ci avait toléré, sinon encouragé en sous-main, les émeutes pronazies. Les villes frontalières comme Linz s'étaient retrouvées infestées d'hommes en uniforme ivres de chants hitlériens. La jeunesse du pays, minée par les problèmes économiques et imprégnée de propagande, s'était enthousiasmée à l'idée de l'annexion. Schuschnigg avait annoncé début mars un référendum pour ou contre une Autriche indépendante ; une pathétique tentative de préserver la liberté de notre pays. En réponse, Hitler l'avait sommé d'annuler ce plébiscite sous la menace de l'entrée des troupes allemandes en Autriche. Dans la soirée du 11 mars, nous avions écouté notre chancelier donner sa démission à la radio. Une meute hystérique de satisfaction avait alors envahi les rues, brisant les vitrines et molestant leurs propriétaires. Terrée à Grinzing, j'avais prié toute la nuit pour que le petit magasin de mes parents ne soit pas attaqué. Mais la hargne de la foule n'avait rien d'aveugle, elle visait uniquement les boutiques des commerçants juifs. Dès l'aube, les bottes avaient traversé la frontière. Ce chaos était un prétexte idéal : il fallait garantir l'ordre. Les Autrichiens n'étaient plus à même de se prendre en main. Ni la France ni la Grande-Bretagne ne tentèrent de s'y opposer. Les Allemands ont pénétré en Autriche sous les vivats et les fleurs. Pour un peu, on les aurait suppliés de venir nous sauver de nous-mêmes. Jamais envahisseurs ne furent mieux reçus. Pourquoi en aurait-il été autrement ? Ils apportaient un espoir de stabilité et de prospérité à un pays au bord de la guerre civile, réduit à une dépression sans fin. Peu importait que les troubles soient attisés par les nazis ou que l'essor économique soit le premier pas vers un plan d'ensemble terrifiant. Ils offraient une solution facile : « Mort aux Juifs ».

Personne, hormis de doux rêveurs comme mon père, ne pouvait être dupe de ces manœuvres : Hitler ne s'arrêterait ni à l'Autriche ni aux Sudètes. La guerre allait éclater en Europe. Le 12 mars 1938, les Autrichiens accueillirent les Allemands comme des parents lointains revenant au bercail, un peu inquiétants, certes, mais les bras chargés de cadeaux. Ces derniers organisèrent des distributions de vivres pour les plus pauvres ; promirent l'extension du système de sécurité sociale à toute l'Autriche ; des allocations pour les chômeurs ; des vacances pour les écoliers. Nous nous sommes réveillés après la guerre avec une foutue gueule de bois et nous avons enfoui notre honte sous les géraniums et l'encaustique. À l'annonce du nouveau plébiscite imposé par les nazis, ouvriers et bourgeois réunis sautaient de joie sur les genoux de l'oncle aux dents longues, aux mains baladeuses, mais au portefeuille bien rempli.

Marianne Gödel nous avait prévenus en vain, ses amis juifs les plus clairvoyants étaient partis : j'étais aveugle et j'aimais un homme sourd. Céder à ma propre panique aurait entraîné Kurt vers des abîmes d'anxiété. Aplanir, telle était ma mission. Une minorité criait encore au loup, j'étais dans la majorité silencieuse. Comment aller à contre-courant de l'Histoire quand le confort ou l'espérance d'un destin personnel ne sont pas déviés par ce courant ?

Je ne peux mentir : j'ai vu les vitrines brisées ; les familles agenouillées dans le caniveau ; les vieillards molestés ; les arrestations en pleine rue. J'étais comme les autres, ballottée dans un de ces tourbillons où, pour ne pas se noyer, on pense d'abord à soi.

J'avais demandé à Anna si je commettais une erreur en ne suivant pas mon futur mari en Amérique ; elle s'était contentée de hausser les épaules.

— J'ai pas la science infuse, ma cocotte. Qu'est-ce qu'il en dit, ton bonhomme ?

— Tout le monde s'installe là-bas. Tu devrais y réfléchir, Anna.

— Avec quel argent ? Et comment je pourrais y nourrir mon fils ? Je vais quand même pas faire le tapin à New York pour fuir ces péquenots ! Non, l'Amérique, c'est pour les rupins !

— Ton docteur Freud est parti, lui.

— C'est pas le travail qui va nous manquer alors.

— Selon Marianne, les nazis vont éliminer tous les Juifs.

— T'as donc pas de raisons de te ronger les sangs. Tu n'es pas juive. Et ne t'inquiète pas pour moi. Ils viendront pas me chercher à Purk ! Wagner-Jauregg m'a toujours eue à la bonne. Et mon gamin est chez de braves gens. Ils n'iraient jamais le dénoncer.

Le 10 avril 1938, les bulletins de vote du plébiscite avaient été agrémentés de deux cercles : un grand pour le « oui » et un tout petit pour le « non ». Et comme si ce n'était pas suffisant, les officiels nazis vérifiaient le choix des votants devant chaque isoloir. Les bulletins étaient remis de la main à la main. Le Reich s'était garanti une majorité écrasante dans un scrutin déjà acquis. Les Autrichiens votèrent « oui » à 99,75 %. J'ai fait comme eux, puis je suis rentrée me barricader dans notre appartement de Grinzing. Dans la soirée, l'annonce des résultats déclencherait des violences inouïes. Kurt travaillait dans le silence de son bureau. J'ai effleuré son épaule. Il est sorti de son rêve pour me demander :

— Adèle, tu as trouvé du café ? Celui d'hier était infect.

21.

La dame de l'accueil, le combiné du téléphone coincé sous l'oreille, un crayon mâchonné sur l'autre, lui fit signe de patienter. Anna en profita pour signer le registre. Elle constata avec surprise la présence d'une visiteuse : Elizabeth Glinka, l'infirmière à domicile des Gödel. Elle se grignota un restant d'ongle. Pouvait-elle s'imposer ou devait-elle s'effacer par courtoisie ? Elle aurait aimé rencontrer cette femme, témoin de leurs dernières années de vie commune.

— Je suis désolée, mademoiselle Roth. Pas de visite autorisée aujourd'hui pour Mme Gödel.

— Je vois pourtant qu'elle en a une.

— La personne attend dans le hall.

— Il est arrivé quelque chose à Adèle ?

La standardiste rectifia l'équilibre hasardeux de sa tasse de café et se composa une expression compassée.

— Vous n'êtes pas de la famille. Je n'ai pas le droit de vous répondre.

— Mme Gödel n'a pas de famille.

La dame grimaça ; ses doigts en manque de nicotine torturaient le crayon déjà supplicié.

— Elle a eu une mauvaise nuit. Le médecin de garde semblait pessimiste ce matin.

Le cœur d'Anna s'affola.

— Est-elle consciente ?

— Elle est très faible. Mieux vaut lui éviter toute excitation.

— Je vais vous laisser mon numéro. Vous me préviendrez s'il y a du nouveau ?

— Je donnerai des consignes. On vous aime bien ici. C'est rare de voir quelqu'un de jeune s'occuper d'une de nos pensionnaires.

Elle s'éloigna en somnambule. Même si elle connaissait son état de santé, Adèle lui avait toujours paru animée d'une force vitale illimitée. Elle n'admettait pas une fin si brutale. Elles s'étaient quittées sur des paroles amères. Elle avait bousculé la vieille dame ; elle se sentait responsable de sa soudaine faiblesse.

Elle n'avait pas les jambes de reprendre la route en sens inverse dans l'immédiat. Elle se laissa tomber sur un fauteuil en skaï. Non loin d'elle, une femme d'une soixantaine d'années tricotait. La visiteuse au brushing approximatif la fixait avec un grand sourire. Elle avait un visage dur, mais de ses yeux bruns aux paupières lourdes émanait une indéniable aura de gentillesse. Anna n'aurait su définir si cette lumière lui était destinée ou si elle profitait en général au monde entier.

La tricoteuse cessa son « tchic-tchic » et rangea son ouvrage dans un sac en patchwork avant de venir s'installer à son côté. Elle lui tendit une main ferme.

— Elizabeth Glinka.

— Anna Roth. Je suis enchantée de vous rencontrer. Même si les circonstances…

— Ne vous inquiétez pas. Mme Gödel en a vu d'autres.

Elle inclina la tête et scruta sans pudeur la jeune femme qui redressa le dos.

— Je peux vous appeler Anna ? Adèle m'a beaucoup parlé de vous. Elle a raison. Vous êtes jolie et vous ne le savez pas.

— C'est tout à fait son genre de compliments.

Elizabeth posa sa patte calleuse sur la sienne.

— C'est bien ce que vous faites pour elle.

Anna eut un frisson de culpabilité. Leur relation demeurait ambiguë. Elle ne s'avouait pas où s'arrêtaient les frontières de l'intérêt et où commençaient celles de l'affection. Mme Gödel s'était peut-être plainte à son ancienne infirmière de leur dernière discussion.

— Au départ, je suis venue à elle avec une mission particulière.

— Mais vous êtes revenue.

— Vous avez des nouvelles ?

— Elle a subi une petite attaque cette nuit. Ce n'était pas la première. Depuis le décès de son mari, elle se laisse décliner. C'est fini, elle n'a plus envie de vivre.

— Vous les connaissez depuis longtemps ?

— Je suis devenue leur infirmière à plein-temps en 1973. Leur jardinier était un de mes amis et, de fil en aiguille…

La réalité força les portes verrouillées d'Anna ; les larmes, irrépressibles, embuèrent ses yeux. Il lui était plus facile de pleurer sur une vieille dame inconnue que de trouver le courage de faire des adieux définitifs à sa propre grand-mère. Elizabeth sortit un mouchoir propre de son sac et le lui tendit.

— Adèle déteste les pleurs. Imaginez ce qu'elle dirait en vous voyant comme ça.

La jeune femme se moucha et tenta de sourire.

— La fin est proche, mais ce ne sera pas pour aujourd'hui.

Anna crut en sa sincérité brutale. L'infirmière n'aurait pas eu la cruauté de lui mentir pour l'apaiser.

— J'ai beaucoup d'affection pour elle. Je lui souhaite de partir en douceur, pendant son sommeil. Sans souffrance. Elle l'a bien mérité. Même si elle n'a pas toujours été facile avec moi ! Elle avait ses mauvais moments. Vous avez dû vous en apercevoir ?

Anna frissonna en l'entendant utiliser le passé, elle ne put cependant s'empêcher d'orienter la conversation vers le sujet de sa mission. Elle se sermonna de ce manque de compassion.

— Vous parliez avec M. Gödel ?

— Ce n'était pas un grand bavard ! Un homme gentil, pourtant. Sauf quand il délirait...

Mme Glinka l'évalua du coin de l'œil. Elle n'avait que des scrupules de principe ; elle aussi avait besoin de se confier.

— Ce n'est pas un secret d'État, M. Gödel était un monsieur très spécial. Adèle n'a jamais pu relâcher la garde. Quand j'ai été engagée pour les aider, elle paraissait au bout du rouleau. Elle avait beaucoup grossi. Elle souffrait des séquelles d'une première attaque. Elle avait de graves problèmes d'hypertension et d'arthrite. Elle avait les articulations enflées à cause de sa bursite, elle n'en tenait plus debout. Elle ne pouvait plus cuisiner ni jardiner. Elle était déprimée de se voir inutile. Elle devait rester dans un fauteuil roulant et il était incapable de s'occuper d'elle. Il était déjà incapable de s'occuper de lui-même ! À trop se soucier de son mari, elle en négligeait son traitement. Que voulez-vous ? Pour elle, il passait avant tout, y compris avant sa propre santé.

— Il est décédé pendant l'hospitalisation de sa femme, n'est-ce pas ?

— Peu après. La pauvre, elle n'a pas eu le choix. Nous l'y avons contrainte. Elle risquait sa vie, mais elle refusait de le quitter. Il cessait de s'alimenter quand elle n'était pas là ! Je faisais la navette entre les deux, tout en sachant qu'il était trop tard. Il n'ouvrait plus sa porte à quiconque, pas même à moi. Je lui déposais de la nourriture sur le perron. La plupart du temps, il n'y touchait pas.

— Sans elle, il s'est laissé mourir ?

— Il serait mort depuis longtemps sans ses soins. Elle l'a porté à bout de bras pendant des années.

Anna replia le mouchoir.

— Je vous le rendrai une prochaine fois.

Elle espérait que cette prochaine fois ne serait pas la dernière, l'enterrement d'Adèle.

— Malgré tout ce qu'il lui a fait voir, je n'ai jamais rencontré un couple plus soudé. Je suis étonnée qu'elle lui ait survécu jusqu'à maintenant. Je ne lui donnais pas plus de quelques mois. Sans personne à soutenir, elle n'avait plus de raison de continuer. Elle était perdue. C'est bien simple, elle ne savait plus remplir un chèque !

— J'avais cru comprendre qu'elle s'occupait de tout.

— M. Gödel avait des lubies parfois. Sur la fin, il s'était persuadé qu'elle dilapidait son argent derrière son dos. Comme si Adèle avait pu avoir ce genre d'idée, elle qui le soignait nuit et jour ! Et comme s'il avait eu de l'argent à gaspiller ! Quelle tristesse ! Trente ans dans cette maison, plus de quarante auprès de son homme et puis un matin comme ça… Seule, direction l'hôpital.

— Vous l'avez aidée à vider Linden Lane ?

— Nous avons mis cinq jours à trier la cave. Des monceaux de papiers ! Elle s'arrêtait sans cesse. Elle regardait des photographies ou relisait des notes. Des gribouillis, la plupart du temps. Nous avons tout rangé dans des boîtes, sauf quelques lettres.

Anna se retint de demander : « Où sont ces foutues archives ? » Elizabeth connaissait son intérêt envers ces documents.

— Elle pleurait, la pauvre. Elle gémissait en allemand, je n'ai pas tout compris. Elle s'arrachait les cheveux. J'ai cru qu'elle allait avoir un malaise.

— De qui étaient ces lettres ?

— De sa belle-famille. Ces gens-là ne l'aimaient pas. Il ne fallait pas être bien malin pour en deviner le contenu !

— Et qu'en a-t-elle fait ?

— Elle les a brûlées ! Qu'aurait-elle pu trouver d'autre pour se soulager ?

22.

1939
Le parapluie d'Adèle

« Nous vivons dans un monde où 99 % des choses belles sont détruites dans leur germe même. [...] Il y a certaines forces qui travaillent directement à recouvrir le bien. »

Kurt Gödel

Il pleuvait sur Vienne. J'arpentais le hall de l'université en prenant garde de ne pas glisser sur le marbre souillé. J'avais fui la cour intérieure où résonnaient les beuglements et les pas ferrés de quelques jeunes gens désœuvrés. Auparavant, l'austère péristyle n'avait jamais réprouvé que de sages chuchotements. Les anciens maîtres, figés dans la pierre, contemplaient les chemises brunes cherchant querelle à qui aurait la fâcheuse idée de croiser leur regard.

Kurt apparut enfin en haut du grand escalier. Je lui fis un petit signe auquel il ne répondit pas. La soirée s'annonçait difficile. Il avait les traits tirés et cette ride verticale au front, à laquelle je commençais à peine à m'habituer. Depuis son retour forcé des États-Unis, elle témoignait de son amertume ; Kurt lui aussi vieillissait. Il enfila avec réticence son pardessus humide.

— C'est confirmé. Mon habilitation est suspendue. Je ne peux plus donner de cours. Je n'aurais pas demandé d'autorisation pour mon dernier séjour à Princeton. Voilà pourquoi ils m'ont sommé de rentrer.

— C'est un mensonge, ils étaient parfaitement avertis !

— Nous dépendons maintenant de Berlin. L'université subit leur réforme. Ils vont supprimer le poste de *Privatdozent*. Je suis tenu de présenter une demande officielle auprès du ministère comme « chargé de cours du nouvel ordre ».

— Je t'en ficherai du « nouvel ordre » ! Un sacré bordel, oui !

— Ne sois pas vulgaire, je te prie.

— Kurt ! Tu sais ce que cela signifie.

Les yeux dans le vague, il boutonna dimanche avec lundi. Je m'empressai de rectifier sa mise. Il se laissa faire.

— Je dois trouver une solution, sinon il me sera impossible de retourner à Princeton.

— Le risque va bien au-delà d'une interdiction de voyage ! Tu ne pourras pas repousser plus longtemps la conscription.

— Ne t'affole donc pas toujours ainsi. Je demeure un membre éminent de l'université. J'ai des droits, cependant…

— Tu semblais si sûr de toi ce matin.

— J'ai passé mon doctorat avec Hahn. La nouvelle administration exclut tous ceux qui sont soupçonnés d'accointances avec des Juifs ou des libéraux.

— C'est un comble ! Toi qui n'as jamais fait de politique.

— Si je réintègre l'université à leurs conditions, ils me tiendront en laisse. Je devrai supplier pour pouvoir voyager. Mes travaux seront filtrés, soumis à leur cautionnement. Il n'en est pas question.

— Et sans cette approbation, tu ne peux pas partir. C'est un piège !

— Une simple démonstration de pouvoir.

Mes éclats de voix avaient dû éveiller l'attention, car j'aperçus un groupe de chemises brunes approcher.

— Ne restons pas ici, c'est dangereux.

— Adèle, tu exagères ! Je suis dans ma propre université.

Nous eûmes à peine le temps d'atteindre la porte que le premier énergumène nous interpellait :

— Alors, youpin ! On promène sa blondasse ?

Kurt me serra le bras à m'en faire mal. Je ne l'avais jamais vu confronté à une agression directe.

— Monsieur, je ne vous permets pas.

Je levai les yeux au ciel. Dans quel monde vivait-il ? Il était inutile, voire idiot, de riposter à ce genre de provocation.

Le premier brassard fit tomber le chapeau de mon mari d'une pichenette. Il n'avait pas vingt ans et une peau de bébé qui devait encore faire le bonheur de sa mère.

— On se découvre devant moi, môssieur.

Mon ventre se contracta ; je sentais le groupe autour de nous se densifier.

— Tu fais moins le fier que derrière ton pupitre, hein ?

— Je ne me souviens pas de vous avoir aperçu à mes cours.

Le gars prit ses camarades à partie, récitant une mauvaise scène cent fois répétée.

— Il ne doute de rien, celui-là ! Comme si, moi, j'allais écouter des leçons de science juive.

Les mâles de mon passé auraient coupé court en jouant des poings sans penser au surnuméraire, mais Kurt avait les yeux fous d'un être privé d'air.

— Il n'est pas juif, laissez-le tranquille !

— Quoi ? Il a perdu sa langue en même temps que sa queue ?

Il me pinça la taille.

— Tu veux goûter à un homme, un vrai, ma poulette ?

Je le repoussai et saisis la main inerte de mon mari.

— Kurt, nous partons ! Maintenant !

Une haie brune se solidifia devant nous.

— Pas si vite, ma jolie ! Ton poupon reste avec nous. On a deux mots à lui dire.

J'avais esquivé les soûlards de *night-club* pendant des années ; je ne me laisserais pas intimider par ces voyous, quelle que fût la couleur de leurs chemises. Il suffit parfois de montrer les dents pour voir le chiot retourner à sa niche.

— Dégagez ! Vous ne nous faites pas peur ! Vous n'êtes même pas dignes de cirer ses chaussures !

Kurt voulut parer la gifle qui m'était destinée. Ses lunettes tombèrent et il se retrouva à terre, tentant de les ramasser sous leurs ricanements. Je compris qu'ils allaient le passer à tabac. Je vis rouge. Sans réfléchir, je fis des moulinets avec mon parapluie. Je heurtai au passage quelques têtes ahuries, redressai Kurt puis récupérai dans le même mouvement ses lunettes. Profitant de l'ébahissement de nos agresseurs, nous dévalâmes les marches sans vérifier s'ils nous poursuivaient. À travers des trombes d'eau, je conduisis Kurt à un train d'enfer vers le café *Landtmann* où nous nous posâmes enfin, hors d'haleine, après avoir choisi la table la plus éloignée des vitres.

Je percevais avec une acuité cristalline chaque détail de la scène : les odeurs de torréfaction et d'humidité mêlées ; les bruits des couverts entrechoqués ; le murmure de la pluie ; les rires des commis en cuisine. Kurt, trempé, semblait anéanti. Il tripotait ses verres de lunettes fêlés avec des gestes nerveux qui ne me disaient rien de bon.

Pour moi, la bataille n'était pas terminée. Je l'avais sorti indemne d'une rixe, je devais maintenant en estomper les dégâts psychiques. Cet épisode ne pouvait manquer de lui remémorer l'assassinat sur ces mêmes marches de son ami Moritz Schlick. Je craignais bien plus de le voir chavirer que de devoir braver toute l'armée du Reich à coups de parapluie.

Je n'avais jamais compté sur lui pour me protéger. Démontrer sa virilité ne faisait pas partie de ses préoccupations. Il n'avait jamais combattu que les limites de sa propre réflexion. Il avait même navigué jusque-là loin des petites guerres d'influence mandarines. Cette fois, le danger l'avait rappelé au nouvel ordre : celui de l'absurdité. Il n'était pas préparé à affronter la bêtise pure. Le temps n'était plus aux démonstrations feutrées, mais aux aboiements. Ce temps n'était pas le sien. Je n'avais plus qu'à transformer cet incident en anecdote où je ferais figure de matrone et surtout pas d'héroïne. Nous avons souvent reparlé de cet épisode. Il y valorisait mon courage, sachant qu'il en diminuait aussi le sien, se reléguant au rôle de l'éternel castré.

Je n'ai jamais réussi à saisir s'il se moquait de passer pour un faible ou s'il préférait enfouir sa honte sous le déni. Pour ma part, je n'étais pas courageuse : simplement à l'écoute de mon instinct de survie.

— Ils m'ont pris pour un Juif. Je ne comprends pas.

— Il n'y a rien à comprendre. Ces voyous avaient envie de faire du grabuge, ils s'en sont pris à toi comme à n'importe qui d'autre. Tu étais au mauvais endroit, au mauvais moment.

— L'université m'envoie un avertissement. Ils essaient de me faire peur.

— Je t'interdis ce genre de délire ! Il n'existe pas de complot contre toi ! Ces nazis mettent tous les intellectuels dans le même sac. C'est tout.

Il grelottait. Je saisis ses mains et les maintins de force sur la table.

— Je ne pourrai pas retourner à l'université. Ils m'y attendront.

— Inutile d'y revenir sans accréditation.

— Que vais-je devenir, Adèle ?

J'aurais tant voulu entendre un « nous ». Ou poser cette question pour me soumettre à sa réponse.

Le serveur disposa notre commande. J'avalai d'un trait mon cognac et lui fis signe d'en apporter un second avec diligence. Kurt n'avait pas entamé le sien. Je décidai de jouer la carte de l'électrochoc.

— Nous avons besoin d'argent. Très vite !

— Ma mère est aux abois. Mon frère fait déjà tout ce qu'il peut. Nous pouvons compter sur le virement de Princeton dès que le Foreign Exchange Service* aura débloqué les fonds.

*. Service international de transfert d'argent.

— Je parle de nous et de maintenant ! Tu dois trouver du travail, Kurt. Fais jouer tes relations ! Tu as d'anciens camarades dans l'industrie. Je suis prête à retourner servir des bières, mais toi aussi tu dois réagir !

— Un poste d'ingénieur ? Tu es folle !

— Ce n'est pas le moment de faire ta diva. Il nous faut une porte de sortie. Tu dois travailler !

Il s'étrangla en avalant son alcool. L'idée d'une situation en dehors du giron de son *Alma Mater* l'avait toujours fait sourire de dédain. Au pied du mur, elle le faisait suffoquer.

— Tu dois donc te résoudre à accepter les conditions de l'université.

— Je ne me plierai pas à la volonté des nazis.

— De façon provisoire, Kurt. Écris à Veblen ou à Flexner au plus vite ! Demande-leur d'intercéder pour un double visa.

— J'en ai déjà parlé à von Neumann. Mes papiers autrichiens ne sont plus valides et les quotas américains d'immigration pour les Allemands sont atteints. Ils ne prendront plus personne.

— Tu n'es pas n'importe qui.

J'avalai mon deuxième cognac ; ce qui me restait à accomplir était immense.

— Nous devons quitter Vienne, Kurt.

— Tu disais ne jamais vouloir quitter Vienne.

— Plus rien ne nous retient.

— Ma mère tente de m'avertir du danger depuis des années. Elle avait compris avant tout le monde. Ce n'est pas pour rien qu'elle a autant d'ennuis avec les autorités de Brno.

— Elle n'est pas partie pour autant.

Je pouvais lire ses pensées : *Si nous l'avions écoutée l'année dernière, Adèle, nous ne serions pas dans cette impasse.* Même s'il n'avait jamais envisagé d'émigrer définitivement, c'était une arme à sa disposition dans notre petite guerre domestique. L'hiver précédent, j'avais fait une fausse couche avant même de pouvoir lui annoncer ma grossesse : il était reparti seul à Princeton deux semaines après notre mariage et n'était revenu qu'en juin. Lui avouer aujourd'hui n'aurait suscité que des reproches rétroactifs. L'optimiste Anna m'avait pourtant conseillé de ne pas le laisser s'en aller sans l'avertir ; à ses yeux, la paternité aurait pu l'animer d'une force nouvelle. J'avais préféré ne pas tenter l'expérience. Ce mensonge ne m'aurait, en définitive, coûté qu'un peu plus de solitude et quelques regrets.

Je n'avais pas revu Anna depuis des mois ; Anna Sarah, puisque, à compter du 17 août 1938, toutes les Juives du grand Reich étaient tenues d'accoler ce prénom sur leurs papiers officiels. Elle se cachait à la campagne, chez la nourrice de son fils. Wagner-Jauregg ne l'avait pas à la bonne, finalement.

— Finis ton verre, Kurt. Je vais commander une voiture pour rentrer. Autant ne pas se retrouver nez à nez avec ces abrutis à l'arrêt du tram.

Kurt était prisonnier d'une vraie, bonne et belle aporie bureaucratique. Sans allégeance au nouvel ordre, il n'obtiendrait pas le droit de partir ; mais en s'y soumettant, l'incontournable conscription rendrait caduc son visa. Son compatriote Kafka aurait apprécié la mauvaise plaisanterie si les nazis n'étaient pas déjà en train de danser sur sa tombe, à Prague. Kurt espérait que sa prétendue fragilité cardiaque suffirait à le faire réformer ; elle ne le sauva pas : à la fin de l'été 1939, il fut déclaré apte au service administratif. Il n'avait pu arguer de sa « maladie nerveuse » pour échapper à la mobilisation. Il avait même dû passer sous silence ses années de traitement : les services d'immigration américains, déjà saturés, lui auraient refusé un visa avec ce genre de pedigree. Je sais maintenant que si l'on avait « officialisé » sa « faiblesse mentale », le sort de Kurt aurait pu être pire en ces temps où le bon de sortie d'un asile offrait un ticket d'entrée pour un camp.

La perspective d'être intégré à la Wehrmacht était pour lui inconcevable. Qu'aurait-il été contraint de faire ? Planifier la logique d'une guerre imminente ? Devenir un meurtrier en col blanc ? Il aurait implosé. En dehors de ses recherches, rien ne le concernait, mais le reste de l'univers en avait décidé autrement, en lui mettant de force le nez dans la triste merde de l'Histoire.

23.

Depuis minuit, Anna regardait chaque petit volet du radio-réveil s'abaisser. À 5 h 30, elle s'assit au bord de son lit et se frotta le crâne à s'en faire mal ; ses cheveux secs s'emmêlèrent davantage. Le chat massacrait le sommier. Elle n'eut pas un geste pour l'en dissuader. Elle se leva et débarrassa le plateau-télé de la veille : une bouteille de vin à moitié vide, un yaourt et un paquet de crackers. *Pucelle imbaisable*. Elle remâchait encore et encore l'insulte de la vieille dame. Comme si baiser était un problème pour elle.

Elle resta un long moment sous la douche en augmentant la température jusqu'à la limite du supportable. Elle se recoucha en peignoir, la peau et les cheveux humides. Malgré sa torpeur, elle ne parvenait pas à retrouver le sommeil. Elle commença à se caresser. Le chat l'observait du bout du lit. Elle n'arrivait pas à se concentrer. Elle se leva et enferma le voyeur dans la cuisine. Elle reprit ses caresses en invoquant un souvenir dont l'efficacité était garantie, même si elle se teintait toujours d'un sentiment d'inachevé.

Elle a dix-huit ans. Elle accompagne son père à un dîner chez les Adams. Elle n'a pas revu Leo depuis cette fameuse lettre qu'elle regrette encore. Il n'a pas répondu aux suivantes. Pendant le repas, il se montre distant et disparaît avant le dessert. Elle s'éclipse de table pour se réfugier dans la bibliothèque. Leo entre dans la pièce, ferme la porte à clef puis, sans un mot, la plaque contre les étagères. Elle reconnaît son air buté ; celui de ses rares défaites aux échecs. Il l'embrasse : sa langue inefficace a le goût du bourbon. Il s'est donné du courage. Ils ne se sont jamais embrassés auparavant. Par pur défi, pour découvrir qui des deux quémanderait le premier. Elle se demande si elle en a vraiment envie. Car ils vont le faire ; faire cette chose qui partitionnera leurs souvenirs. Elle aimerait être emportée. Elle ne l'est pas. Elle a souvent imaginé cette scène : rude, mais élégante. Loin de cette réalité maladroite. Ils partagent l'usure d'un vieux couple sans la complicité qui pourrait les en soulager. Elle touche un homme, mais perçoit encore l'enfant, l'adolescent, l'ami. La même odeur, mais plus forte. Là, ce grain de beauté sur la joue, désormais couvert par une ombre de barbe. Comme une chanson familière dans une tonalité différente. Sa conscience bute sur cette étrangeté, lui interdisant de lâcher prise. Alors, elle liste ce que d'autres lui ont appris. Elle veut bien faire. Elle passe une main sous son tee-shirt, explore sa peau chaude, plus fraîche vers les reins. Ses doigts descendent vers les fesses de Leo qui se contractent. Elle lutte contre la fermeture de son pantalon pour libérer son sexe. Elle caresse la verge durcie, note que jusqu'à présent elle n'en avait fréquenté que des circoncises. Leo lui écarte les bras, l'obligeant à la passivité. Elle s'accroche à l'image crue de ce sexe entraperçu. Elle se sent minuscule entre ces mains gigantesques. Et, enfin, le petit garçon disparaît.

Il la baise debout dans le silence scandé du tic-tac d'une horloge. Les moulures de bois dans son dos la heurtent à chaque poussée. C'est un peloton d'exécution. Il a une revanche à prendre. Elle, des comptes à rendre. Elle ne connaissait pas cette part d'elle-même excitée par la soumission. Elle sent monter trop vite son plaisir. Les coup s'alignent sur l'horloge ; elle s'empêche de gémir, ouvre les yeux : il ne la regarde pas jouir.

L'orgasme attendu irradia de son sexe ; elle sourit : sa petite machine fonctionnait encore. La suite, elle préférait l'oublier. Ils s'étaient rhabillés et avaient rouvert la porte. Avant de quitter la pièce, Anna avait réclamé un geste tendre, une parole, mais il l'avait repoussée distraitement. « Attends, j'ai deux trucs à noter et j'arrive. » Elle avait compris que si elle choisissait d'attendre à cet instant, elle mendierait toute sa vie. De retour dans la cuisine, Ernestine, la gouvernante, avait remarqué sa mise débraillée et lui avait adressé un sourire en coin, prenant sa pâleur pour de la gêne. Elle était repartie sans saluer Leo et elle avait feint l'indifférence quand il l'avait relancée dès le lendemain.

Elle regarda son radio-réveil. 6 h 05. Elle avait encore une bonne heure devant elle avant d'affronter la journée. Elle tendit le bras vers son chevet pour prendre un roman à l'aveugle sur la pile.

Ses parents s'étaient presque réjouis de son goût pour la lecture. On réussirait à faire quelque chose de cette petite. Bien sûr, elle ne serait jamais aussi brillante que le fils des Adams. Mais elle, au moins, ne les appelait pas du poste de police. Leo était sans doute le fils qu'ils auraient aimé avoir. On avait placé en elle de petites espérances, elle ne les avait pas déçues. Elle n'avait même pas eu l'excuse de la paresse : elle avait travaillé avec ardeur, avide de ce demi-sourire qui accompagnait chaque « A », mais il n'y en avait jamais eu assez. Il aurait été plus chic de déplorer les lacunes d'un cancre. À quatorze ans, Anna parlait pourtant déjà plusieurs langues : sa mère corrigeait son allemand trop vernaculaire ; son père considérait son français ou son italien tout juste suffisant à passer commande au restaurant. L'adolescente enfouissait sa colère dans de petits carnets noirs, étiquetés par date et alignés avec soin sur l'étagère de sa chambre ; elle y détaillait son entourage sans complaisance. Depuis le jour où Rachel avait lu « par inadvertance » un de ces carnets, Anna s'était habituée à utiliser la sténo Gabelsberger enseignée comme un jeu par sa grand-mère. Elle réservait son écriture ronde à ses devoirs scolaires. À la remise des *graduates*, son père regardait sa montre ; sa mère, en décolleté offensif, inventoriait le cheptel masculin. Parmi tous ces boutonneux, il y en aurait au moins un qui pourrait s'intéresser à sa fille. Le mariage était peut-être une bonne solution : on dit que le talent saute parfois une génération.

Avec ses notes, elle aurait dû se contenter d'une université d'État au lieu de Princeton. Les Roth ne s'étaient pas embarrassés de fierté : grâce à quelques coups de fil, Anna avait intégré leur *Alma Mater*. Elle avait tenté d'argumenter pour un peu plus de liberté, mais on lui avait fait comprendre qu'une telle opportunité ne lui serait pas servie deux fois. En troisième année, Anna avait fini par y dégotter la perle rare, William, son tuteur en lettres. Elle avait procédé aux présentations officielles au second trimestre ; au troisième, ils étaient fiancés. George appréciait la compagnie de ce garçon à l'écoute déférente. S'ils avaient un avenir universitaire limité – littérature anglaise du XIXe, qui avait encore aussi peu d'ambition ? –, les deux jeunes gens avaient eu l'élégance de respecter la tradition familiale. Will était fiable, ponctuel et très attaché aux siens. Il affichait un physique à bien vieillir, un mental à y consentir. Pour Anna, il avait surtout le mérite, à la différence de ses partenaires précédents, d'être un amant appliqué et de posséder une grande bibliothèque. Rachel n'avait émis aucun commentaire sur le choix de sa fille. Elle s'était toujours montrée polie avec lui tout en évitant d'être chaleureuse. Anna se serait sentie soulagée de voir son fiancé échapper aux habituelles tentatives de séduction de sa mère si cette retenue n'avait été une preuve supplémentaire de son désintérêt.

Elle avait mis des années avant d'accepter cette simple vérité : ce qu'elle avait pris pour de la déception chez Rachel était du soulagement. Anna ne serait jamais une femme remarquable. Contrairement à sa mère, dont la victoire inavouable avait été d'engendrer une fille tout à fait ordinaire. Son père avait d'autres thésardes à fouetter ; il s'était résigné depuis bien longtemps à la médiocrité toute relative de sa progéniture.

« Tu n'es qu'une emmerdeuse », lui avait dit Leo quand elle avait refusé de réitérer l'expérience de la bibliothèque. Elle ne voyait rien de compliqué là-dedans ; elle lui demandait tout simplement plus qu'il n'était capable de donner. Il aurait dû comprendre sans peine cette évidence mathématique.

Elle n'avait rien à attendre d'une rencontre avec lui à Thanksgiving, juste un peu de gêne commune. Elle vida le flacon de plastique orangé au creux de sa main. Elle n'irait pas travailler ce matin. Elle prétexterait une visite à Mme Gödel. Elle joua un moment avec les cachets, les disposant en étoile puis en quadrilatère parfait. Elle s'octroya deux comprimés et remit le reste dans le tube ; elle imaginait sans peine les commentaires d'Adèle. *Complaisance, mademoiselle.* Elle se rallongea et contempla *ad nauseam* le plafond déjà usé par l'insomnie. Un jour ou l'autre, elle devrait se résoudre à ranger son appartement dévasté. Même si personne n'y mettait jamais les pieds.

24.

1940

Fuir

« Que le soleil se lève demain est une hypothèse. »

Ludwig Wittgenstein,
Tractatus logico-philosophicus

Via Radio-Austria N° 2155
Berlin. 5 janvier 1940
À l'attention de
Madame Adele Goedel
Himmelstr. 43. Vienne.
Passeports allemands délivrés. Visas américains en instance. Confirmation aujourd'hui Aydelotte. Prends premier train pour Berlin. Impératif. Besoin vêtements chauds. Une seule malle. 8. Kurt.

15 janvier 1940
Berlin

Mes très chers,

Nous partons en fin d'après-midi pour Moscou. De là, nous rejoindrons Vladivostok par le Transsibérien.

Nous comptons y trouver un bateau pour Yokohama, au Japon, où, si tout va comme prévu, nous embarquerons sur un paquebot pour San Francisco.

Par miracle, les visas d'immigration américains nous ont été délivrés la semaine dernière, avec l'interdiction formelle de prendre un transatlantique. Avec nos passeports allemands, seuls l'Union soviétique et le Japon nous autorisent encore à transiter par leur territoire. De toute façon, il aurait été bien hasardeux de passer par l'Atlantique. Le délai de validation de nos papiers est court : nous devons partir au plus vite. Hier, nous avons dû nous faire vacciner contre un tas de maladies affreuses : peste, typhoïde, variole… Kurt était dans tous ses états. Lui qui ne supporte pas la vue d'une aiguille !

L'appartement est resté en désordre. Je n'ai pas eu le temps de tout nettoyer avant mon départ. Pouvez-vous vérifier que ces maudites souris n'envahissent pas le cellier ? Elizabeth peut s'y installer comme bon lui semble en attendant notre retour. Sinon, pouvez-vous ouvrir les persiennes de temps en temps pour aérer ? Kurt déteste les odeurs de renfermé. Liesl s'est-elle remise de sa mauvaise toux ? Elle doit continuer les cataplasmes à la moutarde même si ça la brûle.

Ma très chère maman, prends bien soin de toi. L'hiver sera long, mais je reviendrai avec les premières violettes ! Nous rirons ensemble de toute cette aventure. Kurt vous adresse ses meilleures salutations. Je vous embrasse.

Votre Adèle

Je n'avais jamais eu aussi peur de toute ma vie. Je me tordais de douleur, les entrailles ravagées par l'angoisse. Je devais masquer ma propre panique pour préserver ses nerfs. Il affichait un calme de mauvais augure. À Berlin, quelques jours avant notre départ, dans l'incertitude même de l'obtention de nos visas, il avait donné une conférence sur l'*hypothèse du continu*. Comment pouvait-il continuer à penser à ses mathématiques au milieu d'un tel cauchemar ? Malgré un monde gangrené d'uniformes, de Vienne à Berlin, de Vladivostok à Yokohama, il affirmait, sans ciller, que cette guerre ne durerait pas.

J'étais rongée par trop de questions. Pourquoi nous laissaient-ils partir ? C'était sans doute une erreur : ils nous arrêteraient à la frontière. Comment atteindre le Pacifique avec des visas allemands en territoire communiste ? Nous devions fuir tant que le Pacte de non-agression germano-soviétique nous autorisait la route de l'Est. Je ne parvenais pas à comprendre comment Staline et Hitler avaient pu sceller ainsi ce pacte contre nature. Après tout ce que nous avions lu ou entendu à Vienne sur ces diables rouges dont il fallait nous protéger ! Qui empêcherait Hitler de s'attaquer au molosse russe quand il en aurait fini avec la Pologne ?

Je me réfugiais dans l'intendance : comment remplir au mieux une seule malle ? Comment reconstruire une vie avec si peu ?

18 janvier 1940
Bigosovo

Mes très chers,

Cette lettre est sans doute la dernière que vous recevrez avant longtemps. Nous sommes proches de la frontière russe. Le train pour Moscou a un peu de retard. La ville est envahie de migrants dont beaucoup de Juifs fuyant vers l'Union soviétique. Les quais sont encombrés de valises, d'enfants qui pleurent et de gens terrorisés. Il fait déjà très froid : je te remercie, maman, de m'avoir offert ton manteau de fourrure. J'en ferai bon usage ! J'ai profité de la journée pour faire quelques achats de dernière minute. Tout le monde a eu la même idée. Il ne reste plus aucune couverture et plus aucune paire de chaussettes dans cette ville. J'ai dû faire provision de laine à un prix honteux. Je vais pouvoir m'occuper pendant ce long voyage.

Nous avons fait la connaissance d'une famille d'émigrés hongrois, les Muller. Ils tentent, comme nous, de gagner les États-Unis. Ils sont partis avec très peu de bagages. Je doute fort de l'authenticité de leurs papiers. Le père est médecin, ce qui n'a pas manqué d'intéresser Kurt, jusqu'au moment où il nous a précisé sa spécialité : psychanalyste. Ils se sont quand même trouvé des intérêts communs. Muller connaissait le travail de mon mari. Saviez-vous que le docteur Freud est mort à Londres en septembre ? Les trois enfants, deux grands garçons et une fillette adorable, font un barouf du diable. Ils fatiguent beaucoup Kurt, mais moi, je suis ravie de pouponner la petite Suzanna, jolie comme un cœur. Elle ressemble tant à Liesl enfant ! Les enfants sont très blonds, comme leur mère, c'est un avantage dans leur cas : ils attireront moins l'attention. Kurt a dévalisé le dernier apothicaire approvisionné. Il a dans son sac de quoi soigner le Transsibérien en son entier. La nourriture est, disons, acceptable.

Kurt vous adresse son bonjour. Je vous embrasse tous mille fois. Vous me manquez.

Votre Adèle

Tenir l'instant et celui d'après. Ne pas paniquer. Trouver en moi cette autre personne, la toute-puissante, et enfermer à double tour la petite fille froussarde. Tout en sachant qu'un jour cette enfant-là crierait si fort que je serais obligée de lui rouvrir la porte, et qu'elle serait, alors, inconsolable.

J'étais perdue en terre inconnue avec un homme qui

ne s'occupait de rien. Je n'avais pas le choix. Je devais sortir les voiles pour aller plus vite que ce mauvais vent, plus vite que la peur elle-même.

Au milieu de ces gens éperdus, j'ai aidé, distribué des conseils. J'ai insulté le personnel quand le besoin ou l'envie s'en faisait sentir. J'ai feint d'oublier ce que nous étions : des proies traquées. La bête immonde à notre poursuite n'était pas celle qui pourchassait les Muller : celle de mes cauchemars ne portait pas un uniforme de SS. Elle était tapie à l'intérieur de Kurt, attendant son heure, se réjouissant de la pâture d'angoisse servie par ce voyage incertain. J'ai redressé le dos. J'ai ordonné à mon ventre de se tenir tranquille. J'ai écrit des lettres insensées de mensonge. J'ai soudoyé le contrôleur pour qu'il trouve un thé acceptable. J'ai fait des miracles pour obtenir des couvertures supplémentaires. J'ai tricoté des heures pour empêcher mes mains de trembler.

20 janvier 1940
Moscou

Mes très chers,

Nous sommes en transit à Moscou pour quelques heures. Le froid est atroce. Il m'est impossible de sortir de la gare pour nous réapprovisionner. Quelques vendeurs à la sauvette nous cèdent à prix d'or des produits d'appoint sur les quais. Principalement de la mauvaise vodka. Je confie cette lettre à un musicien russe rencontré dans le train. Il connaissait le *Nachtfalter* ! J'espère qu'il sera assez honnête pour ne pas boire l'argent de l'affranchissement. Malgré l'inconfort du voyage, l'ambiance est très gaie. Les gens font beaucoup de musique pour s'occuper. Certains wagons ressemblent à de vrais tripots. Kurt va bien, il travaille un peu quand le bruit et la fumée ne l'importunent pas trop.

Je pense tant à vous que je peux vous voir, là, sur le quai. Bientôt, il y aura un autre quai où nous serons tous réunis.

Votre Adèle, avec tout mon amour.

En écrivant ces lignes, je n'y croyais déjà plus. Je m'étais penchée vers Kurt : « Veux-tu y mettre un mot ? » Il avait refusé. « Ne t'inquiète pas tant pour eux ! » Il ne s'inquiétait même pas de sa propre famille. Il était plus soucieux du menu du dîner.

Je suis sortie du wagon pour fumer à l'écart. Ces cigarettes turques très parfumées me donnaient la nausée, mais j'aimais voir leur bout doré tourner entre mes doigts. Le trajet était long, la solitude rare ; je souffrais de notre manque d'intimité.

Pour tromper l'attente, un groupe de musiciens offrait une aubade à la foule indifférente. Je scrutais les passants, croyant reconnaître des silhouettes familières : ma mère, trottant de son petit pas affairé ; Liesl, toujours dans les nuages ; Elizabeth, la houspillant. Mon père, son éternel mégot au coin de la bouche, son Leica autour du cou, regardant le monde à travers la lentille, avide de détails, jamais conscient du tout. Je ne les reverrais pas. Les privations de la guerre allaient me les prendre, lui et Elizabeth. La dernière image de mon père serait celle d'un vieil homme rougeaud et transpirant, s'efforçant de rester à la hauteur du porteur, pour attraper de justesse un train nous séparant à jamais. Un vieillard. Sur le quai, il s'appuyait à un pilier pour reprendre son souffle. À ses côtés, trois femmes me ressemblant trempaient leurs mouchoirs. J'avais les yeux secs.

Dans cette foule inconnue, seule, je pleurai enfin, mettant l'émotion sur le dos de cette foutue musique yiddish qui me perçait le cœur.

25 janvier 1940

Quelque part entre Krasnoïarsk et Irkoutsk

Mes très chers,

J'écris cette lettre au beau milieu de la Sibérie. J'espère pouvoir la poster à l'arrivée à Vladivostok. Mes doigts sont gourds, j'ai le plus grand mal à tenir le crayon. Ce voyage n'en finit pas. Il est comme une longue insomnie. Je n'ai jamais eu aussi froid de ma vie. Certains parlent de – 50 °C à l'extérieur. Je ne pensais pas que ce fût possible. Les sanitaires sont gelés. Nous nous contentons de l'eau des samovars ou de mon eau de Cologne pour faire notre toilette. Celle-ci s'épuise vite. Je rêve d'un bain chaud, d'un bouillon de légumes suivi d'un vrai repos sous un édredon de plumes. Les jours et les nuits se ressemblent : sans lumière, comme si le soleil fuyait cette plaine interminable.

Nous passons nos journées à somnoler, bercés par le roulis. Nous nous serrons les uns contre les autres comme des animaux. Il n'y a rien à faire. J'ai fini ma provision de laine et distribué quelques paires de chaussettes aux enfants des Muller. Suzanna est malade : elle tousse beaucoup et refuse la nourriture. Je lui masse les pieds pour la réchauffer. Elle est comme un tout petit oiseau. Plus personne n'ose faire de musique. Tout le monde est silencieux, abruti par le froid ou la vodka. Même les deux garçons Muller ont cessé de s'agiter. On nous sert des bortschs infâmes dont je préfère ne pas connaître les ingrédients. Kurt n'avale rien. J'avais une vision plus luxueuse du Transsibérien !

L'approvisionnement du train est chaotique et ses arrêts sont fréquents. À cette vitesse, nous n'arriverons jamais à temps pour attraper le bateau.

De mauvaises rumeurs circulent dans les couloirs : les États-Unis pourraient entrer en guerre à leur tour. Kurt pense qu'ils n'y ont aucun intérêt. Muller craint, lui, des provocations japonaises qui obligeraient l'Amérique à renoncer à sa neutralité, nous coupant alors la route du Pacifique. Je perds un peu de mon optimisme habituel. Sans doute le manque de sucre. Que ne donnerais-je pas pour un café viennois accompagné d'une part de *Sachertorte* ! Hier soir, je me suis surprise à prier. Je prie pour vous, toutes mes pensées vont vers vous.

Votre Adèle

Je ne savais même plus comment laver mon petit linge. J'étais si crasseuse. Seul le froid nous empêchait de sentir nos mauvaises odeurs. Kurt survivait avec un mouchoir imprégné d'eau de Cologne sur le nez, emmitouflé dans des couvertures et toutes ses affaires superposées. J'ai tergiversé pendant des heures, je le voyais bien lorgner ma fourrure. J'ai préféré offrir le manteau à la petite qui me brisait le cœur avec ses lèvres toutes bleues. Ses parents ont tenté de refuser. Ils ont fini par céder. Nous l'avons empaquetée dans la fourrure et, dès lors, elle s'est apaisée. J'ai écouté sa mère la bercer d'une comptine yiddish ; son mari l'a fait taire. Il était gris de peur. Alors, j'ai chantonné une berceuse en allemand. Je me suis souvenue de ce que me chantait ma mère. Les paroles et la mélodie me sont revenues spontanément, je croyais les avoir oubliées. *Guten Abend, gute Nacht, mit Rosen bedacht,* *mit Näglein besteckt, schlüpf unter die Deck*[*]. Kurt m'a fait taire à son tour. Il était aussi dangereux d'être allemand dans ce train que d'être juif. J'ai fredonné. Plus personne n'a osé rien dire.

Kurt ne se plaignait plus. Il scrutait sans fin le paysage, levant de temps en temps le bras hors de son sarcophage de laine pour essuyer la vitre. Il n'y avait rien à voir dehors, il faisait si sombre ; il regardait son propre reflet, comme si celui-ci pouvait lui apporter une réponse. J'ai tracé un huit couché sur la buée. Il a souri avant d'effacer la trace. Pour cacher ma gêne, j'ai dessiné une poupée russe pour la petite, puis une autre à l'intérieur et puis une autre encore. Elle a ri. Je l'entendais rire pour la première fois.

J'avais pris, à tort, son mutisme pour une froide jalousie ; il n'aimait pas que je m'occupe d'autrui. Il n'était pas non plus hanté par le secret confié à Berlin par le physicien Hans Thirring à l'adresse d'Albert Einstein. L'Allemagne nazie serait bientôt capable de maîtriser la fission nucléaire. Il n'y croyait pas vraiment. Pas tout de suite. Il se savait porteur d'un message parmi d'autres : de toute l'Europe, des informations identiques traversaient les océans et convergeaient vers Princeton.

Pendant que je me demandais si ce voyage aurait une fin, il pensait à l'infini. Il questionnait son double dans la nuit alors que certains hommes, ses pairs, luttaient, eux, contre le temps. Pas seulement pour l'avoir, cette foutue bombe, mais pour l'avoir avant les autres.

*. « Bonsoir, bonne nuit / Couvert de roses / Garnies de petits clous de girofle / Glisse sous l'édredon ».

2 février 1940
Yokohama, Japon

Mes très chers,

À Yokohama, nous ressentons un grand soulagement : enfin de l'air ! De l'eau ! Du chauffage ! Nous sommes arrivés trop tard pour prendre le *Taft* où nous étions enregistrés. Il nous faudra patienter plus d'une quinzaine pour embarquer sur un autre navire : le *President Cleveland.* En des circonstances plus joyeuses, j'aurais été ravie : le Japon est si amusant. Moi qui n'avais jamais voyagé plus loin qu'Aflenz ! Ce pays n'est pas aussi moyenâgeux que je le pensais, nous avons ici toutes les commodités nécessaires. Les rues n'ont rien à envier à l'agitation du Ring : automobiles rutilantes ; vélos dans tous les sens ; voitures à cheval et pousse-pousse, une sorte de taxi-cycliste tiré par de pauvres hères. Je passe des heures à observer les passants. Des hommes en pardessus chics croisent des travailleurs avec de drôles de chaussures et des chapeaux encore plus étranges. Les femmes portent pour la plupart des costumes traditionnels. J'essayerai de vous rapporter une de ces merveilles en soie. Je dois cependant faire attention, car notre argent liquide disponible est restreint. Kurt tente en vain depuis plusieurs jours d'avoir un mandat auprès du Foreign Exchange Service. Je dois reconstituer un trousseau. Nous sommes partis avec si peu. À mon grand regret, les produits d'importation sont beaucoup trop chers.

Les Asiatiques ne sont pas jaune citron comme je le croyais. En fait, ils sont pâles avec des yeux étirés, sans paupières. Les ouvriers sont même très basanés, tannés par le soleil. Certaines femmes, on les dit de mauvaise vie, se promènent avec le visage blanchi, les dents passées au noir. J'aimerais leur parler, mais nous n'avons aucune langue en commun. Hier, j'ai essayé d'expliquer à deux créatures que leurs kimonos étaient magnifiques : elles se sont enfuies en riant derrière leur manche.

Les Japonais sont polis, mais très distants. Ils n'apprécient pas beaucoup les étrangers. Nous sommes installés dans un hôtel confortable avec de l'eau chaude à profusion. Je ne quitte mon bain brûlant que pour aller flâner dans le quartier, sans trop m'éloigner pour autant. Les hommes en uniforme sont partout. Ils vous font comprendre que les « longs-nez » (nous autres Occidentaux) ne sont pas autorisés à vagabonder ainsi. Yokohama est un très grand port, on trouve peu de viande, les gens se contentent de riz, de poisson noyé sous cette affreuse saumure dont la puanteur imprègne toutes les rues, jusqu'à nos vêtements. J'ai goûté à l'étal d'un marchand ambulant une merveilleuse friture qu'ils appellent *tempura*. Je me suis gavée de ces beignets de légumes légers comme des nuages. Kurt n'a pas voulu tenter l'aventure : il se méfie de l'hygiène locale. L'huile bouillante tue pourtant tout… Il se nourrit exclusivement de thé et de riz. Ce régime convient à son estomac mis à rude épreuve par le service à bord du train russe. Il quitte peu la chambre d'hôtel où il travaille.

Nous sommes en bonne santé. Je ne sais comment nous avons pu traverser ce froid sans attraper une pneumonie. Nous avons fait nos adieux aux Muller à Vladivostok. Je leur souhaite de pouvoir faire la traversée sans encombre. La ville, très proche des territoires chinois annexés par les Japonais, était pleine d'hommes en armes. Il y avait un désordre terrible. Je pense souvent à la petite Suzanna. Elle était toujours terrifiée à la vue d'un uniforme, quand bien même il s'agissait du personnel du train. Elle était si fiévreuse à l'arrivée à Vladivostok que ses parents ont décidé d'attendre quelques jours avant de reprendre la route, afin de se procurer des médicaments. Ils ont de la famille en Pennsylvanie, j'espère avoir de leurs nouvelles quand nous serons tous installés aux USA. Kurt vous embrasse. Je vous étouffe sous mes baisers. Vous me manquez tant.

Sayonara ! (cela veut dire « au revoir » en japonais)

Votre Adèle

La petite ne verrait pas la Pennsylvanie, j'en étais certaine, comme je savais ces lettres inutiles. Je les écrivais pour ressusciter un optimisme épuisé par ce long chemin. J'avais abandonné derrière moi tous ceux que j'aimais. Je m'étais préparée à en souffrir, mais j'avais aussi découvert la douleur du renoncement au quotidien : le réconfort de déguster mon plat préféré ou d'ouvrir ma fenêtre sur un paysage familier. Il ne me restait plus que Kurt, dans toute sa faiblesse. J'avais fondé ma vie sur une seule personne. Je ne sais toujours pas si c'était une preuve d'amour ou de bêtise absolue. Comment survivre à deux sur un os déjà rongé ?

Via Radio-Austria N° 40278
San Francisco. USA. 5 mars 1940
À l'attention de
Dr Rudolf Goedel
Lerchenfelderstr. 81. Vienne.
Débarqués hier à San Francisco. Sommes en bonne santé. Rassure mère et famille Porkert. Mille baisers. Adèle et Kurt.

6 mars 1940
San Francisco

Mes très chers,

Nous voilà enfin à San Francisco, amaigris, mais soulagés... Le voyage à travers le Pacifique s'est passé sans encombre. Après la nuit russe, les paysages bleu et vert hawaïen, où nous avons fait escale, nous ont paru comme un paradis. Je rêve déjà d'y retourner plus longtemps ! J'ai ressenti le mal de terre toute la journée. Le sol bouge encore comme le bateau. Il fait très frais. Un passager m'avait vanté le soleil de la Californie : le brouillard de San Francisco n'a rien à envier à un octobre viennois ! Kurt commence à tousser et à se plaindre de la poitrine. Il a perdu beaucoup de poids pendant ce voyage. Les fastidieuses formalités d'immigration accomplies, je l'ai traîné de force dans un restaurant. Nous avons dévoré un bœuf entier ! La viande ici est excellente. Je n'aurai guère le temps de visiter la ville, nous prenons le train ce soir pour New York. Nous sommes pressés d'arriver maintenant ! Vous dire que je suis soulagée serait faux, car je pense à vous sans cesse. Nous sommes en sûreté, votre sort m'apparaît encore plus incertain. Je rêve d'avoir de vos nouvelles. Je rêve de Vienne. Dès notre arrivée à NY je vous câblerai notre adresse en espérant que les télégrammes ne soient pas interrompus vers l'Europe. Mille baisers de l'autre côté du monde.

Votre Adèle

Nous avons vu se profiler la côte américaine au dernier moment. Une bande de brume cachait la ville. Tous les passagers s'agglutinaient sur les ponts. Quelqu'un a hurlé en riant : « Terre ! » Un autre cherchait la statue de la Liberté. Avec patience, Kurt lui a expliqué que nous arrivions par la côte ouest des États-Unis. Trois mille miles nous séparaient encore de New York. L'homme ne l'a pas écouté. Il était heureux. Et puis nous avons été pris dans la bousculade ; les cris ; le ponton déplié ; les porteurs impatients. Quelques chanceux se jetaient dans des bras grands ouverts. Nous avons débarqué sans l'illusion de reconnaître un regard ami dans la maigre foule du quai. Nous nous agrippions l'un à l'autre.

Par crainte d'un vol, j'avais caché dans ma gaine les visas, les carnets de vaccination et les certificats en tout genre. Je dormais avec depuis Berlin. J'ai tout de même enduré le passage à l'immigration avec une ultime angoisse. Quand l'officier lui a demandé, par routine, s'il avait été traité pour des troubles mentaux, Kurt l'a fixé sans ciller avant de répondre calmement : « Non. » Il savait donc mentir. Puis nous avons certifié ne pas vouloir devenir citoyens américains. Là, c'est à moi qu'il a menti : il ne voulait déjà plus remettre les pieds en Europe. Il avait tiré un trait méticuleux et définitif sur cette vie : fin de la démonstration.

Nous nous sommes retrouvés dans Mission Street, hagards, sans oser sourire ni même nous regarder, tant nous redoutions d'être rappelés à la dernière minute. Et puis le soleil s'est levé sur San Francisco. Mes entrailles se sont dénouées ; j'ai été soudain prise d'une faim apocalyptique. Nous avons foncé dans le premier restaurant au menu vaguement européen.

25.

La veille au soir, Elizabeth Glinka avait laissé un message à l'Institut : Adèle avait quitté les soins intensifs. Son médecin s'était montré rassurant. L'état de la vieille dame ne s'était pas dégradé. Anna, qui tournait en rond chez elle depuis trois jours, avait rejoint la maison de retraite après avoir accompli la mission très particulière qu'elle s'était fixée.

Elle toqua à la porte entrouverte. Un poste de radio diffusait en sourdine un air de jazz. Elle fut surprise d'entendre l'habituel « *Kommen Sie rein !* » lancé d'une voix toute guillerette.

— Vous n'êtes pas trop fatiguée pour me recevoir, Adèle ?

— Je suis immortelle, ma jolie. De la bonne carne résistante, la Gödel ! Je suis en bien meilleure forme que vous. Vous êtes toute pâle.

Anna ne nia pas ; ce matin-là, elle avait fait sa toilette en évitant le miroir.

— Un p'tit coup de bourbon ? Ça nous remettrait les idées en place. Ne vous inquiétez pas, je me contenterai de ma perfusion. Je ne sais pas ce qu'ils mettent dedans, mais je vous le conseille. Non, vraiment ?

Alors un cookie ? Elizabeth m'a laissé de quoi nourrir un régiment.

Anna refusa d'un geste. Elle avait faim sans avoir envie de s'alimenter ; elle ne reliait plus ces deux sensations depuis des semaines.

— Vous avez plu à Elizabeth. Et c'est une des rares personnes en qui j'aie encore confiance, même si elle a tendance à bavarder. Mangez donc un biscuit ! Vous allez finir par perdre votre jupe en marchant. Quoique ce ne serait pas une grosse perte !

La jeune femme se résigna à entamer un gâteau. Il était trop sucré.

— Vous avez eu peur de trouver un lit vide en arrivant. Et de ne pas pouvoir terminer votre boulot.

Anna se fit violence pour ingurgiter sa bouchée au plus vite.

— Vous savez très bien que c'est faux.

— Désolée. Une sorte de réflexe chez moi. *Mein Gott !* J'ai dit « désolée » ! Vous êtes contagieuse. Montez le son ! C'est Chet Baker. Quelle gueule d'ange il avait ! Il me rendait folle. Quand on voit ce qu'il est devenu. Il paraît qu'il se drogue.

— De nos jours, tout le monde se drogue.

— On tâtait déjà de l'opium ou de la cocaïne à Vienne bien avant la guerre ! Chaque génération croit avoir inventé la fête et la désillusion. Le désespoir ne se démode jamais, comme la nostalgie.

— La nostalgie est une drogue, elle aussi.

— Balivernes ! Les jolis souvenirs sont la seule richesse que personne ne peut vous voler. De toute façon, ils ne m'ont guère laissée emporter plus ici, à part ma radio. Et encore, en sourdine ! Pour ne pas réveiller les mourants.

Elle accompagna *My funny Valentine* d'un filet de voix approximatif. Sa gaieté suspecte tombait du goutte-à-goutte.

— Aujourd'hui, j'entends seulement la mélodie. Mes oreilles me lâchent. Elles trient d'elles-mêmes. La musique survit aux mots.

— Vous êtes pourtant bavarde.

— J'ai une vie de silence à rattraper, ma belle.

Le regard d'Adèle tomba soudain sur de petites feuilles vertes s'échappant du sac d'Anna.

— Des camélias ! Mes fleurs préférées ! Vous êtes vraiment une documentaliste très documentée.

— Je les ai cueillies à Linden Lane. Le jardin est mal entretenu, mais ça reste joli. Je voulais vous apporter des nouvelles fraîches de votre maison. Elle doit vous manquer.

— Je ne me suis pas sentie chez moi depuis au moins quarante ans. Depuis notre départ de Vienne. J'ai toujours été en exil.

Le tuyau de la perfusion était trop court ; la vieille dame échoua à attraper les plantes. « Approchez-les-moi avant que la sorcière en sabots ne vienne me les confisquer. » Son visage creusé s'illumina quand elle respira les fleurs délicates. La jeune femme accepta ce sourire en récompense. Après avoir sonné en vain, elle avait dû se faire violence pour entrer en douce dans la propriété privée. Mais elle ne pouvait imaginer un autre cadeau à la hauteur de sa culpabilité. Adèle froissa une fleur entre ses doigts et la porta à son nez avant de soupirer :

— Elles n'ont pas beaucoup de parfum, mais je ne pensais pas qu'elles tiendraient si tard dans l'année.

Anna saisit un pétale à son tour ; la senteur trop

subtile ne parvint pas à lutter contre le goût de la cannelle qui saturait son palais. Elle glissa le pétale dans sa poche. Elle s'en servirait de marque-page.

— L'hiver est en retard.

— La météo ! Voilà bien une conversation de vieux ! Dire que j'évitais ce sujet comme la peste avec Kurt. Il était marié à son baromètre. Et trop chaud. Et pas assez. Trop de vent. Le plus grand logicien du monde ? Le roi des emmerdeurs, oui !

— Comment pouvez-vous parler de votre mari de cette façon ?

— Ils m'ont refilé du sérum de vérité ce matin. Il m'a pourri la vie, cet homme-là !

Adèle enfouit son visage hilare dans les fleurs. La jeune femme s'était préparée à visiter une mourante, elle ne s'attendait pas à ces débordements. Elle fut tentée, un bref instant, de lui expliquer qu'elle connaissait d'expérience ce genre d'enquiquineur céleste. À six ans, Leonard pouvait faire de tête des divisions conséquentes quand Anna peinait encore à retenir ses tables de multiplication. À douze, il se permettait de commenter les travaux de son propre mathématicien de père qui commençait à regretter d'avoir alimenté son insatiable curiosité. Colérique et séducteur, Leo n'acceptait aucune contrainte. Image même de sa chère récursivité, il ne rendait des comptes qu'à lui-même. Dès l'enfance, il avait épuisé ses parents et « bijectivement », comme il se plaisait à le dire. Les Adams avaient fait de leur mieux pour imposer une discipline nécessaire à l'enfant précoce. Mais, à l'adolescence, les antagonismes naturels ayant éclaté, Leonard était vraiment devenu un extraterrestre. Ils l'avaient envoyé purger ses humeurs au pensionnat.

Au grand soulagement familial, son parcours chaotique n'avait, au final, pas ruiné leurs espérances. Leo avait fini par intégrer le prestigieux MIT sans rien devoir à son père, sinon quelques prédispositions génétiques aux mathématiques.

Anna posa une main qu'elle voulait apaisante sur celle d'Adèle, qui s'empressa d'entamer une partie de main chaude.

— J'ai un conseil à vous donner, mam'zelle. Fuyez les mathématiciens comme la peste ! Ils vous pressent comme des citrons, vous éloignent de tout ce que vous aimiez et ne vous accordent même pas un chiard pour compenser !

26.

Été 1942
Blue Hill Inn, hôtel de l'infini

« Lorsqu'un homme de génie parle de difficulté, il veut tout simplement dire l'impossible. »

Edgar Allan Poe, *Marginalia*

« Si bornée que soit la nature humaine, elle porte pourtant en elle, c'est inhérent, une très grande part d'infini. »

Georg Cantor, mathématicien

Le cri chagrin d'une mouette m'avait délogée d'un rêve agité : édredon et oreillers gisaient à terre. Les tentures fermées laissaient filtrer un rayon de lumière dans la chambre silencieuse. Kurt était assis devant le petit secrétaire, en bras de chemise. Je me suis approchée pour masser ses épaules.

— Je peux ouvrir les rideaux ?

— Si tu pouvais t'en dispenser. J'ai mal à la tête.

À tâtons, j'ai remis un peu d'ordre dans la pièce. Son imperméable, disposé avec son soin habituel sur le dossier d'une chaise, était encore humide.

— Tu es sorti cette nuit ?

— J'ai marché.

— Ça n'a pas suffi pour trouver le sommeil ?

— Je suis préoccupé.

J'ai fait une toilette de chat puis me suis habillée en silence. Il était plongé dans la contemplation d'une gravure au-dessus du bureau : un délicat ballet de méduses.

— Je descends. Si cela te convient.

— Adèle. J'ai des difficultés.

En quatorze ans de vie commune, je ne l'avais jamais entendu s'exprimer ainsi. Je l'ai enlacé pour aspirer son tourment.

— Que puis-je faire, Kurtele ?

— Va prendre ton petit déjeuner.

Sur les recommandations de son ami Oswald Veblen, nous avions réservé dans une charmante pension aux bardeaux blanchis, enfouie sous les pins. L'année précédente, nous avions déjà passé un séjour dans le Maine, chez un de ses collègues. Kurt y avait apprécié l'air frais et pur de la mer. Les lilas en fleur lui rappelaient ceux de Marienbad. Cette fois, depuis notre arrivée à Blue Hill*, il ne quittait pas la chambre de l'hôtel. La nuit, parfois, il disparaissait pour de longues promenades solitaires le long de la côte.

Dans le réfectoire, les vacanciers ont fait mine de ne

*. Blue Hill est une petite ville balnéaire du Maine, sur la côte nord-est des États-Unis, à environ cinq cents miles de Princeton.

pas m'inspecter. J'ai osé un timide « *Good morning* » ; je parvenais encore à peine à me faire comprendre. J'ai choisi une table isolée, près de la fenêtre. La propriétaire discutait à voix basse avec un couple âgé. À notre propos, sans doute : le trio ne pouvait s'empêcher de me lancer des regards furtifs. Mme Frederick se donnait un air affairé en s'essuyant les mains à son tablier.

— Madame Gödel ! Comment allez-vous ce matin ? C'est rare de vous voir au petit déjeuner. Et votre mari, il ne mange donc jamais ?

— Parlez moins vite. S'il vous plaît.

Elle fit un petit signe de tête entendu aux autres convives.

— Votre mari ?

— Il dort.

— On m'a dit qu'il sort la nuit.

— Il travaille.

— Qu'est-ce qu'il fait ?

— Des mathématiques.

— Je peux faire la chambre ?

Elle détachait les syllabes avec trop de zèle ; j'avais envie d'enfoncer son tablier dans sa bouche molle.

— Je la ferai.

— Le ménage est compris dans le prix.

Elle s'éloigna en haussant les épaules. Nos excentricités renforçaient jour après jour sa première impression. Elle s'était alarmée dès notre arrivée en vérifiant nos passeports.

— Vous êtes allemands ?

— Nous sommes des réfugiés autrichiens.

Elle avait affecté un air soupçonneux. Depuis l'entrée en guerre des États-Unis, peu importaient nos visas, nous étions des nazis en puissance. Kurt n'avait pas confiance, lui non plus : au premier petit déjeuner, elle l'avait regardé, mortifiée, essuyer et redisposer les couverts. Par vengeance, elle avait versé du café à côté de sa tasse. En fin de matinée, elle avait fureté dans notre chambre. Depuis, il refusait qu'elle y fasse le ménage et ne descendait plus manger. Les commérages allaient bon train dans notre dos : nous étions des étrangers. Des ennemis. Nous aurions dû jouer une parodie de normalité plus convaincante.

Comme Vienne me manquait ! Bientôt viendrait l'époque des vendanges à Grinzing. On y boirait le « *Heuriger* », le vin nouveau. Si différent de cette affreuse boisson au goût de médicament pour la toux dont les Américains étaient fous. Je ne savais pas si la guerre avait aussi détruit les guinguettes. Je n'avais aucune nouvelle des miens. L'université de Vienne avait fait passer une demande formelle à Princeton par le biais du consulat allemand : Kurt Gödel ne devait pas prolonger son séjour aux États-Unis. Il avait temporisé en réclamant un poste salarié qui ménagerait sa faiblesse cardiaque. De plus, il avait été convoqué à un examen médical par l'armée américaine. Frank Aydelotte, le directeur de l'IAS, avait dû se fendre d'une lettre diplomatique qui disait : « Kurt Gödel est un génie. Il a, malheureusement, des accès psychotiques. » Nous gagnions du temps, mais comment allions-nous tenir avec son maigre salaire de conférencier invité ? Quelle carrière pourrait-il mener avec ce pedigree de « psychotique » ? Nous n'étions pas les bienvenus. Selon la rumeur, le gouvernement s'apprêtait à emprisonner dans des camps les Japonais, y compris les citoyens américains. Quand serait-ce le tour des Germaniques[5] ? Avant même la déclaration de guerre, nous faisions un détour afin de ne pas passer devant le consulat ou une simple agence de voyages allemande à New York. Nous craignions de nous faire enlever. Toute la communauté germanique tremblait de frayeur rétrospective après sa fuite et d'angoisse pour son avenir dans une nation en guerre contre son propre berceau. Je devais apprendre l'anglais afin de ne plus dépendre de ce petit cercle anxiogène. Je n'y parvenais pas. Kurt me reprochait de ne pas faire d'efforts. Je m'accrochais au mot « temporaire ».

J'avais eu si peur pendant ce long voyage. J'avais encore peur. En septembre 1940, un sous-marin avait coulé un paquebot transportant des centaines d'enfants anglais vers le Nouveau Continent. Les nazis étaient à Paris ; ils avaient attaqué l'URSS ; le Japon pilonnait le Pacifique : toutes les issues étaient closes. Nous étions étrangers, prisonniers d'un pays immense. Ici, tout était grand, même le vide.

Pour Kurt, l'avenir était un tableau noir lavé de frais. Ses conférences à Princeton puis à Yale avaient reçu un chaleureux accueil. Il semblait enthousiasmé, même si ce mot n'appartenait plus à son vocabulaire depuis longtemps. Il avait fait une liste de bonnes résolutions. J'aurais pu faire une liste de ses listes : celle des lectures à entamer ; des articles à finaliser ; jusqu'à celle des horaires de promenade. Il avait des projets, des idées : un futur.

J'ai demandé un plateau de petit déjeuner pour la chambre. Mme Frederick s'est exécutée de mauvaise grâce. Elle y a placé le journal, la manchette bien en évidence : « Les nazis au Canada ! Des sous-marins allemands repérés dans le Saint-Laurent ! »

Quand je suis remontée, Kurt était toujours à sa table de travail. Il a avalé le café d'un trait avant de repousser les toasts. J'ai tournicoté dans la chambre à la recherche d'une occupation. Je n'avais pas envie de tricoter, encore moins de lire dans cette pénombre. Kurt s'agaçait de mon manège. Il a retiré ses lunettes pour les essuyer. Ses yeux étaient rouges d'insomnie.

— Allons voir la mer. Tu es comme un animal en cage. Tu m'empêches de me concentrer.

Je piaffais déjà à la porte, mon panier au bras, mais il prit le temps de ranger ses papiers sous clef dans la malle. Cette satanée bonne femme était capable d'y voir des messages cryptés.

Nous sommes descendus sans faire de bruit. Depuis l'office s'échappait la sempiternelle chanson patriotique : *We must be vigilant.* La patronne montait le son de la radio à chacun de nos passages.

De retour à Princeton, nous constaterions la disparition de la clef de ladite malle. Kurt s'empresserait d'écrire à cette brave Dame Frederick pour l'accuser de l'avoir volée. Quel charmant souvenir avons-nous dû lui laisser !

Nous avons suivi Parker Point Road, une route étroite le long de la côte. À travers la forêt de pins, nous apercevions la magnifique baie de Blue Hill Bay ponctuée d'îles. Puis nous avons emprunté un sentier vers une jolie crique, repérée lors d'une précédente promenade. J'ai recouvert les rochers d'une couverture molletonnée. Kurt appréciait son petit confort.

— Il fait trop humide pour rester là.

— Nous sommes au bord de la mer, Kurt ! En ville, tu te plains tout le temps des miasmes du chauffage.

Il s'est assis à contrecœur.

— Nous pourrions déjeuner dehors aujourd'hui. J'aimerais goûter leur soupe de palourdes.

Les mâts de trois bateaux amarrés près du rivage tintaient au rythme des vagues. Des mouettes se pourchassaient en rasant l'écume. Au loin, j'aperçus un animal pataud se hisser sur un îlot rocheux. Le soleil chauffait mes épaules. Je respirais à pleins poumons, éblouie par cette calme splendeur. Si loin de la guerre.

— Je ne me lasserai jamais de ce spectacle.

— Tu ne sais pas nager, Adèle. Tu devrais apprendre.

Malgré l'air tiède, il s'était emmitouflé dans son pardessus.

— Vois-tu ce bleu incroyable à la lisière entre la mer et le ciel ?

Le bord de son chapeau se releva à peine.

— Tu ne le regardes même pas ! À quoi penses-tu devant l'océan ?

— Je contemple un champ d'interactions ondulatoires dont la complexité me fascine.

— Quelle tristesse ! Tu devrais nettoyer ton esprit avec toute cette beauté.

— Les mathématiques sont la vraie beauté[6].

Son ton sec polluait ce doux moment.

— Qu'est-ce qui te tracasse à ce point ? Tu ne me parles plus de ton travail.

Si les sarcasmes n'avaient pas glissé sur lui, j'aurais pu ajouter : « Tu ne me parles plus de rien depuis bien longtemps. » Je lui pris la main : elle était froide et crispée.

— Je m'interroge sur l'existence de l'infini.

Il lâcha ma main et se campa devant la mer. Une vaguelette vint mouiller le bout de sa chaussure ; il recula en grimaçant.

— Quand tu regardes l'océan, tu peux avoir une sensation de l'infini. En revanche, tu ne peux pas mesurer cet infini ou plutôt comprendre cet infini.

— Autant essayer de vider la mer à la petite cuillère !

— Nous avons fabriqué des petites cuillères, comme tu le dis, pour définir l'infini, mais comment vérifier si ces outils mathématiques ne sont pas un pur échafaudage intellectuel ?

— L'infini existait pourtant avant que l'homme invente les mathématiques !

— Inventons-nous les mathématiques, ou les découvrons-nous ?

— Une chose existe-t-elle seulement si on a des mots pour en parler ?

— Une bien vaste question pour ta petite cervelle.

Je traçai un huit couché sur mon cœur.

— Les infinis qui me préoccupent en ce moment concernent la théorie des ensembles. C'est très différent.

— Quelle idée saugrenue ! L'infini est l'infini, il n'y a pas plus grand.

— Certains infinis sont supérieurs à d'autres.

Il aligna avec soin trois galets ramassés sur la plage.

— Voici un ensemble. Un tas, si tu préfères. Peu importe, cailloux ou bonbons, considère-les comme des éléments.

Je me levai pour témoigner de ma docile attention. Ses efforts pédagogiques étaient si rares.

— Je peux les compter. Les dénombrer. Un, deux, trois. J'ai donc un ensemble à trois éléments. Je peux alors choisir de faire des sous-tas. Le blanc avec le gris ; le blanc avec le noir ; le noir avec le gris, puis le blanc seul ; le gris seul ; le noir seul ; les trois réunis et aucun. J'ai huit possibilités, huit sous-ensembles. L'ensemble des parties d'un ensemble compte toujours plus d'éléments que cet ensemble lui-même.

— Jusque-là, ça va.

— Si tu vivais quelques siècles, tu pourrais compter tous les galets de la plage. Et en théorie, si tu jouissais d'une vie éternelle, tu pourrais passer ce temps à dénombrer, mais… il y a toujours un nombre plus grand.

— Il y a toujours un nombre plus grand.

Je fis tourner ces mots dans ma bouche ; ils avaient une saveur particulière.

— Même si tu pouvais compter jusqu'à l'infini, tu aurais toujours un infini plus grand à atteindre. L'ensemble des parties de l'ensemble infini est plus grand que cet ensemble infini lui-même. Comme le nombre d'associations possibles de ces trois cailloux est supérieur à trois.

— Voilà un drôle de petit jeu de construction !

— Pour que tu comprennes la suite, je dois t'expliquer la nuance entre *cardinal* et *ordinal*. Le cardinal permet de dénombrer les éléments d'un ensemble : tu as trois galets. L'ordinal range les éléments : tu as le premier galet, le deuxième et le troisième. Le cardinal d'un ensemble infini « compte » les éléments jusqu'à l'infini sans pour autant donner un ordre à ces éléments. On symbolise cette « cardinalité de l'infini » par une lettre hébraïque, l'« aleph ».

Il esquissa un signe ésotérique dans le sable avant de s'essuyer le doigt dans son mouchoir : « ℵ ». Je lui tendis une baguette de bois mort qu'il saisit avec une amorce de sourire en guise de remerciement.

— Tes trois galets matérialisent des entiers naturels. Des nombres connus de tous pour compter des objets usuels. 1, 2, 3, etc. On appelle cet ensemble « ℕ ».

Il traça un « ℕ » et il entoura la lettre d'un grand cercle où il plaça les trois galets.

— Pourquoi ? Il en existe d'autres ?

J'appréciai son rire. C'était si rare.

— Nous avons, entre autres, les entiers relatifs : l'ensemble « ℤ ». Les nombres relatifs se définissent par rapport à zéro. On ajoute un signe « – » à un nombre entier pour indiquer qu'il est inférieur à zéro. « – 1 » est au-dessous de zéro ; « 1 », au-dessus. Te souviens-tu dans le train ? Les gens parlaient d'une température de « – 50 °C ». Pour être exact, ils auraient dû dire « – 50 ° » au-dessous de ce que l'échelle Celsius détermine comme le degré zéro de la température.

Il dessina un cercle plus grand autour du premier, puis un troisième englobant les deux autres. Il désigna chacun par une grande capitale élégante : « ℤ » puis « ℚ ».

— « ℚ » est l'ensemble des nombres rationnels : l'ensemble des fractions comme « 1/3 », ou « 4/5 ».

— N, Z, Q… Ma pauvre tête !

— Avec ton seul bon sens, tu peux considérer l'ensemble des entiers naturels « ℕ » comme étant plus petit que celui des entiers relatifs « ℤ ». L'ensemble « 1, 2, 3 » est plus petit que l'ensemble « 1, 2, 3, – 1, –2, – 3 ». De même, l'ensemble des entiers relatifs « ℤ » est plus petit que celui des rationnels

« ℚ ». L'ensemble « 1, 2, 3, –1, – 2, – 3 » est plus petit que « 1, 2, 3, – 1, – 2, – 3, 1/2, 1/3, 2/3, – 1/2, – 1/3, etc. ». Tous ces ensembles sont emboîtés l'un dans l'autre. Les entiers naturels étant, si tu veux, le plus petit tas, et les nombres rationnels, le plus grand.

— Comme des casseroles ! Donc ils ont des infinis différents ?

— Erreur ! Ils ont la même *cardinalité*. Je t'épargne la démonstration, Georg Cantor l'a prouvé à l'aide d'une fonction bijective pour l'un et en utilisant les diagonales du plan pour l'autre.

— C'est de l'hébreu, ta cardinalité.

Une mouette curieuse vint se percher sur un rocher non loin de nous. Elle me fixait avec l'air outré des oiseaux qu'on a osé approcher.

— Tu ne m'écoutes pas, Adèle !

— Bien sûr que si ! En définitive, tous les infinis se valent ? On en revient à un seul.

— Non. Car il en existe encore d'autres. Par exemple « R », l'ensemble des réels. Les « réels » collectent les « rationnels », c'est-à-dire les fractions, et les « irrationnels » comme « π ». Ils sont dits « irrationnels », car on ne peut justement pas les mettre sous forme de fraction. Le cardinal de « R », c'est-à-dire l'infini des rationnels complété de celui des irrationnels, est, *lui*, plus grand. Cantor l'a démontré également.

Il traça un immense cercle aux contours pointillés autour des précédents. La mouette l'approuva avant de repartir.

— L'infini des nombres entiers ou « aleph-zéro », celui des « 1, 2, 3 », bien que cette terminologie soit incorrecte, est appelé « infini dénombrable ».

— Un infini dénombrable, n'est-ce pas présomptueux ?

— Continuer de plaisanter quand je tente de t'expliquer un sujet difficile est présomptueux, Adèle.

Je me frappai le cœur en guise de contrition.

— Si tu as bien suivi depuis le début, tu peux comprendre que l'ensemble des parties de cet « aleph-zéro » est plus grand qu'« aleph-zéro » lui-même. Tu peux faire plus de tas différents que tu n'as de galets. D'après Cantor[7], cet ensemble des parties peut se mettre en bijection[8] avec l'ensemble « R » des réels. Ils peuvent s'accoupler, si tu veux, un à un, comme un nombre adéquat de danseurs dans une salle de bal. Mais là, j'arrive au bout de mes possibilités métaphoriques.

Le sable de la crique commençait à se couvrir de signes ésotériques. J'inspectai les alentours : un promeneur suspicieux aurait pu nous prendre pour des espions.

— En résumé, Adèle, il n'y a pas… il n'y aurait pas d'infinis intermédiaires entre l'infini des entiers naturels et l'infini des réels. S'il existe une frontière, elle serait entre « $\mathbb{N}$ » et « $\mathbb{R}$ » : le plus petit tas de galets et celui qui les contiendrait tous mais qui n'est pas représentable par ces galets car il n'est pas dénombrable. On oublie les ensembles intermédiaires « $\mathbb{Z}$ » et « $\mathbb{Q}$ », comme je te l'ai dit, leur infini est confondu avec celui de « $\mathbb{N}$ ». On passerait donc du dénombrable, ou « discret », au « continu », en faisant un seul bond. On appelle cela l'*hypothèse du continu*.

— Une hypothèse ? Ton Cantor ne l'a pas démontré ?

— Personne n'a réussi à trancher. Cette hypothèse

est la première question posée par David Hilbert pour consolider les mathématiques.

— Ce fameux programme dont tu as résolu le deuxième point avec ton *théorème d'incomplétude* ? Pourquoi n'as-tu pas commencé par le premier, toi, si ordonné ?

Ce Cantor était mort fou, je l'ai appris plus tard. Il avait lui aussi souffert toute sa vie de nombreuses périodes de dépression. Pourquoi Kurt avait-il choisi ce même chemin obscur ?

— Les travaux de Cantor se basaient sur un axiome controversé. L'« axiome du choix ».

— Tu m'as dit un jour qu'un axiome est une vérité immuable !

Il leva un sourcil.

— Je suis étonné de ta mémoire, Adèle. Tu as en partie raison, mais celle-ci est une vérité dans une boîte à outils mathématique très particulière. Je n'ai plus l'énergie nécessaire pour t'en expliciter les subtilités. Sache simplement que l'usage de certains de ces axiomes nous amène à des paradoxes logiques insolubles. Donc à douter de leur légitimité.

— Et tu détestes les paradoxes.

— Je cherche à établir la *décidabilité* de l'*hypothèse du continu.* Comment démontrer avec des axiomes non controversés qu'elle est vraie ou fausse ?

— Tu l'as prouvé toi-même. Toutes les vérités mathématiques ne sont pas démontrables !

— Voilà une formulation incorrecte de mon théorème. Là n'est pas le problème. Si ces axiomes sont « faux », nous devons invalider d'autres théorèmes avec lesquels ils sont construits.

— Est-ce si grave, mon cher docteur Gödel ?

— On ne peut pas bâtir une cathédrale sur de mauvaises fondations. Nous avons besoin de savoir, nous saurons[9].

Je brouillai le sable ; des grains s'incrustèrent dans mes ongles. Je rentrerais à l'hôtel avec un échantillon d'infini.

— Cette idée de continu est de la purée de pois ! Pourrais-tu trouver une image simple pour me faire comprendre ?

— Si le monde pouvait s'expliquer en images, nous n'aurions pas besoin des mathématiques.

— Ni des mathématiciens ! Mon pauvre amour !

— Cela n'arrivera jamais.

— Comment l'expliquerais-tu à un enfant ?

La vraie question était : « Comment l'aurais-tu expliqué à notre enfant ? » Kurt aurait-il eu la patience de décrire son univers à un reflet plus candide de lui-même ? Un reflet inexact. Aurait-il accepté de reformuler ce qu'il ne se souciait plus d'énoncer depuis bien longtemps ?

— Sur cette plage, Adèle, le sable pourrait représenter un infini dénombrable. Tu pourrais en compter, un à un, chaque grain. Regarde maintenant la vague. Où commence le sable, où finit la mer ? Si tu scrutes de près, tu verras une vague plus petite, puis une autre, plus petite encore. Il n'existe pas de frontière simple entre le sable et l'écume. Peut-être découvrirons-nous une lisière similaire entre le cardinal de « $\mathbb{N}$ » et celui de « $\mathbb{R}$ ». Entre l'infini des entiers naturels et l'infini des réels.

— Pourquoi perds-tu tes nuits là-dessus ? Pourquoi en oublies-tu de manger ?

— Je te l'ai déjà expliqué. La question est

fondamentale. Elle est quasi métaphysique. Hilbert l'a placée en tête de son programme mathématique.

— Que M. Hilbert la juge importante ne me dit pas pourquoi elle l'est !

— J'ai l'intuition, Adèle, que l'*hypothèse du continu* est fausse. Il nous manque des axiomes pour construire une définition correcte de l'infini.

— À quoi bon compter la mer à la petite cuillère ?

— Je dois établir la preuve d'un système cohérent et sans faille. Je dois savoir si cet infini que j'explore est une réalité ou une décision. Je veux témoigner de notre avancée dans un univers de plus en plus lisible. Je dois découvrir si Dieu a créé les nombres entiers et l'homme, le reste[10].

Il lança dans l'eau les cailloux de sa démonstration avec des gestes rageurs de petit garçon.

— Cette preuve me dira s'il existe un ordre, un modèle divin. Si je consacre ma vie à en comprendre le langage, non à jongler seul dans le désert. Elle me dira si tout cela a un sens.

En criant, il fit s'envoler une armée de mouettes. Je mis mes mains sur ses épaules pour l'apaiser. Il me repoussa.

Je ramassai la couverture, la pliai au carré et attendis son bon vouloir.

— Retournons à l'hôtel. J'ai froid.

Nous sommes repartis en silence. À quelques mètres de l'entrée, j'ai tenté de rompre le malaise.

— Est-ce à cause de la solitude ? Si nous étions à Vienne…

— Adèle, tout ce dont j'ai besoin est à Princeton.

— Allons-nous rentrer un jour ?

— Je n'en vois pas l'utilité.

J'avais posé la question dont je craignais d'entendre la réponse. Pourtant, aujourd'hui encore j'en reste persuadée, il avait laissé une part de lui-même à Vienne. Il y avait abandonné un terrain fertilisé par des rencontres, une atmosphère : ces cafés où musiciens, philosophes et écrivains se retrouvaient. À Princeton, il côtoyait les plus grands mathématiciens, mais il s'isolait. Il tournait en rond dans son système clos. Aspirée par sa gravité, je cherchais moi aussi un sens à cette danse sans fin. Nous sommes retournés à Princeton frustrés : moi, par cette demi-vie obscure ; lui, par sa preuve partielle, pas assez élégante à son aune pour être publiée. Dans cet hôtel de Blue Hill, il a dit : « J'ai des difficultés. » Il entamait une liste inédite. Celle des défaites. Il pensait se protéger des autres, il ne savait pas s'immuniser contre la déception d'avoir à se confronter à ses propres limites. Cet été 1942, il s'est déçu ; je me suis déçue ; nous nous sommes déçus. Deux êtres, trois possibilités : la vie de couple apprend à dénombrer les frustrations.

27.

Anna patientait dans le couloir pendant que l'infirmière dispensait ses soins à Adèle. Pour tromper l'ennui, elle ferma les yeux et chercha à deviner qui se cachait derrière chaque bruit de pas : staccato des talons administratifs, plainte caoutchouteuse des sabots hospitaliers ou chuchotis des pantoufles.

Avant d'entrer dans la chambre, elle rajusta son chemisier qui s'échappait de la jupe de tweed flottant autour de ses hanches, comme la plupart de ses vêtements. Mme Gödel, enfouie sous ses draps, semblait d'humeur chagrine. Le contraste avec son exubérance de la semaine précédente était frappant. Anna préféra y voir un signe de santé. Avec son foulard bariolé, sa chemise de nuit fleurie et son regard perçant, elle avait des airs de gitane farouche. Où était donc passé son turban ? Quelqu'un l'avait envoyé au nettoyage. À moins qu'elle n'ait décidé de l'oublier dans un tiroir.

La jeune femme dut lâcher son sac et s'asseoir : ses jambes tremblaient. Son inquiétude pour Mme Gödel l'avait achevée. Elle ne se souvenait même plus du trajet qui l'avait menée à Pine Run.

— Vous avez de très jolis cernes, ma petite. Prendre

pension dans ce mouroir ne vous réussit pas. Je vous trouve de plus en plus maigre. Je vais appeler l'infirmière pour qu'elle vérifie votre tension.

Anna se leva avec trop de précipitation ; elle fut prise de vertige. Un voile noir occulta sa vision. Elle perçut une voix lointaine et puis, plus rien.

— Il nous manquait plus que ça !

Elle se réveilla dans le lit de Mme Gödel ; les pieds surélevés, une compresse froide sur le front. Anna reconnut l'odeur lavandée de son eau de Cologne. La vieille dame, emmitouflée dans son éternelle robe de chambre mitée, était assise à son côté. Elle lui tapota la main.

— On joue les belles envapées ?

Elle tenta de se relever ; Adèle la maintint allongée avec autorité. Gladys, accompagnée d'un escadron d'octogénaires, pointa son nez à la porte. Adèle projeta vers elles sa tête menaçante.

— Nul besoin de vous agglutiner comme ça ! Il lui faut du calme. *Raus !*

Elles repartirent penaudes, non sans avoir laissé leur offrande de sucreries diverses. Adèle enfourna un gâteau dans la bouche de la jeune femme.

— Forcez-vous à avaler un vrai repas de temps en temps. Pas ces cochonneries du distributeur ! Si j'étais encore chez moi, je vous aurais préparé des *Schnitzel.*

Anna eut un haut-le-cœur, mais elle s'obligea à mâcher.

— Vous êtes l'attraction du jour, avec l'élection du vieux bellâtre. Ça les occupera pendant au moins deux semaines.

— Vous n'êtes donc pas républicaine.

— Je préfère croire aux hommes plutôt qu'aux idées. Reagan ne m'inspire pas confiance. Trop de dents. Trop de cheveux.

La jeune femme déglutit avec peine sa bouchée. Adèle lui tendit un verre d'eau.

— Vous ne seriez pas en train de nous faire une petite déprime, ma jolie ?

— Carter avait encore plus de dents. Ce n'est pas un bon critère.

— Ma chère enfant, s'il y a un domaine où je peux lire les gens, c'est bien celui des états d'âme. Alors, arrêtez les faux-semblants ! Est-ce la raison de votre intérêt tout particulier pour l'histoire personnelle de mon mari ? Vous pouvez m'en parler sans honte. Vous êtes déjà allongée.

— Vous avez un diplôme ?

— J'ai appris à la source. Spécialité viennoise.

— C'est compliqué.

— Je le sais. Je le sais intimement. Il existe pourtant de jolis mots dans toutes les langues. Mélancolie, *saudade*, *spleen*, *blues*. L'internationale de la tristesse.

La vieille dame tripotait d'un doigt tremblant les friandises abandonnées. Anna réprima un frisson de dégoût.

— J'ai traqué cette vilaine bête toute ma vie. Elle ne disparaissait jamais très longtemps. Pour Kurt, l'angoisse était un moteur. La lutte était inégale et vaine, mais j'ai lutté. Aujourd'hui, vous avez la chimie. Personne ne vit sans une pilule pour le cœur ou le foie. Pourquoi pas pour l'âme ? Mangez-en un deuxième ! Vous n'allez pas pleurer ? J'ai du mal avec les larmes des autres.

Anna entama un gâteau en essayant d'occulter la vision de l'ongle jauni grattant la nourriture.

— Je n'ai pas été exempte de mélancolie moi-même.

— Je vous pensais inaltérable, Adèle.

— Résister à ma propre complaisance n'était pas si difficile. Ne pas me laisser contaminer par celle de Kurt était une guerre de chaque instant ! Je me levais parfois sans avoir la force d'affronter la journée. Ou même l'heure suivante. Et puis… un sourire sur son visage. Un rayon de soleil sur la nappe. Une occasion de mettre une nouvelle robe. Je réintégrais le monde. Chaque minute de souffrance s'effaçait par un espoir de joie. Comme un pointillé avec le néant… Oups ! Me voilà à broder de la poésie ! Votre présence me ramollit.

— Les mathématiciens sont plus fragiles que nous ?

Adèle picora une miette avant de repousser l'assiette de gâteaux hors de portée de sa gourmandise.

— De leur hauteur, la chute semble plus brutale aux yeux des candides. Les gens aiment à entendre des histoires de savants fous. Ça les rassure d'imaginer que tant d'intelligence ait une contrepartie. C'est donnant donnant. Si tu t'élèves, tu dois tomber.

— La vie est une équation. Ce que l'on gagne d'un côté est retranché de l'autre.

— Simple culpabilité, ma belle. Je ne crois pas en cette idée de balance cosmique ou de karma. Rien n'est écrit, tout est à accomplir.

— Je n'ai pas votre optimisme.

— Il y avait ce type à Princeton. John Nash[11]. Un génie des mathématiques, lui aussi. Il n'enseignait plus, mais il avait quand même accès aux bâtiments. On l'appelait le « fantôme de la bibliothèque ». Je l'ai croisé quelquefois, errant dans ses vêtements froissés. Il avait eu un début de carrière fulgurant dans les années cinquante puis, un jour, il a implosé. Il a gâché une bonne partie de son existence entre les hôpitaux et les électrochocs. Aux dernières nouvelles, il s'est remis au travail. Il a réussi à vaincre ses démons.

— Aviez-vous cet espoir de rédemption pour votre mari ?

Adèle eut un instant d'hésitation ; la jeune femme s'en voulut d'insister.

— Kurt n'a jamais souffert de schizophrénie, contrairement à Nash. Les médecins ont diagnostiqué une psychose paranoïaque. Les mathématiques l'ont à la fois tué et sauvé de sa mélancolie. L'exercice de la pensée le maintenait en un seul morceau. Son usage exclusif lui en faisait oublier son corps. Comme un carburant et un poison. Il ne pouvait vivre avec, ni sans. Arrêter la recherche aurait accéléré sa fin.

Anna leva ses bras engourdis pour se gratter la tête. Elle sentit sa chevelure dénouée tout emmêlée. Adèle farfouilla dans sa table de chevet ; elle brandit une brosse.

— Ne vous inquiétez pas pour l'hygiène. Je ne l'utilise jamais.

Les passages fermes du démêloir étaient délicieux ; Anna commença à se détendre. Elle n'avait aucun souvenir de sa propre mère la coiffant, mais l'évocation des tresses nouées avec patience par Ernestine, la nounou des Adams, raviva sa culpabilité. Elle n'avait pas pris de nouvelles de cette dernière depuis si longtemps. Elle habitait pourtant à deux pas de chez Anna.

— Vous avez de si beaux cheveux. Quel dommage de les serrer comme ça dans des chignons de vieille fille ! Vous êtes plutôt jolie et vous ne savez pas vous mettre en valeur.

Anna se raidit.

— Je m'en fous d'être jolie. Je n'ai jamais eu de problème pour séduire. Ce qui m'inquiète, c'est que je ne fais rien d'autre de ma vie.

— Renoncer à la séduction ? Mais pourquoi, grands dieux ?

— Et vous, à quoi avez-vous renoncé ?

Un coup de brosse brutal fit grimacer Anna.

— *Mein Gott !* Il faut vous accoucher au forceps ! Je sens votre cerveau partir en vadrouille à la recherche d'une issue de secours.

Elle s'acharna sur un nœud récalcitrant. La jeune femme se résigna à souffrir. Adèle ne pouvait pas la comprendre, elle était d'une autre génération : Anna refusait, elle, de se soumettre à cette contrainte archaïque de la coquetterie. Elle n'avait jamais partagé l'intérêt de ses rares amies pour le lèche-vitrines ou l'hystérie précédant les *parties*. Elle y voyait une résurgence du clivage paléolithique : les garçons-chasseurs courent après des baballes ; les filles-cueilleuses dépiautent des cintres. Sa théorie avait fait rire Leo. Pour lui, si Anna méprisait les parades amoureuses, c'est qu'elle n'avait pas le courage d'assumer sa minuscule poitrine. Se cacher dans des vêtements de nonne révélait une peur typique du phallus et un ego démesuré. Il la félicitait de ce peu d'efforts puisque, de toute façon, il la préférerait nue. Elle avait remercié ce psy à deux balles en lui jetant un dictionnaire à la tête, preuve que son cerveau reptilien n'avait pas renoncé au primitif.

Même les hommes qu'elle attirait sans le vouloir cherchaient à la garrotter dès la première nuit. La malédiction de la madone. Elle avait pleinement conscience de ce pouvoir. Elle ne se risquait pas à en réclamer davantage.

— Je suis une personne très ennuyeuse.

— Si vous l'étiez, je ne perdrais pas mon temps avec vous. Quoi d'autre ? Ne réfléchissez pas.

— J'aimais écrire.

La brosse ralentit de façon imperceptible.

— C'est sans intérêt. Un jour, ma mère a lu un de mes carnets. Et elle a ri.

— Le génie destructeur de la famille est sans limites.

— Merci, docteur. Je n'aurais jamais pu le deviner sans vous.

Adèle lui caressa la joue ; la jeune femme fut submergée d'une grande tendresse, bien au-delà de la compassion.

— Mon mari me l'a appris. La vie me l'a confirmé. Un système ne peut lui-même se comprendre. Il est très difficile de s'analyser. On ne se voit qu'à travers le regard des autres.

— Se soumettre au jugement ? Cela ne vous ressemble pas.

— La lumière indirecte est plus forte, parfois. Je ne suis peut-être pas celle qui vous éclairera, mais je commence à vous connaître. Vous êtes une personne empathique, observatrice et vous aimez les mots.

— Ça ne suffit pas pour faire carrière.

— Je vous parle de plaisir. Trouvez où est votre joie, Anna !

— Où est la vôtre, Adèle ?

La vieille dame jeta la brosse sur le lit.

— Dans l'étrillage. J'abandonne pour aujourd'hui, ma pouliche. J'ai bien trop mal au bras !

28.

1944

Un soufflé atomique

« Quelques travaux récents de E. Fermi et L. Szilard, qui m'ont été communiqués sous la forme manuscrite, m'amènent à penser que l'élément uranium peut devenir, dans un avenir immédiat, une nouvelle et importante source d'énergie. Certains aspects de la situation ainsi créée semblent demander une vigilance particulière et, si nécessaire, une action rapide de la part de l'Administration. [...] Ce nouveau phénomène pourrait aussi conduire à la fabrication de bombes. »

Lettre d'Albert Einstein
au président Roosevelt, 2 août 1939

— Il est encore là.

— Ils ne vont pas tarder, Kurt. Rallume la lumière ! Je dois mettre le couvert.

— Constate par toi-même !

Agacée, je m'approchai de l'angle de fenêtre où il était tapi.

— Sois plus discrète, Adèle. Il va te voir.

Je scrutai la rue tranquille. Alexander Street s'engourdissait d'un novembre humide et sombre. J'aperçus une silhouette solitaire au pas nonchalant : un promeneur perdu dans ses pensées.

— J'ai déjà vu cet homme sur le chemin de l'Institut ce matin. Je reconnais son chapeau.

— Princeton est une si petite ville, Kurt. Il est tout à fait normal d'y croiser souvent les mêmes personnes.

— Il me suit !

— Ferme ces maudites fenêtres ! Il commence à faire froid. Tes invités vont grelotter.

Il s'était emmitouflé dans une épaisse veste de laine tricotée par mes soins.

— Cet appartement a une odeur bizarre.

— Ne recommence pas ! Je l'ai aéré toute la journée. J'ai brûlé de la sauge. Le ménage est fait à fond. Je ne peux rien de plus.

— Je sens l'odeur des précédents locataires.

— Tu es trop sensible. Occupe-toi les mains pour une fois. Mets les assiettes et ferme ces fenêtres !

Je retournai m'affairer à la cuisine. Je frissonnais malgré la chaleur du fourneau. Chaque jour, je vivais vitres ouvertes et bras dans la lessiveuse. Kurt avait toujours souffert d'une acuité pathologique à toutes les émanations, y compris celle du corps. Depuis notre installation à Princeton, cette sensibilité tenait de l'obsession. Je devais procéder à une toilette minutieuse avant de le rejoindre au lit. La sueur, les parfums trop forts ou mon haleine chargée du matin lui répugnaient. Il me fuyait comme la peste quand j'avais mes périodes. Bien sûr, il n'en parlait pas. Comment aurait-il pu aborder ce sujet ? Je devais cependant endurer la description quotidienne de sa température corporelle ou de la consistance de ses selles. Ma propre machinerie interne ne l'intéressait pas. Chaque matin, je triais le linge à laver : je reniflais ses affaires une à une ; moins pour y pister une trace féminine inopportune que pour le respirer en son absence. Mais il ne transpirait pas. Sa peau avait peu d'odeur et ses habits ne se salissaient pas.

Quand je revins au salon, il persistait à scruter la rue.

— Bon sang de bois, Kurt ! La table !

— Ne jure pas, Adèle. Et cesse de t'angoisser. Ce n'est pas un dîner de gala.

Je tirai la langue à son dos. J'arrangeai puis contemplai la table : pas d'argenterie, pas de porcelaine fine. La vieille mariée n'avait pas eu droit à un trousseau bien garni.

Il ne bougeait pas de la fenêtre.

— Que font-ils ? Tu leur as précisé 18 heures ?

— Ils devaient d'abord ramener Russell à la gare.

— Je me demande quand mettre mon soufflé au four.

— Tu aurais dû prévoir un menu plus simple.

— Albert Einstein vient dîner à la maison ! Comment pouvais-je faire moins ?

— Il a des goûts rustiques.

— Il ne sera pas déçu, vu le degré d'inconfort de cet appartement.

— Cesse de te plaindre, Adèle. Nous sommes à deux pas de la navette. Ils seront là dans quelques minutes.

— Toi et ta manie des terminus. Ce *Dingy*[*] mérite bien son nom. Quelle craspouillerie ! De toute façon, nous n'allons jamais à New York.

— Tu peux t'y rendre sans moi.

— Pour dépenser quel argent ? Tout a augmenté ces derniers temps. Je jongle tous les jours pour joindre les deux bouts.

Il se tint le ventre. Je ravalai mes rancœurs ; je voulais réussir ce dîner.

— Tu es préoccupé ?

— Inviter Einstein avec Pauli n'était peut-être pas une idée judicieuse. Ils se chicanent beaucoup. Relativité et physique quantique ne font pas bon ménage. Ce serait trop long à t'expliquer.

— J'aime beaucoup ce Pauli. Il est laid, mais si charmant !

— Ne te fie pas aux apparences, Adèle. Wolfgang est un homme d'une intelligence redoutable. Certains le surnomment « le fléau de Dieu ». Il rase de près !

— Cela ne l'a pas empêché d'épouser une danseuse, lui aussi. Même s'il a divorcé, comme Albert. Et Pauli est viennois.

— Ne sois pas trop familière avec Herr Einstein. Personne ne l'appelle par son prénom.

J'étais si heureuse de recevoir du monde, et du beau avec ça ! Avec Herr Einstein, je n'avais pas peur de mon mauvais anglais : il le parlait avec un accent épouvantable. Je le soupçonnais même d'en rajouter. Je le connaissais encore peu à l'époque, mais j'étais à l'aise en sa compagnie : il ne faisait pas de hiérarchie

*. Le *Dingy* (« douteux ») est la navette qui relie l'université à la gare de Princeton Junction.

entre ses interlocuteurs. Il écoutait avec la même bonhomie, ou la même indifférence amusée, les grands de ce monde comme les femmes de ménage de l'université. Kurt et lui étaient devenus proches à notre arrivée à Princeton. Plus d'un passant se retournait sur leur étrange couple, et pas seulement à cause de l'immense popularité du physicien. Ils étaient Buster Keaton et Groucho Marx ; le lunaire et le solaire ; le taiseux et le charismatique. Mon homme, gominé, restait fidèle à ses costumes impeccables ; Albert, lui, avait toujours l'air de sortir du lit dans ses vêtements froissés. Il n'avait pas passé la porte d'un coiffeur depuis l'Anschluss. Leurs longues conversations ambulatoires étaient ponctuées tour à tour par le rire éruptif du physicien et par le couinement circonspect de mon mari. Einstein accordait à ce dernier une attention quasi paternelle ; admiratif de son travail et heureux, sans nul doute, de trouver un compagnon peu impressionné par son aura de demi-dieu. Avec Kurt, Albert était un scientifique comme un autre, pas une tête d'affiche. Doté d'une énergie vitale considérable, ce dernier était sensible à la fragilité de mon homme. Il voyait peut-être en lui un peu de son fils cadet, Eduard, enfermé à vingt ans dans les limbes de la schizophrénie. Bien sûr, je n'appartenais pas à son cercle intime, mais savoir Kurt proche d'une telle célébrité me rassurait un peu sur son potentiel en ces temps d'exil.

— Les voilà, Adèle ! J'aperçois la tignasse de Herr Einstein. Mon Dieu comme il doit avoir froid ! Il est à peine couvert, le pauvre.

J'inspectai la rue où je reconnus la silhouette déjà légendaire du savant. À soixante-cinq ans, il avait une démarche alerte de jeune homme. S'il avait revêtu un léger pardessus, concession faite sans doute à sa fidèle secrétaire Helen Dukas, il avait négligé, comme à son habitude, d'enfiler des chaussettes. Pauli, dont l'ample manteau accentuait la quarantaine prospère, portait haut son front dégarni. Les deux physiciens étaient réputés pour leur appétit. J'avais prévu de les satisfaire. On ne quittait la table de Mme Gödel que l'estomac plein !

— Tu seras donc bien obligé de fermer les fenêtres. Je vais mettre le soufflé au four.

Je m'arrêtai un moment devant le miroir de la chambre. Mes cheveux avaient poussé ; je les laissais un peu onduler, relevés sur les côtés par des peignes. Un de mes premiers gros achats avait été une machine à coudre. Je m'étais confectionné une robe pour les grandes occasions : en lainage de couleur crème, elle était resserrée à la taille par une longue rangée de petits boutons de nacre. Les manches bouffantes cachaient la peau tombante de mes bras. Je tirai un peu sur mes tempes. À part quelques pattes-d'oie, le temps m'avait préservée ; j'étais encore séduisante pour mon âge. Je rajustai mon soutien-gorge de combat, poudrai davantage ma tache de vin, remis un peu de rouge et fis claquer mes lèvres. Ce bruit agaçait Kurt. Ce soir, il pouvait toujours ergoter ! J'étais si heureuse de recevoir. Je me sentais seule à Princeton, loin des miens ; privée de nouvelles par cette guerre interminable. Je ne devais plus y penser. « L'inquiétude donne des rides », disait ma mère. Comme ces rides devaient l'avoir fanée ces dernières années ! Je refermai le tube de rouge d'un petit geste décidé.

Une demi-heure plus tard, je posai mon soufflé effondré sur la table.

— C'est une catastrophe ! Je ne le rate pourtant jamais.

Wolfgang Pauli hocha sa vilaine tête de tortue et Kurt remonta les commissures de ses lèvres. Herr Einstein partit, lui, d'un rire tonitruant qui fit trembloter les flammes des bougies.

— Vous n'y êtes pour rien, Adèle. À dire vrai, vous nous fournissez une validation scientifique ! Nous parlions justement de l'« effet Pauli ». La seule présence de notre ami dans un laboratoire suffit à faire échouer une expérience. Il a même de l'influence sur votre cuisine ! Vous n'auriez pas dû vous lancer dans la chimie organique française, chère madame. Donnez-moi donc de la bonne nourriture allemande bien solide !

— Je vais préparer les *Wiener Schnitzel**.

— Voilà une fine initiative.

Piteuse, je retournai à l'office : j'aurais tant voulu faire grande impression.

Je revins avec un immense plat fumant et vis les yeux du professeur Einstein pétiller de gourmandise.

— Regardez ça, Pauli ! Vous n'avez pas de pouvoir sur la cuisine autrichienne !

Négligeant la réponse de son cadet, Albert se leva pour m'aider.

— Selon mon docteur, je dois surveiller mon alimentation. Mon cœur commence à patauger.

— Le mien aussi. Je respecte un régime très strict.

— Gödel, si vous continuez à faire trop attention, vous deviendrez transparent.

— Je vous croyais végétarien, Herr Einstein.

— Maître Pauli, je sais rendre honneur à la maîtresse de maison ! Je suis bien élevé.

*. Escalopes de veau panées à la mode viennoise.

Je garnis en quantité les assiettes des invités puis présentai à mon mari sa viande blanche non panée avec un sourire entendu.

— Mon époux n'apprécie pas mes talents culinaires.

— Gödel, je suis votre aîné. Faites-moi plaisir, obéissez à votre petite femme !

Sans lever les yeux, Kurt coupa sa pitance en infimes morceaux, dont la plupart seraient voués à l'abandon.

— Adèle me tuera avec sa cuisine.

Les deux hommes le regardèrent, interloqués.

— Un peu de salade de chou, messieurs ?

Je les laissai se remplir le ventre avant de rompre le silence. J'étais avide de compliments et de conversations : deux nourritures nécessaires dont j'étais privée depuis des années.

— Herr Einstein, je suis si flattée de vous recevoir à la maison !

— *Ach !* Encore une admiratrice !

— Kurt refuse de m'expliquer vos travaux. Selon lui, je ne serais pas capable de comprendre.

Mon mari me fit les gros yeux. Je ne me sentais pas si impressionnée d'avoir le plus grand génie du XXe siècle à ma table. Je le savais imperméable à la flagornerie ; je m'en tenais néanmoins à ma méthode : faire parler les hommes de leur métier ou de leurs performances sportives. Avec ceux-là, il était inutile d'hésiter entre les deux options. Albert me regardait, amusé. Il pointa sa fourchette vers mon époux.

— Gödel, vous n'êtes pas fair-play ! J'ai dû maintes fois exposer les vôtres en suant sang et eau.

— Veuillez excuser l'inconvenance de ma femme, Herr Einstein. Adèle peut parfois se montrer écervelée.

Elle n'a aucune connaissance scientifique. Elle m'épuise à vouloir y mettre son nez.

— Il est charmant, ce nez ! Et Adèle apprendrait sans doute plus vite les principes de la relativité que moi la cuisine.

Pauli souleva un sourcil dubitatif.

— Certains domaines ne tolèrent pas la simplification.

Einstein balaya l'objection d'un morceau de veau.

— Vous me demandez d'imager la théorie de la relativité restreinte ? J'ai l'habitude ! En trente ans, j'ai peaufiné une réponse très claire.

Il ménagea une pause théâtrale ; ses deux confrères laissèrent leurs couverts en suspens.

— Abandonnez-moi en tête à tête avec Wolfgang… cela me paraîtra une éternité. Avec vous près de moi, Adèle, ce repas me semblera durer une minute. Voilà la relativité !

Cette fois, le jeune physicien soupira sans discrétion. Einstein le gratifia d'une virile bourrade.

— Pour être tout à fait honnête avec vous, petite madame, je pourrais vous expliquer la relativité en termes simples, mais il vous faudrait des années avant de saisir et de maîtriser les notions sur lesquelles elle s'appuie.

Pauli massait son épaule rudoyée.

— Tout le monde croit connaître la relativité de nos jours. Trop de vulgarisation nuit à la science.

— Détendez-vous, mon cher Zweistein* ! Votre tour viendra. Un jour, vous serez, vous aussi, assailli par

*. Le sobriquet de Pauli était un jeu de mots en allemand : « Einstein nº 2 ».

des hordes de collégiennes extatiques. Vous êtes-vous préparé à la gloire ? Comment vendriez-vous votre *principe d'exclusion*[12] à un écolier ?

— Je m'y refuserais, tout bonnement.

— Si vous ne pouvez expliquer un concept à un enfant de six ans, c'est que vous ne le comprenez pas complètement.

— Vous devriez revenir au végétarisme, Herr Einstein. L'abus de viande vous égare.

— Je ne vous demande pas de rentrer dans les détails, Pauli. Je constate votre impuissance de jeune loup quantique à replacer vos concepts au cœur de l'expérience sensible, à fournir une représentation objective de la réalité.

— Vous êtes de mauvaise foi, Herr Einstein ! La possibilité de réduire une théorie à des termes simples n'a jamais été la preuve de sa fiabilité.

— Le comportement de vos particules élémentaires reste aussi chaotique qu'une meute de femmes aux soldes chez *Barneys*. Quoique celles-ci soient plus prévisibles. Je ne vois pas de cohérence à cette salade russe de complexité et de hasard. Pour moi, Dieu est subtil, mais il n'est pas malicieux.

— Encore faudrait-il prouver son existence.

— Consultez le docteur Gödel ! C'est son dada.

Kurt crispa les mâchoires et repoussa sa pitance.

— Je n'ai pas cette prétention. Tout le monde me prendrait pour un illuminé.

Pauli acheva de nettoyer son assiette avant d'y placer ses couverts sans un bruit. Nous attendions la contre-mesure.

— Mon cher Einstein, notre hôtesse ne doit pas être l'otage de nos querelles. Elle me pardonnera si je m'abstiens de lui répondre ou de croiser le fer avec vous. Je ne suis pas de taille.

— Allons, Pauli, vous n'êtes pas assez bon pour vous permettre d'être modeste !

Un ange de plomb survola la table. Einstein l'abattit de son rire d'artillerie.

— J'adore vous provoquer, Wolfgang. Cette expérience est toujours enrichissante. Rassurez-vous, vous êtes l'avenir, moi, le passé, personne n'en doute. Reprenez donc de cette fabuleuse salade de chou. C'est excellent pour le transit.

Mon époux était livide : la rivalité sous couvert de plaisanterie des deux physiciens le stressait ; je cherchai vite une échappatoire.

— Comment s'est finie votre réunion ? Pourquoi n'as-tu pas invité ce M. Russell[13], Kurt ?

J'aurais aimé rencontrer ce lord anglais à l'excitante réputation. D'après les potins, sa femme avait eu deux enfants avec son amant pendant leur mariage. Russell avait divorcé pour épouser la gouvernante. Aux États-Unis, terre puritaine, il avait été jugé moralement inapte à enseigner : ses principes libertaires l'avaient rendu *persona non grata*. Kurt, dont la vocation de logicien avait été nourrie par son ouvrage fondateur, les *Principia mathematica*, montrait un profond respect envers cet homme ostracisé pour ses opinions pacifistes. Il avait déjà perdu son poste à Cambridge et fait de la prison après s'être opposé publiquement à la Première Guerre mondiale.

— Croyez-moi, Adèle, Russell n'aurait pas apprécié votre cuisine autrichienne à sa juste valeur. Il y aurait eu une antiquité de trop à cette table. Ce bon William me semble dépassé par la logique moderne comme je me sens moi-même marqué à la culotte par vos jeunes confrères. Servez-moi à boire, Pauli !

— Il vous retourne le compliment, professeur Einstein. Pour lui, Gödel et vous êtes des dinosaures platoniciens. Selon ses termes, vous souffririez d'un penchant « allemand » et « juif » pour la métaphysique.

— Pauli, une physique sans philosophie se réduit à de l'ingénierie. Les saillies douteuses de Russell ne me convaincront pas du contraire !

— Votre fils n'est-il pas ingénieur lui-même ?

— Si l'intelligence était héréditaire, mon fils le saurait. Ma belle-fille se contente de sculpter, c'est reposant. Ne détournez pas la conversation, Pauli. Je persiste ! La science perd son âme en s'éloignant de la philosophie. Nos illustres découvreurs étaient des humanistes. Ils ne pratiquaient pas cette dichotomie actuelle. Ils étaient physiciens, mathématiciens *et* philosophes.

— Par pitié, ne vous relancez pas dans une querelle épistémologique. Adèle va me demander de lui expliquer. Je n'en ai pas la force !

— Ce qui *est* et ce qui *peut être* défini sont étroitement liés, certes, mais pour moi, ce qui est dépasse de beaucoup ce que nous pouvons *aujourd'hui* définir.

— Dans ce cas, ne remettez pas en question ce qui est du monde quantique sous prétexte qu'aujourd'hui nous ne pouvons le définir dans sa globalité.

— Je parlais de philosophie. Cessez de tirer toute la couverture atomique à vous, Pauli ! Quelle est votre opinion, Gödel ?

— Rien n'empêche de poursuivre dans le sens de Russell. Je compte bien m'atteler à cette tâche en logicien et en philosophe. Je crois en une axiomatisation de la philosophie. Cette discipline en est aujourd'hui, au mieux, au point où en étaient les mathématiques babyloniennes.

— Je reconnais là votre amour de Leibniz[14], cependant, même pour vous, n'est-ce pas trop ambitieux ?

— Ma vie sera trop courte pour un tel programme. Je pense mourir jeune.

Herr Einstein lui jeta une boulette de mie.

— Abandonnez cette posture. Votre existence sera longue, votre carrière prolifique, surtout si vous écoutez les conseils de votre charmante épouse. Mangez !

Les yeux dans le vague, Pauli se curait les dents.

— Vous avez donc votre baleine blanche, Gödel, tout comme notre illustre Einstein. Une théorie complète des champs unifiés et une philosophie axiomatisée ? Voilà de quoi vous occuper jusqu'à la retraite, mes chers confrères ! N'hésitez pas à m'envoyer un télégramme à l'arrivée. Je vous apporterai des fleurs.

— Vous me considérez comme une antiquité. Mais attendez ! Le vieil Albert a encore du jus.

— Qu'est-ce que cette théorie des champs unifiés ?

— Gödel, votre petite femme est insatiable !

— Ne vous sentez pas obligé, Herr Einstein. Elle n'y comprendra rien.

— Ne soyez pas si bégueule ! Je me prête volontiers à ce genre d'exercice.

Il malaxa un morceau de mie devant mes yeux.

— Le monde physique, chère madame, est soumis à quatre grands types de force : l'électromagnétisme, l'interaction faible, source de radioactivité, l'interaction forte qui donne la cohésion de la matière et…

Il lança sa boulette sur Pauli.

— La gravité. Tous les corps s'attirent mutuellement. Bien entendu, je ne parle pas des attraits charnels de mon jeune ami, j'y suis peu sensible. Cette toute petite force est un énorme caillou dans la chaussure des physiciens. Nous n'arrivons pas à la caser dans un modèle cohérent avec les trois autres. Pourtant, nous validons son existence à chaque instant de notre vie. Je tombe, tu tombes, nous tombons souvent de haut. Par miracle, les étoiles, elles, ne nous tombent pas sur la tête. Bref, vous me voyez asticoter Pauli pour la beauté du sport. Nous avons tous deux raison, mais pas en même temps. Nous proposons deux descriptions correctes du monde, lui, à l'infiniment petit, moi, à l'infiniment grand. Nous espérons nous réconcilier en une magnifique théorie unifiée sous les vivats de la foule et les guirlandes de fleurs. J'y travaille d'arrache-pied, Wolfgang adore les fleurs.

Kurt, comme s'il avait raté une portion entière d'espace-temps, revint à la conversation précédente.

— De toute façon, Russell n'aime pas Princeton. Il est si anglais. Selon lui, les bâtiments néogothiques de l'université singent Oxford.

— Il n'a pas tout à fait tort ! Et vous, Adèle, comment vous acclimatez-vous à Princeton ?

— Je me languis de Vienne. Princeton est très provincial. Les gens me regardent de travers à cause de mon accent.

— Il est plus facile de briser un atome que de briser un préjugé. Ils ont même arrêté le fils de mon ami von Laue pendant qu'il faisait de la voile. Ils le soupçonnaient d'adresser des signaux aux sous-marins ennemis ! Il a été dénoncé pour son accent allemand.

— Ma femme refuse de suivre des cours d'anglais.

— Je n'ai pas le temps.

— Si tu n'avais pas renvoyé la bonne, tu aurais le temps.

Je ne répliquai pas. J'avais dû me séparer de ma femme de ménage car je la soupçonnais de nous voler. En étant tout à fait honnête, je n'avais jamais pu me faire à l'idée d'avoir quelqu'un à mon service. Mais j'étais gênée de formuler devant eux ce que je savais être un réflexe prolétaire.

— Vous avez la bougeotte. Vous ne cessez de déménager.

— Kurt se rapproche de l'Institut. Nous sommes à deux pas de la gare. Il a choisi cet appartement parce qu'il a des fenêtres des deux côtés. Nous pouvons aérer.

— J'ai cru comprendre ! Gödel, même moi j'ai froid. Fermez ces fenêtres !

Mon mari se leva à contrecœur.

— Comment employez-vous vos journées ?

— Je fais le ménage, je vais au cinéma, je prépare à Kurt des plats qu'il ne mangera pas. Je tricote pour la Croix-Rouge.

— Vous participez à l'effort de guerre.

— C'est bien peu. Je m'occupe les mains pour ne pas trop penser.

À son tour, Pauli s'était mis à tripoter de la mie de pain. Nos convives s'ennuyaient.

— Rassurez-vous, cette maudite guerre touche à sa fin. Les troupes alliées sont entrées en Allemagne en septembre. Ce n'est plus qu'une question de mois.

— Nous sommes réduits à attendre. Peut-être devrions-nous nous mettre aussi au tricot, mon cher Gödel ?

— Je préfère me consacrer à mes propres travaux, Herr Einstein.

Notre invité viennois sourit : il avait comme moi en tête l'image d'un logicien se débattant avec ses aiguilles.

— Quelle crétinerie de se priver de vos deux cerveaux sous prétexte de vos passeports allemands !

— Comment ça ? Ils soupçonnent Herr Einstein d'espionner pour le compte des nazis ?

— Chère petite madame, le département de la Défense me suspecte d'être socialiste, voire communiste, ce qui, à leur sens, est une sorte de maladie contagieuse. Dans leur très grande générosité, ils m'ont autorisé à faire des calculs de balistique pour la marine nationale avec mon vieil ami Gamow.

Mon mari roula des yeux affolés.

— Vous devriez moins en dire, Herr Einstein. Nous sommes sans doute surveillés.

— Eh bien, qu'ils me surveillent ! J'ai fait vendre aux enchères mon manuscrit original de la relativité restreinte. Je leur ai donné six millions de dollars ! Hitler me hait plus qu'il ne hait sa propre mère. J'ai écrit moi-même à Roosevelt pour le prévenir de l'absolue nécessité des recherches nucléaires. Ils viennent maintenant me soupçonner ? Quelle ironie !

— Parlez moins fort !

— Que pourraient-ils me faire, Gödel ?

— Vous pourriez être enlevé par des agents ennemis. Vous n'avez jamais pensé à ça ?

Il se tapa sur les cuisses comme à l'écoute d'une bonne blague.

— Vous devriez écrire des romans d'espionnage ! Surveillé comme je suis ? Je ne peux pas avoir de problème avec ma prostate sans que Hoover* en soit tenu informé ! Ils ont bien trop peur de m'entendre

*. John Edgar Hoover (1895-1972) a été le directeur du FBI de 1924 à sa mort.

m'exprimer publiquement contre l'utilisation de cette foutue bombe ! La réélection de Roosevelt me rassure à peine.

— Rien ne dit que la technologie nucléaire soit maîtrisable avant longtemps.

— Mon cher Gödel, votre naïveté est un délicieux rayon de soleil. Croyez-moi, elle est prête ! Vous ne vous êtes pas senti un peu seul ces derniers temps à Princeton ? L'armée a réquisitionné toutes les pointures de l'Institut. Oppenheimer a disparu de la circulation. Von Neumann[15] est un vrai courant d'air. Nul besoin d'être devin pour deviner ce qu'ils font ! Rien ne vaut une bonne petite guerre pour faire avancer la technologie.

— La suprématie militaire est la clef de la paix.

— Je n'ai pas votre optimisme, Pauli. Le concept même de dissuasion va à l'encontre de tout l'esprit militariste. Je me méfie de ceux qui aiment marcher en rangs sur une musique. Ils ont reçu un cerveau par erreur, une moelle épinière leur suffisait amplement. Les frustrer d'utiliser un nouveau jouet ? Autant laisser un cadeau de Noël emballé sous le sapin !

— Vous avez été vous-même à l'initiative de ces travaux.

— Et ce fut d'une terrible violence intérieure ! Je suis un pacifiste convaincu. Les horribles témoignages venus d'Europe m'ont obligé à réfléchir. Si Hitler avait cette bombe, il n'y aurait personne pour l'empêcher de s'en servir.

De la pointe de son couteau, Pauli sculptait sa boulette devenue grise.

— Ce fou a fait fuir tous les scientifiques de valeur. En persécutant la science « juive », il a scié la branche pourrie où il s'est perché.

— Vous faites peur à ma femme, Herr Einstein. Toutes ces horreurs seront bientôt derrière nous.

Albert s'essuya la bouche et tapota son ventre avant de jeter sa serviette sur la table.

— Nous n'avons jamais eu, à aucun moment de la civilisation moderne, un avenir si noir. Car d'autres conflits viendront, la guerre est le cancer de l'humanité.

Les hommes se turent. J'avais les larmes aux yeux. « La guerre est bientôt finie », voilà tout ce que je pouvais entendre. Quand elle s'achèverait, je pourrais rentrer à la maison. Pauli posa devant lui la figurine sculptée dans la mie. Il fixa derrière la tête une rondelle de cire détachée de la nappe : saint Einstein, patron des pessimistes. Le modèle lui sourit.

— Je suis désolée, chère Adèle, je m'emporte un peu vite. Qu'avez-vous prévu comme douceur ?

— *Sachertorte.*

— *Mazeltov !* Me permettez-vous d'allumer ma pipe ? Ma vieille amie m'adoucit les idées.

Je retournai à ma cuisine. Les larmes avaient monté malgré moi ; ils devaient me croire inquiète pour l'avenir de l'humanité, en réalité, je m'apitoyais sur mon sort. J'étais une enfant dans un monde d'adultes. Leur univers ne m'était pas accessible : il ne s'expliquait pas avec un simple dessin ou quelques cailloux alignés. Je n'avais pas les mots, alors je pleurais. Je pleurais sur ma solitude. À cause de mon mauvais anglais, j'étais dans un brouillard perpétuel. J'avais eu un temps l'espoir, en côtoyant mes compatriotes, d'éclairer ce monde sombre et flou. J'étais encore perdue. Il n'y avait pas de naturalisation possible dans leur contrée scientifique, seulement des natifs. Pourtant, j'essayais : je lisais un peu, je m'intéressais, mais chaque fil tiré en amenait un suivant. La trame était trop dense, le tissu trop grand pour la petite danseuse. Je ne serais jamais d'ici ; je serais toujours une exilée au milieu de tous ces génies. J'atteignais l'âge où les hommes seraient plus charmés par ma cuisine que par mes jambes : l'âge de la résignation. Je n'étais pas prête, loin de là, à abandonner.

Le professeur Einstein crachouilla quelques morceaux de gâteau vers mon mari qui sirotait avec précaution son eau chaude.

— Comment va votre ami Morgenstern ? Je pensais le trouver là ce soir.

— Il est absorbé par la publication de son livre[16] avec von Neumann. Et celui-ci est peu disponible en ce moment.

— Il est bien trop occupé à faire joujou avec les neutrons.

— À quoi von Neumann ne s'intéresse-t-il pas ? Cet homme est infernal. Il n'arrête jamais. Il boit aussi vite qu'il calcule !

— Il est hongrois, Herr Einstein.

Je m'ennuyais. Je les avais déjà entendus dégoiser sur les excentricités de ce von Neumann. Il avait la réputation d'être un sacré farceur. Un jour où Einstein devait se rendre à New York, il lui avait proposé de l'accompagner jusqu'à la gare. Sur le trajet, il n'avait cessé de lui raconter des histoires drôles. Le vieux physicien était monté dans le train en se tenant les côtes de rire avant de s'apercevoir qu'il lui avait fait prendre la mauvaise direction, en toute connaissance de cause. D'après Kurt, von Neumann était un exemple désastreux pour les étudiants. Certains pensaient à tort qu'ils pouvaient, comme lui, passer leur nuit dans les dancings à boire puis rentrer frais au petit matin pour enchaîner sur un cours. Mais von Neumann n'était pas humain. Kurt était surtout affolé par la quantité de nourriture que le Hongrois était capable d'avaler. Son hyperactivité fatiguait mon mari à l'avance. Je l'avais rencontré chez notre ancienne voisine de Stockton Street, Mme Brown. Elle réalisait des illustrations pour leur livre, *La Théorie des jeux*. Je m'occupais de son bébé ; John s'occupait de ma voisine. Son appétit était sans limites. Kurt m'avait expliqué qu'ils y démontraient qu'une description des phénomènes sociaux ou économiques peut être donnée par des jeux de stratégie appropriés comme le *Kriegspiel*. À son grand regret, toute cette matière grise était consacrée, une fois encore, à un sujet militaire. En attendant, les von Neumann avaient une très jolie maison à Princeton : John était conseiller pour la US Navy et l'armée payait bien.

Je me resservis un petit verre de vodka en souvenir de mes fols amis hongrois du *Nachtfalter*. Le brouillard aromatique de la pipe attisait ma nostalgie. J'allumai une cigarette sous le regard désapprobateur de mon mari. Depuis peu, je m'étais remise à fumer pour tromper l'ennui de mon quotidien solitaire. En rentrant, Kurt pestait contre la fumée même si j'avais aéré toute la journée. Il avait toujours détesté l'odeur de mes habits empuantis par la nuit au night-club.

— Ce serait étonnant qu'avec tous ces travaux von Neumann n'ait pas un prix Nobel ou deux !

— Si faire de la physique, c'était démontrer des théorèmes, von Neumann serait un grand physicien.

— Ne soyez pas jaloux, Pauli. Vous aurez votre heure !

— Il est facile de mépriser les honneurs quand on est, comme vous, couvert de gloire.

— J'ai dû attendre bien longtemps[17]. C'était la bonne blague annuelle ! À qui pouvaient-ils remettre le prix Nobel pour ne pas me le donner ? L'un des juges ne cachait pas son antisémitisme.

— Votre popularité vaut dix Nobel, professeur Einstein.

— Son seul intérêt est l'audience qu'elle procure. Je peux tenter de faire passer quelques idées.

Je ramassai les miettes sur la table ; la conversation languissait. J'en voulais à Kurt de ne pas me mettre plus en valeur.

— Pourquoi n'as-tu pas eu un prix Nobel ? J'aimerais avoir une belle maison comme von Neumann. Selon lui, tu es le plus grand logicien depuis Aristote !

— Le Nobel de mathématiques n'existe pas. La femme de Nobel le trompait avec un mathématicien.

— Mythologie ! En réalité, le Nobel récompense des travaux ayant apporté le plus grand bénéfice à l'humanité.

— Les mathématiques n'en apportent pas, Herr Einstein ?

— Je me pose encore la question, Adèle. Mais il y a d'autres prix.

— Gödel est trop vieux pour la médaille Fields.

— Je ne cours pas après les honneurs.

— Tu devrais ! Avec ton salaire pitoyable de l'IAS, nous vivons comme des nécessiteux ! Toute ton intelligence ne nous vaut même pas un peu de confort !

Kurt me fusilla du regard. Ses confrères riaient sans retenue.

— À quoi sert votre puissante logique, Kurt Gödel, si votre petite femme est insatisfaite ?

Pauli griffonna une courte formule sur son calepin et le brandit aux yeux de Kurt avec un demi-sourire narquois.

— Pourquoi ne vous attaquez-vous pas à cette bonne vieille conjecture ? L'université de Göttingen offre 100 000 marks à celui qui trouvera la démonstration avant la fin du millénaire.

Kurt s'étrangla dans sa tisane.

— Fermat ? Vous êtes fou, Pauli ! Je ne suis pas un singe savant. Avant même de commencer, je devrais consacrer à ma préparation trois années d'étude intensives. Je n'ai pas de temps à gaspiller pour un probable échec[18].

Herr Einstein saisit le carnet et me montra cette si lucrative énigme. Je fus déçue : elle tenait en trois termes.

— Vous n'êtes pas joueur. Voyez-vous, ma chère Adèle, Fermat était un mathématicien français farceur. Il a posé cette conjecture diabolique[19] en précisant dans son manuscrit que la marge était trop étroite pour contenir la démonstration. Sous-entendu, je l'ai, mais je ne vous la donnerai pas. Depuis trois siècles, nos matheux y perdent leurs derniers cheveux ! Elle est loin d'être résolue. Sauf, peut-être, si votre mari daignait s'y coller. Vous seriez célèbre, Gödel ! L'*hypothèse du continu* ne vous apportera pas fortune et gloire, mon ami. Vous devriez vivre avec votre temps. Pensez « publicité » ! Abandonnez l'infini à sa triste solitude.

Pauli lui sourit, soulagé d'échapper à son feu moqueur.

— Ma femme n'a pas à se mêler de ces questions.

Je ne résistai pas à cette occasion de le mettre au pied du mur.

— Pourquoi n'essaies-tu pas ? As-tu peur d'échouer ?

— *Ach !* Mme Gödel nous parle d'incomplétude !

— Cela n'a rien à voir avec l'incomplétude ! Je ne crains pas d'affronter des limites mathématiques. Je connais déjà les simples bornes de ma propre intelligence. Tu ne maîtrises absolument pas ce dont tu parles, Adèle.

— Je suis pour la paix des ménages ! Je vous taquinais, Gödel. La seule chose absolue dans un monde comme le nôtre, c'est l'humour.

— Comme vous le savez déjà, professeur, mon cher mari n'en a aucun.

Kurt, raide de contrariété, se leva puis disparut sans s'excuser. Einstein, un peu déconfit, tenta après un long silence d'alléger l'atmosphère.

— Avez-vous appris la nouvelle, Pauli ? Bamberger vient de mourir. Le mandat de Flexner s'achève bientôt, les temps vont changer !

— L'IAS est devenu un vivarium pour le business militaire. Le prochain directeur sera sans doute un loyal serviteur de l'État.

— J'appuierai la candidature d'Oppenheimer. Robert est un homme ouvert aux humanités.

— Et aux idées gauchistes ?

— Ne soyez pas si sectaire, Pauli ! Je pense à l'ouverture de l'IAS vers d'autres champs de recherche.

— Croyez-vous que la nouvelle direction remettra en question le poste de mon mari ? Il est toujours membre ordinaire. Son statut est si précaire.

— Ma chère amie, tant que Siegel sera au conseil, sa situation n'avancera pas.

— Ils craignent pour sa santé mentale ? Kurt est inoffensif, vous le savez bien.

— Comment va-t-il en ce moment ?

— Il se plaint sans cesse. Il dit souffrir d'un ulcère. Il refuse pourtant de voir un médecin.

Il me tapota la main.

— L'extrême netteté, la clarté, et la certitude s'acquièrent au prix d'un immense sacrifice… La perte de la vue d'ensemble. Ce ne doit pas être tous les jours facile, mais vous êtes dans ce plan d'ensemble, croyez-moi !

Je vérifiai si mon mari n'écoutait pas du couloir. Il aurait pris comme une trahison intime ce qui était de notoriété publique. J'avais confiance en Herr Einstein ; il ne jugeait pas mon Kurt.

— Il recommence avec ses visions. Il a l'impression d'être suivi.

— Il l'est peut-être. Je suis moi-même sous surveillance permanente. Mon propre courrier est censuré.

— Il ne s'agit pas de cela. Il voit des formes. Des fantômes.

— L'atmosphère de Princeton est un peu lourde en ce moment. La guerre s'achève, vous aurez très vite de bonnes nouvelles des vôtres et le monde reconnaîtra Kurt Gödel à sa juste valeur. Tout va s'arranger.

— Je ne suis pas si naïve. Nous sommes déjà passés par là. Mais en Amérique, je n'ai ni famille ni amis pour me soutenir.

— Il a de nombreux amis, n'en doutez pas. Morgenstern s'en occupe fraternellement. Votre époux est un homme comme on en rencontre peu. Je ferai tout mon possible pour faire avancer votre situation matérielle. Gardez confiance ! Je suis désolé d'avoir créé des tensions à votre dîner. Wolfgang me connaît bien, il sait que je n'ai pas de mauvaises intentions.

— Le professeur a seulement de bonnes inattentions.

Kurt revint dans la pièce, je le rassurai d'un large sourire.

— Et si nous sortions boire un verre quelque part ?

Les deux hommes se levèrent dans le même refus. Kurt s'éclipsa sans plus de manières, me laissant la charge de prendre congé de nos hôtes. Ils me prodiguèrent leurs remerciements avant de disparaître, bras dessus bras dessous, un moment réconciliés par leur digestion commune. J'ouvris de nouveau les fenêtres pour chasser la fumée et les odeurs de graillon. Je débarrassai la table et vidai le cendrier. J'écrasai la figurine en mie de pain du plat de la main. *De nombreux amis*. Oskar Morgenstern était trop poli pour me montrer son mépris. Notre mariage demeurait à ses yeux, au mieux, une énigme. Ces messieurs voulaient bien goûter ma cuisine, mais pas entendre parler de mes angoisses. Mon mari avait de nombreux amis, certes, mais moi ? Je mouchai les bougies sans m'humecter les doigts ; j'aimais cette petite douleur. L'évier débordait de vaisselle ; j'attaquai la montagne sans me soucier du bruit. Le claquement sec de la porte de la chambre répondit à ma provocation. Ma tâche terminée, je m'accordai une cigarette. Quelque part à New York, une femme de mon âge fumait la même cigarette en faisant sécher le vernis sur ses ongles. Elle réfléchissait à sa tenue pour aller danser au *El Morocco* ; elle hésitait encore entre deux paires de chaussures. Une à une, les fenêtres de la ville s'éteignaient. Princeton se couchait tôt. Je n'avais pas sommeil.

29.

Anna était partie tôt de Princeton vers Pine Run, bien décidée à remettre la conversation sur des rails plus professionnels. En conduisant, elle sentit une sensation très familière lui contraindre le plexus. Elle avait le trac. Elle se regarda dans le rétroviseur et essuya le surplus de blush ; elle avait forcé la dose pour paraître avoir bonne mine. À la lumière grise du jour, elle ressemblait à un cadavre maquillé par l'embaumeur. Pourquoi avait-elle l'impression de passer en jugement à chaque visite ? Pourtant, chacune d'entre elles était comme une journée à la mer : elle en sortait les muscles lessivés, la tête nettoyée, jusqu'aux salissures de sa prochaine nuit d'insomnie.

La veille au soir, elle avait contemplé ses baskets abandonnées depuis des mois. Elle devait se remettre au sport ; elle ne supportait plus son corps de petite vieille. Le chat lui avait adressé un regard navré avant de retourner sur le divan pour sa sieste. Elle avait refermé le placard et l'avait rejoint. Si cette putain d'échelle cosmique existait, alors une vie de chat en était le suprême barreau.

« *Kommen Sie rein !* » Elle n'avait pas encore toqué ; Mme Gödel avait reconnu son pas. Elle tripotait sa couverture, indifférente au courant d'air frais qui agitait les stores.

— Où en étions-nous ?

— Laissez-moi enlever ma veste.

— Vous faites bien. Elle est immonde.

La jeune femme ferma la fenêtre. Le fauteuil avait été repoussé loin du lit ; elle s'y installa sans le rapprocher, visage neutre et dos au garde-à-vous.

— Elizabeth et Gladys s'intéressent de près à votre cas. Pour une fois, nous sommes en accord sur un point. Vous avez besoin d'un homme !

Anna étouffa un rire en se maudissant de perdre si vite sa réserve.

— Nous sommes en 1980, Adèle. Le monde a évolué.

— Pour ne pas se regarder le nombril, il faut en trouver un autre à contempler. Et on n'a jamais rien dégotté de mieux qu'un jules dans l'affaire !

— Je n'ai besoin de personne.

— Arrêtez un peu de faire votre fière. Nous sommes entre filles. Un bon orgasme, ça vous remet toujours les idées en place.

Anna posa ses mains à plat sur ses genoux, soucieuse de n'exprimer aucune émotion ; elle savait Adèle vulnérable au silence.

— Vous pensez qu'il n'y avait pas d'orgasme avant 1960 ? Que la libération sexuelle, comme ils disent, a inventé le plaisir féminin ?

— Vous me prenez pour une prude ?

— Vous êtes prude du sentiment. Moi, je n'ai plus honte de rien. À qui devrais-je rendre des comptes, sinon à mon Dieu ? Et Il ne m'a pas envoyé de message personnel en ce sens. Depuis quand n'avez-vous pas eu de plaisir ?

— Vous voulez que je vous parle de la dernière fois où je me suis fait sauter pour pimenter votre retraite sexuelle ? Ne comptez pas sur moi.

— Avec qui d'autre le pouvez-vous ? Un psy ? Il vous déterrera des rapports louches avec le père, des rivalités avec la mère. Tout le toutim. Rien ne vaut l'expérience. Vous profiterez au moins de mes erreurs. Moi, je n'ai plus le temps des faux-semblants.

Elle résistait avec peine à l'envie de planter là cette vieille curieuse.

— Du chantage, à présent.

— Tous les leviers sont bons. Donnez-moi quelque chose ! Je crois avoir moi-même assez nourri votre documentation.

Anna roula une mèche autour de son doigt. Elle tria des informations intimes, cherchant celles qu'elle pourrait offrir en pâture à Adèle. N'était-ce pas l'idée depuis leur première rencontre ? Une vie pour une autre. Elle avait, au final, assez peu payé son dû.

À vingt-trois ans, elle avait tenté de briser sa trajectoire linéaire : elle avait abandonné William et était partie pour l'Europe. Abasourdi, son entourage avait mis cette fuite sur le compte d'une décompensation retardataire due au décès de sa très aimée grand-mère. Seule Rachel y voyait une preuve de rébellion, un héritage de son propre tempérament. Il lui était impossible d'accepter une faiblesse psychologique chez sa fille : elle aurait trahi une faille dans son éducation. Jamais Anna n'avait manifesté de signes de dépression ; elle s'était, certes, toujours montrée un peu secrète, mais dans son milieu la discrétion pouvait passer pour une marque d'élégance.

La jeune femme avait laissé les deux familles annuler la réservation du traiteur et décortiquer les mystères de son caractère. Personne ne s'était douté qu'elle était partie par simple jalousie. Elle-même osait encore à peine l'admettre. Le jour des fiançailles d'Anna, Leo avait débarqué sur le tard, accompagné d'une créature de l'espace : celle dont on ressasse la liste infinie des dons pour y chercher la tare. Elle n'en avait pas : l'étudiante en médecine, mannequin à ses heures, se destinait à la neurochirurgie. Anna n'avait pu lui reprocher le moindre soupçon de condescendance dans ses compliments : elle respirait la gentillesse et la bonne humeur. Leo avait présentée Anna à sa superbe compagne comme son « amie d'enfance ». Celle-ci s'était soûlée et avait fini la soirée en vomissant pendant que William lui tenait les cheveux pour l'empêcher de salir sa robe de cocktail. Au petit matin, quand les derniers invités avaient enfin débarrassé le plancher, elle l'avait largué en deux mots. Elle aussi savait jouer du scalpel.

— Je ne suis pas un cas désespéré, Adèle. J'ai même été fiancée. Mais ça n'a pas fonctionné. William était, disons, un garçon trop gentil.

— Comme vous ?

Anna sourit ; *gentille*, elle ne l'était pas.

— J'ai rompu avec ce William le soir même de nos fiançailles. Le lendemain, j'ai fait débloquer les fonds légués par ma grand-mère et j'ai pris le premier avion pour l'Europe.

Adèle était penchée vers elle, buvant ses confidences chuchotées.

— J'ai tout claqué en trois ans. C'était l'argent des

morts. L'héritage de mes oncles, de mon grand-père. Il ne devait pas servir à acheter une maison en banlieue.

— Rapprochez-vous donc. Mes oreilles ne sont plus ce qu'elles étaient.

Anna poussa le fauteuil vers le lit. Elle ôta ses chaussures et se frictionna les pieds. Adèle lui tendit son plaid ; elle s'y pelotonna.

— Quand je suis rentrée, j'étais fauchée. Je n'avais pas terminé mes études. Nulle part où atterrir. Ma mère ne me parlait plus. Mon père m'a hébergée avant d'intercéder auprès de son vieil ami Adams pour me dégotter un boulot. Il était pressé de me voir déguerpir. Il était en pleine lune de miel.

— Et depuis, pas d'autres hommes ?

— Je m'ennuie vite avec les gens en général. J'ai besoin d'admirer.

— Vous êtes peut-être trop cérébrale, ma jolie.

— Vous admiriez votre mari ?

— *Ach !* Nous revoilà dans l'utile !

— Ma vie est d'une platitude absolue. À votre tour, Adèle.

Mme Gödel se tut un moment avant de saisir un cadre d'argent sur son chevet. Elle l'essuya de sa manche. Anna prit ce cliché de mariage et le contempla sans oser dire qu'elle le connaissait déjà.

— J'avais de l'admiration pour lui comme on peut être fasciné par ce qui vous dépasse, mais je ne suis pas tombée amoureuse de son intelligence.

— Vous avez dû souffrir de sa maladie durant toutes ces années loin de votre famille.

Adèle lui reprit sans douceur la photographie.

— Vous n'avez jamais vraiment aimé.

Anna se rappela avoir lu que les souvenirs ne sont

pas le passé, mais la mémoire du passé. L'histoire des Gödel n'avait pas été aussi simple ni leur lien si absolu. Adèle pensait peut-être avoir le monopole de la passion. Elle avait surtout celui du sacrifice. Mais à quoi bon lui refuser cette dernière consolation ? La vieille dame, les yeux dans le vague, paraissait exténuée. Elle décrivit un huit couché avec deux doigts tremblants. Sur l'autre main, l'alliance, bien trop petite, entamait la chair.

— Je vous laisse vous reposer.

— À propos d'amour, jeune fille, quand m'emmenez-vous au cinéma voir une jolie bluette ?

— La direction ne nous l'autorisera jamais.

— J'ai survécu à deux guerres. Hors de question de trembler devant une blouse blanche ! Débrouillez-vous. Prenez-le comme un exercice thérapeutique. Ne fuyez plus la bagarre, ma mignonne. Où que l'on aille, on trimballe toujours ses bagages avec soi. Je vous le broderai pour Noël.

30.

1946

Digressions ambulatoires
Aller

> « Je ne vais à mon bureau que pour avoir le privilège de rentrer à pied avec Kurt Gödel. »
>
> Albert Einstein

Quand sa montre indiqua 9 heures précises, Kurt sonna au 112 Mercer Street. L'adresse la plus connue des chauffeurs de taxi de Princeton était une petite maison néovictorienne bardée de blanc, bien modeste eu égard au prestige planétaire de son propriétaire. Je patientai derrière la haie de buis qui séparait la rue du jardinet. Une chevelure folle surgit à l'une des fenêtres du premier étage. Quelques minutes plus tard, Albert Einstein apparut. Il portait un vieux sweater sur un pantalon informe et ses éternelles sandalettes de cuir sur des chaussettes dépareillées. Sa secrétaire le rattrapa sur le seuil.

— Professeur, votre serviette ! Un jour, vous oublierez votre tête !

— Que ferais-je sans vous, ma bonne Helen ?

— J'ai classé votre courrier prioritaire dans deux pochettes. L'une « En retard » et l'autre « Trop tard ». Ce qui ne vous empêche pas de répondre. Et ne ratez pas intentionnellement votre déjeuner avec le journaliste !

— Nom d'une pipe en bois, Dukas ! Vous êtes censée me protéger de toutes ces sangsues !

— Pas de celle-là. Elle vient du *New York Times*. On vous attend à 13 heures.

— Gödel, vous vous joindrez à nous, bien sûr ?

— Je ne crois pas, je mange déjà trop à cause d'Adèle. Moins je me nourris, mieux je me porte.

— Il y a des limites à tout, mon ami ! Dukas, dites à la cuisinière d'ajouter un couvert.

Il se retourna et s'aperçut de ma présence.

— Adèle ! Que me vaut l'honneur de cette visite inhabituelle ?

— Je fais le chemin avec vous ce matin. Je dois régler des problèmes administratifs à l'Institut. Ces maudits fonctionnaires me rendront folle.

— Votre voyage en Europe se précise enfin ?

Kurt ouvrit la barrière ; il était impatient de se mettre en route.

— Si ma femme s'acharne à les insulter, je doute qu'elle puisse embarquer un jour.

— Tu ne t'occupes jamais de ce genre de tracasseries. Tu ne peux pas comprendre à quel point c'est exaspérant.

Einstein fouilla ses poches en un geste qui m'était désormais familier : il cherchait sa pipe.

— La bureaucratie programme la mort de toute action.
— Pourtant, les cris d'Adèle réveilleraient un mort !
— Vous vous essayez à l'humour, Gödel ?
— Il s'est levé du bon pied.
— La stabilité vous va bien. Vous voilà membre permanent ! Vous pouvez envisager l'avenir de façon plus sereine.
— Si Adèle daignait me laisser travailler en paix.
— Cesse de te plaindre ! Tu auras une paix royale si je parviens enfin à partir !

Depuis la capitulation de l'Allemagne, j'étais ressuscitée par la perspective de retourner en Europe. Nous avions reçu des nouvelles de la famille Gödel en juin 1945 puis, beaucoup plus tard, de la mienne. Marianne, à Brno, et Rudolf, à Vienne, avaient tous deux survécu aux bombardements. Redlich, le parrain de Kurt, était mort dans les chambres à gaz. J'avais appris la mort de mon père. J'avais appris la mort de ma sœur. J'avais rangé ma douleur au fond de moi, avec les vieux souvenirs, enfouis sous la chaude couverture de ma culpabilité de survivante. J'avais eu le temps d'envisager le pire tout au long de ces années de silence. Le pire était advenu. Ma mère, restée seule, en était réduite à la misère. Les rares lettres où elle décrivait ses privations étaient noircies par la censure. Je lui adressais un peu d'argent dès que je le pouvais. Je me démenais pour organiser un voyage afin de lui porter secours. Mais, après l'incertitude, l'inquiétude causée par ces funestes nouvelles me rongeait. Mal remise d'une appendicectomie, j'étais dans un état pitoyable : j'avais maigri, mes dents se déchaussaient et mes cheveux tombaient par poignées. Je passais mes angoisses sur les fonctionnaires américains qui s'ingéniaient à me compliquer la vie. Pendant ce temps, imperturbable, Kurt s'absorbait dans sa routine.

Sa récente nomination nous rendait un peu de souffle. L'IAS lui avait enfin accordé une place permanente avec un salaire de 6 000 dollars[20]. Il disposait aussi d'une pension de retraite assurée : 1 500 dollars en cas de problème médical ou d'incapacité de travail. Nous pouvions nous raccrocher à cette petite planche de salut, mais notre aisance était toute relative : en 1946, le lait coûtait 70 cents au gallon, un timbre, 3 cents. La pension témoignait en premier lieu de leur inquiétude sur sa capacité à travailler à long terme. Ne pas bénéficier du titre de professeur lui convenait à merveille.

— Morgenstern pense que ce serait bon pour toi de reprendre tes cours. Si je m'absente, tu ne verras personne.

— Je m'occuperai de lui, Adèle. Ne vous inquiétez pas.

— Je suis assez grand pour veiller sur moi !

J'échangeai un regard entendu avec Albert. Il me réconforta d'un sourire.

— Partons ! J'ai un courrier en retard apocalyptique et ce maudit journaliste tient à me priver de ma sieste. Peut-être trouverai-je le temps, avant le dîner, de faire un peu de physique !

Nous nous engageâmes d'un pas vif dans Mercer Street. La balade, longeant les maisons arborées, était agréable en ce tiède début d'automne. Ils empruntaient tous les deux chaque matin cette même route, à la même heure. Ce qui avait commencé comme une relation entre brillants collègues de bureau était devenu, en quatre ans, une amitié aussi routinière que nécessaire. Kurt se levait tard, prenait sa température avant de l'inscrire dans un petit carnet. Il avalait toute une ribambelle de pilules, sirotait un café léger puis brossait ses habits. Il cirait ses chaussures et s'habillait enfin pour arriver à l'heure exacte devant la porte de Herr Einstein. Ils revenaient ensemble, quelquefois pour le déjeuner, le plus souvent après la sacro-sainte heure du thé à l'Institut. Je respectais ce protocole : il émoussait les reliefs de la fragile humeur de mon homme.

Nos pas faisaient bruisser le somptueux manteau roux du trottoir. Princeton était une ville d'automne, une ville pour faire de bonnes promenades digestives. Mes compagnons se taisaient : ma présence les dérangeait dans leur voltige intellectuelle. Le débonnaire Albert prit sur lui de m'intégrer à la conversation.

— Vous êtes-vous remise de vos émotions, Adèle ? Me laisserez-vous vous promener en bateau de nouveau ?

— Herr Einstein, avec tout le respect que je vous dois… jamais ! J'ai eu bien trop peur !

— Intrépide comme vous l'êtes ?

— Mais pas suicidaire. Je ne sais pas nager.

— Moi non plus. Une promenade sur ce lac pépère, ce n'est quand même pas le cap Horn !

Nous avions accepté, le dimanche précédent, une sortie en bateau. Nous avions entendu moult anecdotes sur les nombreux chavirages du savant. Mon mari, pourtant réticent, n'avait osé refuser. Nous avions pris place à bord, rassurés par l'aspect paisible du lac. Les deux hommes s'étaient très vite plongés dans une discussion animée. Je me détendais sur l'eau calme, chauffant mon visage au soleil serein de septembre. Soudain, je perçus une ombre dans une demi-somnolence : un bateau approchait à vive allure. Albert semblait ne pas l'avoir remarqué. Je hurlai : « *Achtung !* » Il changea de direction au dernier moment. Kurt, blême, s'accrochait au plat-bord tandis que son aîné riait comme un enfant.

— Le soir après cet incident, j'ai souffert d'une terrible crise d'ulcère. À ce propos, Adèle, pense à renouveler ma provision de lait de magnésie en rentrant. Je n'en ai presque plus.

— Déjà ? Tu en prends des bains, ma parole !

— Gödel, vous devriez consulter au lieu de vous médicamenter ainsi.

— Les médecins sont pour la plupart des incompétents. Je maîtrise la situation.

Herr Einstein lui malaxa l'épaule.

— Accordez-vous une pause, mon ami ! Partez en vacances avec Adèle ! Elle en a grand besoin elle aussi.

— J'ai à faire.

— On a toujours trop à faire. Le corps hurle ce que l'esprit refuse d'admettre.

— Vous ne pouvez comprendre, vous êtes indestructible, Herr Einstein.

— Je suis moi-même passé par là ! Je venais de me séparer de Mileva, ma première femme. En moins d'un an, j'avais écrit dix articles, un livre et perdu vingt-cinq kilos. Je souffrais l'enfer. Je croyais avoir un ulcère, voire un cancer ! J'étais juste surmené. Avec du repos, un bon médecin… une bonne cuisinière, la vie reprend ses droits !

Tailleur cintré, feutre emplumé et gants blancs, une jeune élégante arrivait à notre hauteur. Elle sourit en reconnaissant notre illustre acolyte. Les deux hommes se retournèrent, approbateurs, sur sa démarche chaloupée. Je donnai à Kurt un petit coup de sac qui fit rire Herr Einstein.

— La vie reprend ses droits et la femme reprend ses doigts.

Albert ne parlait jamais de Mileva, sa première compagne. Sa seconde épouse et cousine, Elsa, était décédée d'une attaque en 1936, un an après leur emménagement sur Mercer Street. Le physicien vivait depuis dans un gynécée dévoué à son confort entre sa sœur Maja, sa belle-fille Margot et sa secrétaire Helen Dukas. Einstein aimait la compagnie des femmes, il ne s'en cachait pas, comme il ne se privait pas d'exprimer une misogynie souvent rude. Selon les ragots, la mère d'Albert avait détesté Mileva, obligeant le couple à un long épisode de clandestinité. C'était un point commun entre nous ; le seul. La première Mme Einstein était une scientifique. Le mariage avait périclité peu avant la Première Guerre mondiale, s'achevant par un divorce. Mileva était restée en Suisse où elle élevait leurs deux fils. Eduard, le cadet, atteint de schizophrénie, avait besoin de lourds soins psychiatriques. On parlait aussi d'un premier enfant, une fille disparue dans le chaos de l'Histoire. La vie d'Albert était, comme celle du commun des mortels, pavée de drames, de secrets plus ou moins honteux et de désillusions.

— Ne pourrions-nous pas couper par les villas ? Pourquoi allongez-vous le chemin en remontant tout Mercer ?

— Ma bonne Adèle, si je change mes petites habitudes, je suis tout à fait sûr de m'égarer ! Je n'ai aucun sens de l'orientation. En mer, je me perds tout le temps ! Si vous saviez le nombre de fois où j'ai dû attendre de me faire remorquer.

— Cela ne va pas nous convaincre de vous accompagner de nouveau en bateau.

— Vous trouverez toujours un admirateur pour vous aider, Herr Einstein.

— J'ai entendu une drôle d'histoire. Un automobiliste serait rentré contre un arbre parce qu'il était trop occupé à vous regarder ?

— Seules deux choses sont infinies, Adèle. L'univers et la stupidité de l'homme. Et encore, je ne suis pas certain de l'infinité de l'univers !

Mon cher mari ne déchaînait pas tant d'enthousiasme auprès des foules ; il refroidissait même avec constance les ardeurs de ses rares admirateurs, tout en regrettant parfois d'être ostracisé. Pour Einstein, la célébrité était une calamité : les touristes venaient visiter sa rue comme un zoo. Noyé sous les sollicitations, il trouvait à peine le temps de travailler. Il en concluait, non sans coquetterie, que la gloire le rendrait stupide. Un phénomène très courant à ses yeux.

— Les gens vous aiment, Herr Einstein.

— Je me demande bien pourquoi ! L'autre jour, j'ai reçu une lettre d'une fillette. Elle voulait savoir si j'existais pour de vrai ou si j'étais comme le Père Noël ! Ils sont à deux doigts de m'empailler pour m'exposer à côté de Mickey Mouse.

— Vous êtes le sage aux cheveux blancs dans un monde fou.

— Vous vous trompez, mon ami. Je représente le rêve de la science à la portée de tous. La relativité dans une jolie boîte en carton enrubannée. Ma première bombe atomique en kit.

— Vous avez un humour si noir.

— De l'humour juif, cher Gödel. Seule la dérision

peut lutter contre l'absurdité. Tiens, à propos d'horreur, j'en ai une bien bonne. Trois scientifiques ont été irradiés dans leur laboratoire nucléaire. Ils sont condamnés. On leur propose d'accomplir leurs dernières volontés. Le Français demande à dîner avec Jean Harlow. L'Anglais souhaite rencontrer la reine. Le Juif… à consulter un autre médecin.

Nous rîmes par politesse ; Albert avait le chic pour les blagues à l'emporte-pièce.

— Ce cynisme ne vous va pas, Herr Einstein. Je préfère vous considérer comme une incarnation de la sagesse.

— J'ai peur que la postérité me voie plutôt comme le fils de pute[21] qui a inventé la bombe. Veuillez m'excuser, Adèle.

— Ne vous inquiétez pas pour ça. Je pourrais faire rougir un chauffeur de taxi new-yorkais.

Le vieil homme se tripota le lobe de l'oreille. À ma grande surprise, mon mari lui tapota l'épaule, dans un élan d'affection.

— Personne ne vous charge d'une telle responsabilité, professeur. Vous n'êtes pas responsable à vous seul d'Hiroshima.

— J'en doute. J'ai écrit cette équation, $E = mc^2$, sans penser que trente ans plus tard… boum ! elle contribuerait à faire des milliers de morts dans une guerre déjà gagnée. Le progrès technique est comme une hache qu'on aurait mise entre les mains d'un psychopathe.

— Personne ne blâme Newton d'avoir défini la gravité. Elle régit pourtant la trajectoire de la hache.

— Ne vous vexez pas, Gödel, mais parfois je me demande si nous vivons dans le même monde. Vous me prenez pour une sorte de Geppetto ?

— Je ne suis pas si naïf, cependant je l'avoue, j'apprécie beaucoup les dessins animés.

— Vous êtes un paradoxe ambulant, mon ami. Comment pouvez-vous passer de Leibniz à Walt Disney sans frémir ?

— Je n'y distingue aucune contradiction. L'un me repose de l'autre.

— Nous avons vu au moins cinq fois *Blanche-Neige*.

— Alors quel nain est votre époux ? Timide ? Prof ?

— Grincheux, sans aucun doute !

— Vous êtes Blanche-Neige, Adèle ?

— Je suis trop vieille pour le rôle.

Mon mari me lança un coup d'œil furibard. Je n'avais pas le droit d'ironiser sur notre intimité, même si Albert n'avait jamais été dupe de la vulnérabilité de son ami. Dans notre conte, c'était moi qui avais réveillé Kurt d'un long sommeil. Je l'avais sauvé de bien des dragons personnels et de quelques sorcières familiales.

— Vous pouvez vous moquer ! Pour moi, seules les fables représentent le monde comme il doit l'être en lui donnant du sens.

— Mon cher Gödel, ce qui est incompréhensible, c'est que le monde soit compréhensible.

Einstein baissa la tête pour ignorer poliment deux passants hésitant à l'aborder.

— J'ai encore mis des chaussettes dépareillées. Margot va me faire des histoires. Voilà un autre grand mystère. Où disparaissent donc ces satanées chaussettes ?

— Kurt n'a jamais pu résoudre cette énigme !

— Dans une singularité de l'espace-temps, sans doute, avec nos espoirs et notre jeunesse.

— Vous êtes en forme, Gödel ! De l'humour ? De la poésie ? Qu'avez-vous pris au petit déjeuner ?

— Peut-être faudrait-il retourner la question. Pourquoi l'autre chaussette ne disparaît-elle pas ?

— Diantre ! Vous avez bien raison, Adèle. Un problème sans solution est un problème mal posé. Le choix de la chaussette exilée est-il soumis à un déterminisme ? Je vais écrire de ce pas à Pauli. Une nouvelle extension de la théorie quantique. C'est bien le diable s'il ne me trouve pas une petite matrice de derrière les fagots. Qu'en pensez-vous, Gödel ? Voici un sujet excitant pour votre article. La lessiveuse relativiste !

— J'ai déjà un sujet pour cet article.

— De quoi s'agit-il, Kurt ? Tu ne m'en as pas parlé.

— L'éditeur Paul Arthur Schilpp m'a invité à participer à une parution sur le professeur Einstein, un hommage pour ses soixante-dix ans.

— Tu auras de quoi t'occuper pendant mon absence.

Albert, distrait, en était resté à ses pieds.

— J'avais résolu la question en ne portant plus de chaussettes, mais Maja s'inquiétait de me voir prendre froid. Je transpire tellement que je pourrais les tordre et remplir des flacons le soir. « Véritable sueur de génie. »

— Comment va votre sœur ?

— Maja est toujours alitée. Elle ne se remet pas très bien de son attaque. La voir décliner ainsi me brise le cœur. Et me place, plus égoïstement, en face de ma propre mortalité. Passez donc lui rendre visite sur le chemin du retour, Adèle. Elle manque de compagnie.

Il dut s'interrompre pour saluer des connaissances dont le nombre s'accroissait à mesure que nous approchions de l'université qui fêtait son bicentenaire.

La quiétude habituelle des lieux était bousculée par les multiples célébrations et l'arrivée des visiteurs. En cet automne 1946, nous étions installés à Princeton depuis plus de cinq ans ; une éternité dans cette enclave hors du temps. Je m'étais habituée, sans pour autant l'aimer, à cette vie provinciale étriquée en comparaison de ma tourbillonnante Vienne d'avant guerre. Princeton formait un grand village insulaire centré sur son université. Entourée de forêts et de lacs, ponctuée de pelouses impeccables, elle se donnait un air européen avec ses constructions néogothiques. Dans ce cocon désuet, l'Institut de recherche avancée avait rassemblé un cheptel inouï de génies persécutés par la guerre. L'exode des élites juive, socialiste, bohème, pacifiste, ou des quatre combinées, lui avait fourni une mine de nouvelles recrues. Mon mari en était, bien qu'il ne puisse se prévaloir d'aucune de ces étiquettes ; il n'était qu'un scientifique en position inconfortable. D'autres avaient joué leur vie. L'IAS, dont le bâtiment se trouvait désormais en dehors de l'université, était un État dans l'État : une sorte d'Olympe scientifique, si les dieux avaient pu devenir obsolètes. Vu par l'œil des épouses, Princeton n'était ni plus ni moins qu'une ville de garnison. Elles reproduisaient d'ailleurs tacitement la hiérarchie établie selon le prestige de leurs maris : les von Neumann ou les Oppenheimer habitaient d'imposantes résidences. Le demi-dieu Einstein, fidèle à son anticonformisme, avait choisi une modeste maison. Kurt était un cas à part, une étrangeté : un général à la solde de troufion, puisque nous nous contentions d'un appartement minable. Tout ce joli monde se rendait visite en famille, pour des dîners ou des soirées musicales.

L'intelligentsia *Mitteleuropa* tentait de recréer une vie culturelle fertile loin de l'Europe dévastée. Je n'avais pas ce genre de nostalgie.

Le professeur Einstein réussit, non sans mal, à s'extraire du groupe de curieux.

— Vivement la fin de ces festivités ! Princeton est surpeuplée. Impossible de faire une petite promenade tranquille. Je deviens une vraie reine de beauté. Mon carnet de bal est rempli de remises de médailles. Sans parler des conférences !

— Je n'assiste jamais aux conférences. Je peine à les suivre, même si j'en connais bien le sujet.

— Profitez de votre liberté, Gödel ! Je ne peux plus me cacher au fond de la salle près des radiateurs pour faire une sieste. Ils s'attendent tous à m'entendre lâcher quelque chose d'intelligent.

— Avez-vous dormi pendant la mienne ?

— Mais non, mon ami. Quoiqu'elle fût assez… aride. Je me suis accroché aux branches, croyez-moi !

— Kurt est de loin le meilleur !

Je pérorai par automatisme ; je n'avais rien saisi de son intervention. J'étais loin d'être la seule.

— Personne n'en doute, chère madame.

— Je ne suis pas dupe. Ma conférence fut un échec.

— Vous vous flagellez pour rien, Gödel. L'accueil en fut tout au plus réservé. Vous n'êtes pas facile d'accès ! Les grands esprits ont toujours rencontré une opposition farouche de la part des esprits médiocres.

— L'assistance était prévenue contre moi. Les services secrets ont infiltré toute l'université. Nous sommes dorénavant soumis au joug des militaires.

— Gödel, en quoi vos problèmes mathématiques pourraient-ils intéresser le gouvernement ? Soyez raisonnable ! Si vous sortiez de Los Alamos, je comprendrais vos angoisses.

— Vous n'imaginez pas à quel point je suis surveillé. Il se passe des choses étranges. La mort de Roosevelt est particulièrement suspecte.

Albert accéléra le pas. Nous tournâmes dans Maxwell Lane. Passé le bosquet, nous vîmes les constructions de l'IAS se profiler au loin. L'édifice de briques rouges trônait au bout d'une immense pelouse. J'avais assisté à des réceptions dansantes dans ce bâtiment, jamais à leur cérémonie privée quotidienne ; toutes les épouses savaient où trouver leurs scientifiques de maris quand l'horloge du désuet campanile de l'Institut sonnait 16 heures : ils buvaient le thé.

Je laissai les deux hommes au pied de l'escalier. Leurs bureaux étaient au deuxième étage.

— À tout à l'heure ! Travaille bien !

S'il n'y avait eu son illustre ami, j'aurais embrassé mon petit écolier sur la joue et lui aurais mis une bonne petite tape sur les fesses, par principe.

31.

Le radio-réveil braillait *Breakfast in America*. Anna avait oublié d'arrêter l'alarme. Pour une fois qu'elle parvenait à dormir ! En nage, elle roula du côté sec du drap afin d'éteindre la radio. Elle avait, à fleur de mémoire, le souvenir d'un rêve désagréable. Elle s'assit au bord du lit. Sa tête explosa ; la douleur en effaça les dernières bribes. La veille au soir, elle avait encore ressassé les risques d'une escapade avec Adèle. La bouteille de vin blanc n'y avait pas survécu.

Depuis l'enfance, Anna avait la capacité d'envisager toutes les ramifications d'une situation, y compris les impasses. Ce n'était pas le signe d'un caractère pessimiste : les mauvaises options font partie du Tout, mais ce talent se révélait incompatible avec l'inconscience nécessaire à une vie légère. Elle n'avait su trouver de profession où monnayer cette disposition analytique. Vivre dans les vieux papiers la délivrait au moins de ce fardeau : le fastidieux étiquetage des possibles.

Elle s'était montrée bien inconséquente en lançant cette idée : demain, bravant l'interdiction des médecins, elle accompagnerait la vieille dame au cinéma. Elle avait repéré une salle de Doylestown proche de la maison de retraite. Le County Theater repassait *La Mélodie du bonheur* en séance digestive. Le film durait près de trois heures, avec dix minutes de trajet, vingt en comptant les impondérables, Adèle serait de retour à temps pour le dîner de Pine Run.

La principale difficulté serait de sortir en toute discrétion du bâtiment. À l'heure de la sieste, elle emmènerait sa comparse en longue balade dans le parc. Elle garerait sa voiture à l'arrière du domaine, près d'une petite porte de sortie enfouie sous le lierre. Elle avait chargé Gladys d'éloigner le personnel de la chambre. Barbie senior s'était montrée ravie de participer à leur petit complot. Restait à régler la fastidieuse installation dans le véhicule puis dans le fauteuil de cinéma. Adèle avait résolu le problème en démontrant à Anna son aisance toute relative sur trois jambes ; Gladys avait fourni une canne chipée à sa voisine comateuse. Mis dans la confidence, Jack, le pianiste, les aiderait à gagner le véhicule à l'aller comme au retour. Mais comment pourrait-elle expliquer sa folle initiative à la police, aux médecins et même à son propre directeur si Mme Gödel lui claquait entre les doigts ? On l'accuserait d'avoir accéléré sa mort.

Anna attrapa un livre sur son chevet. Les lignes dansèrent devant ses yeux. Ce matin, le charme d'*Avec vue sur l'Arno* ne fonctionnait pas. Son esprit indocile vagabondait vers l'Arno, Florence, et surtout vers Gianni.

Après sa rupture brutale avec William, elle avait bourlingué en France, en Allemagne et en Italie. Elle s'était surprise à apprécier cette vie de touriste sans chaperon ni billet de retour. Seule concession au passé, elle écrivait régulièrement à Ernestine, ne manquant jamais de préciser à l'ancienne nounou de Leo chaque nouvelle adresse. Mais Leo n'avait jamais écrit. À Florence, elle s'était offert à prix d'or une ancienne édition d'un Baedeker, guide touristique suranné dont ne se séparaient jamais les héroïnes de Forster qu'elle aimait tant. La couverture fatiguée rouge et or, les pages jaunies lui donnaient la sensation de voyager dans le temps plus encore que dans l'espace. Pour une fois, elle avait l'impression de ne pas faire ce que l'on attendait d'elle.

Un jour où elle avait renoncé à entrer dans la Galerie des Offices à cause de l'interminable file d'attente, un homme, amusé par son irritation, l'avait abordée pour lui proposer son coupe-file. L'Italie seyait à Anna et elle le savait. Elle avait suivi l'inconnu, alléchée par sa proposition d'accéder aux réserves interdites au public. Ils ne s'étaient plus quittés. Gianni était le fils d'une très ancienne famille de Florence. Expert en peinture du Quattrocento, il connaissait sa ville dans ses moindres recoins. Avec lui, chaque promenade était une surprise, chaque repas une fête, et le sexe joyeux. Quand elle arriva au bout de ses économies, il suggéra de l'héberger et de subvenir à ses besoins. La transition se fit naturellement : il n'était ni pressant ni intrusif. Dépourvu de cynisme, entouré d'amis et peu porté sur l'introspection, Gianni était un jouisseur tranquille ; avec lui, la vie paraissait simple sans être fade. Pour ne pas se sentir totalement entretenue, elle avait signé quelques traductions puis elle avait enterré sa culpabilité, engourdie par cette existence confortable, rythmée par les discussions érudites et les week-ends à la mer.

Avec lui, elle était presque parvenue à oublier la jeune femme qu'elle avait fuie : intelligente sans être futée ; ni plus moche ni plus jolie que les autres. Une vie sans drames véritables. Sans grandes joies non plus. Elle ne s'était jamais satisfaite de cette bassine d'eau tiède.

Aujourd'hui, elle devait admettre qu'elle s'était fourvoyée dans cette rébellion à la petite semaine. Elle n'avait rien accompli, rien résolu. Touriste de sa propre existence. Il lui avait seulement été plus facile de tout brûler derrière elle plutôt que d'avoir à accepter sa médiocrité. Elle provoquait peut-être impunément le destin à force d'en mendier un. Un jour, un immense malheur lui ferait regretter ce doux ennui gaussien.

32.

1946

Digressions ambulatoires
Retour

« En physique, nous essayons d'expliquer en termes simples des choses que personne ne connaissait avant nous. La poésie, n'est-ce pas exactement l'inverse ? »

Paul Dirac

Le calme bâtiment de l'IAS s'anima soudain d'une vibration mécanique : chaises raclant le sol bruyamment, portes ouvertes à la volée et piaffements dans les couloirs. Ces messieurs de la science lâchaient craies ou téléphones avant de courir déjeuner, comme tous les êtres humains à la même heure. J'avais perdu ma matinée avec le personnel du secrétariat, mais je n'étais pas assez à mon aise en anglais pour me sortir des méandres administratifs sans leur aide. Une fois ces chicaneries surmontées, je devrais trouver un billet dans mes moyens pour l'Allemagne ou la France, puis un train pour Vienne dans une Europe dont les journaux vendaient chaque jour une vision apocalyptique. Partir était d'une simplicité relative, encore fallait-il pouvoir revenir : nos passeports étaient toujours allemands.

Je savais mon mari très hostile à mes visites à l'Institut. J'attendis son invite formelle avant d'entrer dans son bureau. Il était debout devant son tableau noir, concentré, sourd à l'appel du ventre.

— Tu n'es pas avec Herr Einstein ? Nous déjeunerons donc ensemble.

Il sursauta. Il était si prévisible : j'espérais ainsi le voir détaler vers un repas avec Herr Einstein ; en sa présence, il n'oserait refuser de manger.

— Ou je fais la route avec vous deux ?

— C'est inopportun, Adèle. Il pensera que je suis incapable d'agir par moi-même.

— Il t'apprécie trop pour avoir ce genre de pensées. Prends ta veste. Tu es en retard.

Nous rejoignîmes Albert qui fumait sa pipe sur les marches du Fuld Hall en feuilletant un journal.

— Je m'interrogeais sur la probabilité de vous voir apparaître, mon ami. Heureusement, votre petite femme ne vous lâche pas.

— Je m'assure qu'il ne s'échappera pas !

Un homme maigre sortit du hall, soucieux de ne pas se faire remarquer. Il partageait avec Albert une aversion flagrante pour toute coquetterie capillaire.

— Vous ne dites pas bonjour, Dirac[22] ?

Voûtant un peu plus les épaules, l'homme vint serrer la main du physicien. Il nous salua d'un léger mouvement de tête et s'enfuit aussitôt. Einstein le regarda s'éloigner en tirant sur sa pipe.

— Ce cher Paul est d'une timidité maladive.

Schrödinger a dû le ligoter pour l'obliger à aller recevoir leur prix Nobel.

— Les écrits de Dirac sont un vrai plaisir esthétique. Personne n'a, à ce point, le sens de l'élégance mathématique.

— Gödel ! Vous n'envisagez tout de même pas de vous mettre à la physique quantique !

— Si j'en avais le temps, je m'y pencherais pour le simple bonheur de pouvoir vous contredire, Herr Einstein.

— Nous sommes tous deux trop allergiques au chaos pour nous y frotter.

— Il y a une logique sous-jacente à tout, même au chaos.

— On peut prouver n'importe quoi avec les mathématiques ! Le plus important est le contenu, pas les mathématiques.

— Vous me prenez pour un charlatan ?

— Grands dieux ! Non ! Ne soyez pas si paranoïaque !

Je frémis en l'entendant prononcer ce mot. Kurt ne releva pas ; il était occupé à boutonner son pardessus.

— Nous devrions nous dépêcher, messieurs. Vous allez être en retard à votre rendez-vous.

À mi-chemin de la longue pelouse, Kurt, réconcilié avec ses boutonnières, reprit la conversation là où il l'avait laissée.

— Un théorème mathématique est indubitable. Jamais une théorie physique n'accédera au même degré d'absolu. Malgré tout mon respect, Herr Einstein, tous vos principes sont considérés comme hautement probables compte tenu des preuves disponibles.

Un bruit incongru s'échappa du ventre du physicien.

— Mon estomac proteste. J'ai trop faim pour vous

écouter disserter une fois de plus sur la suprématie des mathématiques. Le docteur Gödel a émis son diagnostic. Je souffre d'incomplétude aiguë ! Un seul remède… me remplir la panse !

— Ne plaisantez pas avec mon théorème. Ces absurdités ne sont pas dignes de vous.

Albert frappa d'un revers de main son journal.

— Simplification, amalgame, anecdotes, manipulation. Voilà le début de la gloire, mon ami ! À moi aussi, on me prête tous les jours des bêtises que je n'aurais jamais osées, même un soir de beuverie.

Je poussai Kurt du coude. Albert tapota le fourneau de sa pipe à sa semelle.

— La gloire scientifique vous vaut d'être reconnu pour ce que personne ne comprend, mais que tout le monde s'approprie sans frémir. Hier, tout était magnétique, aujourd'hui tout est atomique. Les enfants ânonnent « $E = mc^2$ » avant de savoir faire une multiplication. Même les milk-shakes du drugstore sont atomiques ! Et demain, tout sera quantique ! On parlera d'antimatière entre la poire et le fromage en échangeant les derniers potins d'Hollywood.

Je me permis d'attraper la serviette d'Albert qui peinait à rallumer sa pipe d'une main encombrée par son journal.

— Les gens ont le droit d'essayer de comprendre.

— Bien sûr, ma petite Adèle. Mais les profanes se frottent à la science comme les Hébreux au veau d'or. Le mystère de la complexité remplace peu à peu celui du divin. Nous sommes les nouveaux prêtres. Nous officions avec nos blouses blanches et nos accents suspects ! Votre tour viendra, mon ami. Un jour ou l'autre, vous deviendrez un mythe.

— J'aimerais bien voir mon mari signer des autographes !

— Gödel, l'homme qui a démontré les limites de la science ! Le tombeur de l'idéal scientifique !

— Je n'ai jamais affirmé une telle ânerie ! Je parlais des limites internes de l'axiomatique.

— Peu importent les détails. Vous êtes du pain béni pour tous les pédants. Ils jetteront dans le même sac le *principe d'incertitude* avec le *théorème d'incomplétude* pour en déduire que la science ne peut pas tout. Quelle aubaine ! Sitôt transformés en idoles, nous serons abattus.

— Un bon prétexte pour ne rien partager et rester entre vous, messieurs les Élus. Je vous croyais plus démocratique, Herr Einstein.

— Vous avez raison, Adèle, personne ne doit être divinisé. Cependant, je m'inquiète de la confusion dans l'esprit du grand public. La terminologie scientifique mal digérée est un nouveau latin de messe. N'importe quelle élucubration formulée en langage pseudo-savant apparaît comme une vérité. Il est si facile de manipuler les foules en les nourrissant de fausses évidences.

Il froissa son journal avec rage.

— Les temps s'obscurcissent déjà. Ce Truman n'arrive pas à la cheville de Roosevelt.

— Je ne vois pas comment mes théorèmes pourraient devenir populaires. Ils procèdent d'un langage logique trop ardu pour les profanes.

— La recette est pourtant simple. Un soupçon de raccourcis. Un brin de mauvaise foi. L'univers recèle-t-il des propositions indécidables ? Oui ! En conséquence, l'univers ne peut se penser lui-même. Donc Dieu existe.

— Kurt Gödel peut-il se penser lui-même ? Non ! Sa femme doit lui rappeler l'heure du déjeuner. En conséquence, Kurt Gödel n'est pas Dieu.

Mon mari se boucha les oreilles.

— Je ne vous écoute plus ! Vous dites vraiment n'importe quoi !

Au croisement de Maxwell Lane, une Ford bleu ciel flambant neuve ralentit à notre hauteur. Sa conductrice, une femme d'une quarantaine d'années au visage doux, salua Herr Einstein et proposa de le déposer.

— Je préfère marcher, ma petite Lili. Vous le savez bien. Laissez-moi vous présenter Adèle et Kurt Gödel.

Elle nous adressa un grand sourire amical.

— Alice Kahler-Lœwy, Lili pour les intimes. Madame Gödel, vous êtes viennoise, vous aussi, n'est-ce pas ? Ce serait un plaisir de vous avoir à dîner. Je vais en toucher deux mots à Erich. À très bientôt !

Elle repartit en faisant crisser ses pneus. J'étais conquise par son charme dépourvu d'affectation. Albert regarda s'éloigner la voiture à regret.

— Lili est une très bonne amie de Margot et l'épouse d'Erich von Kahler. Vous le connaissez, Gödel ?

— Il est philosophe et historien. Je l'ai croisé à l'Institut.

— Vous vous entendriez très bien avec elle, Adèle, j'en suis sûr. Nos deux familles se fréquentent depuis des lustres. Leur maison d'Evelyn Place est une oasis intellectuelle étonnante, même pour Princeton. Ils sont très proches d'Hermann Broch[23].

— Von Kahler ? Ce sont des gens de la haute. Je ne suis pas à mon aise dans ce genre de milieu.

— Il est vrai que je ne vous vois jamais aux raouts

germanophiles. C'est pourtant un des rares plaisirs de Princeton. Thomas Mann a donné une très belle lecture la semaine dernière. Mais ma petite Lili, elle, n'est pas snob pour un sou. Elle apprécie beaucoup mon humour, c'est dire !

Je préférai ne pas faire part de mon scepticisme à Herr Einstein. Son aura lui permettait de négliger les barrières sociales, mais pour moi, c'était une autre affaire. L'argent n'était pas le seul obstacle : celui de la culture me demeurait infranchissable. Comme je l'appris plus tard, Lili était la fille d'un grand collectionneur d'art autrichien. Les nazis l'avaient saigné à blanc pour laisser partir sa famille, mais il n'avait pu émigrer à temps. Erich lui-même avait échappé de peu à la Gestapo. Il avait perdu sa maison, sa fortune et sa citoyenneté allemande. Ses livres étaient sur la liste noire de Hitler, comme ceux d'Albert et de son cher ami Zweig[24], qui ne l'avait pas supporté.

Même si je lisais assez peu, j'avais entendu parler de Thomas Mann et de sa *Montagne magique*. Pourquoi me serais-je infligé mille pages d'un roman situé dans un sanatorium ? J'avais déjà donné en la matière. Je ne pouvais pas compter sur Kurt pour me pousser vers le haut : il avait des goûts artistiques aussi peu élaborés que les miens. Il n'aimait pas Goethe et trouvait Shakespeare difficile à pénétrer. Il appréciait la musique légère et les livres courts. Wagner le rendait nerveux ; Bach l'angoissait ; à Mozart, il préférait les chansons populaires. Il choisissait ses divertissements comme sa nourriture : sans saveur. Personne ne pouvait le soupçonner de paresse intellectuelle, mais à ceux qui, comme Einstein, l'accusaient d'une sorte de snobisme à rebours, il répondait : « Pourquoi la bonne musique devrait-elle être dramatique ou la bonne littérature, bavarde ? » De l'avantage d'être un génie : mes goûts simples passaient, eux, pour un scandaleux manque d'éducation. Le peu d'enthousiasme de mon mari pour les mondanités me permettait, à défaut de me faire des amis, d'éviter les humiliations.

— Je n'ai jamais pu terminer *La Montagne magique*. Quel ennui ! J'aime ce qui est bref. Plus un ouvrage est long, moins il a de substance.

— Gödel, plus je vous connais, moins je vous comprends.

— Je suis d'une sensibilité extrême à toutes formes de stimuli. Mon énergie étant de quantité finie, je la réserve à mes travaux. En dehors, je m'abstiens de fatiguer mes sens. Je déteste les comédies, et les drames m'épuisent.

— Vous êtes comme un violon aux cordes trop tendues, mon vieux. Votre musique est belle, mais vous risquez à tout moment de casser une corde. Donnez-vous du mou !

— Vous m'apprécieriez moins si je vous ressemblais plus, Herr Einstein.

— Je vous le confirme. Nos promenades sont l'acmé de mes journées. Personne n'ose plus me contredire à part vous. C'est assommant.

Je vis mon homme se rengorger ; Albert savait s'y prendre avec lui. Il aimait à lui distiller rudes contradictions et subtiles flatteries pour apaiser son caractère inquiet, mais, en l'occurrence, il était sincère : la marche était un de leurs rares goûts communs. Pour les deux compères, il s'agissait d'une sorte de gymnastique philosophique. Un jour où je m'étais moquée de leurs petites balades digestives, mon mari m'avait infligé une longue leçon d'histoire. Son illustre prédécesseur Aristote avait fondé l'école péripatéticienne. Maîtres et disciples de l'Antiquité débattaient en déambulant, car rien ne vaut l'échange pour sauver un questionnement embourbé. En suivant cette méthode, Kurt espérait sortir des sentiers conditionnés de la pensée. Comme si je ne l'avais pas toujours encouragé à voir du monde ! Sans avoir fait toutes ces études, je connaissais cette vérité : on n'existe qu'à travers les autres. Mais je n'ai jamais compris comment il pouvait espérer se libérer des habitudes en empruntant le même sempiternel chemin. Je n'étais pas philosophe, sans doute.

— Kurt déteste avoir tort. Avec vous, il est à rude école.

— La contradiction, comme la digression, est un précieux stimulant. La réflexion se doit d'être en mouvement, instable, comme la vie. Si elle s'arrête, elle se sclérose puis meurt.

— Kurt est si casanier. Il ne laisse aucune place à la fantaisie.

— Il se promène en logicien, une rue après l'autre. Nietzsche gravissait des montagnes. Il cherchait à se mesurer aux extrêmes.

— Et sa philosophie est épuisante ! Kant accomplissait, lui, chaque matin une promenade autour de sa maison. Quoi qu'en dise ma femme, je préfère sa méthode. Je m'en tiens à Mercer Street.

Une Cadillac rutilante remontait vers nous à vive allure. Par réflexe, j'éloignai mes deux somnambules de la chaussée. Albert contempla le monstre chromé.

— Cet amour américain de l'automobile me fascine. Moi, je n'ai même pas mon permis !

— J'aime le sens pratique des Américains. Ici, tout est plus facile.

— C'est votre point de vue, Gödel. À mon sens, les États-Unis sont un pays passé de la barbarie à la décadence sans jamais avoir connu la civilisation. J'ai vécu en Californie où, sans voiture, croyez-moi, vous êtes cuit. Les distances sont énormes. Avec mes bonnes petites marches digestives, je faisais figure d'excentrique. La promenade méditative n'est pas américaine, elle est européenne. La philosophie disparaîtra-t-elle pour autant de ce continent ?

— L'Europe me manque tant !

— Vous avez la nostalgie d'un monde qui n'existe plus, Adèle. J'ai bien peur que vous ne soyez déçue par votre voyage.

Kurt me prit par le bras. J'y lus un avertissement plutôt qu'une marque de tendresse.

— Notre vie est ici désormais. Nous demanderons la citoyenneté américaine.

— Même si Vienne vous offre un poste à votre mesure ?

— La question ne se posera pas.

— Adèle, qu'en pensez-vous ?

— J'irai où il ira.

— Vous êtes la plus sage d'entre nous.

Je rendis sa serviette à Albert. Il ne se souvenait déjà plus de me l'avoir confiée.

— Dites ça aux fonctionnaires de l'émigration pour moi ! Je vous laisse, messieurs. J'ai à faire en ville. Je dois acheter un container de magnésie. Je passerai voir Maja cet après-midi.

Ils ne m'écoutaient plus ; la tête brune et la tête blanche étaient penchées dans une conversation stratosphérique où je n'avais pas ma place. J'avais déjà trop imposé ma présence. Pour mon homme, cette amitié était précieuse, voire salvatrice. Je ne devais pas m'y immiscer davantage. Je repris ma route, j'avais de quoi m'occuper, moi aussi. J'avais un voyage à préparer.

33.

À l'heure H du jour J, toque d'astrakan et joues fardées, Adèle attendait sa complice. Elle pria Anna de l'aider à enfiler un énorme manteau bleu canard qui les ferait repérer à cent mètres. La jeune femme n'eut pas le cœur de le lui refuser : ce vêtement appartenait sans doute à sa vie d'avant. Mme Gödel avait simulé un corps endormi en laissant son turban dépasser des couvertures. Moins par souci d'efficacité que par nostalgie de sa folle jeunesse. Gladys arpentait le couloir avec une mine de conspiratrice. Adèle la houspilla et elle se composa une posture naturelle encore moins convaincante.

Ponctuel au rendez-vous de la porte de lierre, Jack installa la vieille dame dans la voiture tandis qu'Anna cachait le fauteuil roulant derrière un buisson. Les quinze miles qui les séparaient du cinéma lui parurent interminables. Indifférente à sa tension, Adèle souriait sans cesse à sa conductrice, peu habituée à un tel enjouement. Dans la tête d'Anna bourgeonnaient les multiples ramifications néfastes de son plan hasardeux. La barre de feu logée dans ses reins n'avait rien à envier à celle qui martyrisait ses tempes. Tout ça pour endurer trois heures de Julie Andrews. Anna n'avait jamais aimé cette grande gigasse. Mary Poppins lui donnait encore des cauchemars.

Le County Theater, petit cinéma de quartier ravalé de frais, avait conservé sa longue enseigne lumineuse aux grandes capitales noires de guingois. Si ce n'était le fast-food aux lumières agressives accolé au bâtiment, Anna aurait pu se croire déplacée dans les années cinquante. Quand Adèle découvrit le titre du film dont la jeune femme avait voulu lui faire la surprise, elle ne cacha pas sa déception : elle avait vu *La Mélodie du bonheur* dès sa sortie en 65. « Les Américains sucraient notre histoire comme leur *coleslaw*. Ça me donnait le dégoût. »

Dès qu'elle eut installé Adèle dans l'étroit fauteuil, Anna reprit sa respiration normale. C'est alors que son esprit obnubilé par les détails de l'opération bloqua enfin sur le problème fondamental, le seul qu'elle n'ait pu identifier : cette comédie musicale avait pour toile de fond l'Anschluss. Mortifiée, elle se vengea sur l'énorme seau de pop-corn que Mme Gödel avait exigé à l'entrée. « Vous n'êtes pas trop fatiguée ? » Adèle lui fourra le paquet entre les cuisses. « J'ai horreur des gens qui parlent au cinéma ! » Anna refoula son agacement en inspectant la salle. Elle craignait d'y découvrir, comble de malchance, un membre du personnel de Pine Run en goguette. Elle se rassura ; les sièges étaient presque vides : un jeune couple en mal d'intimité et une rangée de pipelettes adolescentes.

Elle supporta en silence l'interminable générique : un plan aérien sur les montagnes tyroliennes, avec force verdure et cloches, jusqu'aux premiers trilles assourdissants d'une Julie Andrews en tablier, les cheveux coupés à la Jeanne d'Arc. Adèle pianotait joyeusement sur l'accoudoir. Anna se demanda combien de temps elle tiendrait cette fois. Elle n'avait jamais vu ce nanar en entier ; elle s'endormait toujours avant l'entracte. Elle se retourna ; les deux amoureux étaient grimpés l'un sur l'autre. Les collégiennes bavassaient en se foutant bien des sœurs en cornette autrichiennes. Elle replongea dans le pop-corn pour prendre son mal en patience. Elle connaissait l'histoire : Fräulein Maria, une aspirante au couvent un peu folasse, était placée comme gouvernante au service du capitaine von Trapp et de ses sept turbulents rejetons. Anna sourit en sentant une main sur la sienne. Adèle aurait sans doute été une bonne mère ; elle aurait mérité une ribambelle de petits mathématiciens. Pour sa part, à moins d'un caprice de la vie, elle avait planifié de ne pas avoir d'enfants. Et surtout pas une fille. Qu'aurait-elle pu lui apprendre ? Elle n'avait pas connu sa grand-mère maternelle, mais la légende lui suffisait : une grande bourgeoise de Stuttgart qui terrorisait toute sa maisonnée depuis le lit dont elle ne se levait jamais avant midi. Anna imaginait sa lignée comme un emboîtement de matriochkas ; de génération en génération, les femmes de sa famille se transmettaient leurs névroses. Au paléolithique, une Rachel hirsute devait déjà reprocher à son pouilleux mari l'indigence de sa chasse.

Le capitaine von Trapp, joué par Christopher Plummer, était assez séduisant malgré l'épaisse couche de fond de teint. Dans le genre vieux beau de celluloïd, elle lui préférait George Sanders et son petit air coquin. À l'écran, un pas de deux croquignolet lui rappela ses cours de danse ; par automatisme, elle redressa le dos. Elle n'était pas faite pour le tutu : Madame Françoise avait concédé qu'il était inutile de torturer une élève aussi raide, mais Rachel avait insisté. Elle lui avait infligé de longues années de pratique avant de céder, à l'usure, contre des leçons de natation. Sous l'eau, personne ne vous place un dictionnaire sur la tête.

Tout en galopant dans les rues d'un Salzbourg ripoliné, l'infatigable Fräulein Maria enseignait le solfège aux enfants : « *Do, ré, mi, fa, sol, la, si, do.* » Anna dut admettre que malgré la mièvrerie des paroles, la mélodie était entraînante. Pour tromper son ennui, elle s'attacha à la composition des plans ; elle s'étonna d'y trouver une certaine beauté plastique. Se ramollissait-elle donc à ce point ? Sa voisine chantonnait sans pudeur. Si la vieille dame était heureuse de ce choix, elle ne l'avouerait jamais. Anna subit sans protester plus d'une heure de bonheur technicolor jusqu'à ce que le capitaine roucoule un « Edelweiss, edelweiss » dont la niaiserie exemplaire lui arracha un ricanement. Adèle elle-même n'y tenait plus. « Ils n'ont pas lésiné sur la crème fouettée ! Et ces coiffures immondes ! On ne s'habillait pas comme ça à l'époque. »

La gouvernante et Herr von Trapp valsaient à l'écran ; trop de gélatine, trop d'edelweiss. Anna s'endormit.

Elle se réveilla en sursaut : la famille von Trapp traversait à pied les montagnes vers la Suisse ; elle avait encore raté l'Anschluss. Adèle l'observait en souriant. La résurgence de ce passé douloureux sous forme de guimauve ne semblait pas l'avoir perturbée le moins du monde. « Quoi de meilleur que de dormir au cinéma ? » Anna fit un effort surhumain pour revenir à la réalité ; la seconde partie de l'épreuve commençait : le retour au bercail d'Adèle.

La nuit les surprit à la sortie du County Theater. Anna regarda sa montre s'affoler. Elle espéra que Jack aurait les nerfs assez solides pour ne pas donner l'alerte en cas de retard. Mme Gödel avait tenu à déguster le film jusqu'à la dernière ligne du générique. Les adolescentes s'envolèrent en braillant, dissimulant dans leur rire la gêne d'avoir été touchées par cette mélodie surannée. Le couple partageait une cigarette ; Adèle leur en tapa une sous le regard paniqué de son chaperon. Elle savoura une longue bouffée.

— Je compte sur vous pour ne rien dire à mes parents.

Anna résista comme elle put à la tentation. La cigarette d'après cinéma était une de ses préférées. Mme Gödel contemplait en rêvassant l'affiche de *Shining*. La jeune femme se crispa : elle ne s'infligerait pas deux fois pareille expédition.

— C'est un film d'horreur, Adèle.

— Même les momies ont le droit d'avoir peur ! Et ce Kubrick, j'aurais pu le rencontrer si Kurt avait daigné lâcher deux secondes son tableau noir.

Anna en oublia sa montre.

— M. Kubrick préparait un scénario sur l'intelligence artificielle, ou le voyage dans le temps, je ne me souviens plus très bien des détails. Kurt ne répondait pas à ses lettres et l'autre, qui vivait à Londres, refusait de voyager ! Entre ces deux-là, c'était l'impossible rencontre.

— Kurt Gödel crédité au générique d'un film de science-fiction ! J'ai un ami qui adorerait cette histoire.

Il est obsédé par *2001, l'odyssée de l'espace*. Moi je n'ai jamais réussi à le voir en entier.

Adèle écrasa son mégot de la pointe de sa canne.

— Si j'ai bien compris, vous avez dû en rater pas mal, des génériques de fin. Et de quel ami parliez-vous ?

34.

5 décembre 1947

So help me God !

> « Je déclare, par le présent acte, renoncer et faire abjuration d'obéissance et de fidélité à toute puissance étrangère, prince, potentat, État ou souverain, desquels j'ai été le sujet ou le citoyen ; soutenir et défendre la Constitution et la loi des États-Unis d'Amérique contre tout ennemi, qu'il vienne de l'extérieur ou de l'intérieur [...] ; que Dieu me vienne en aide. »
>
> Extrait du serment d'allégeance prononcé par les postulants à la citoyenneté américaine

— Que font-ils ? Nous sommes en retard !

— Nous n'avons même pas une demi-heure de route jusqu'à Trenton. Tu étais bien moins inquiet avant la soutenance de ton doctorat, Kurtele.

— Ce jour est important. Nous ne devons pas faire mauvaise impression.

L'automobile jaune pâle de Morgenstern remonta la rue en klaxonnant à notre intention. Elle s'arrêta à notre hauteur et la tête hirsute d'Albert surgit à la portière.

— Comme vous êtes élégante, Adèle ! Vous faites honneur à votre nouveau pays.

Je fis un tour sur moi-même pour me faire admirer : manteau chenillé, gants de daim et bibi noir.

— Vous auriez pu mettre une cravate, Herr Einstein !

— Gödel, quoi qu'en pense ce cher Hoover, je suis un citoyen américain depuis 1940. J'ai gagné le droit de me promener dans n'importe quelle tenue. Je voulais partir en peignoir, mais Oskar a posé son veto.

Kurt en pâlit d'horreur rétrospective : avec son mépris des convenances, Albert en aurait été capable. Morgenstern nous invita à monter en voiture. Sa haute silhouette vêtue de tweed jurait avec le côté bohème de son illustre passager. Nous nous installâmes à l'arrière de la berline. Le voyage avait un petit air festif de raout d'étudiants. Seul Kurt était tendu. Il avait demandé à ses deux amis les plus proches d'être témoins de probité à la cérémonie. Six ans après notre arrivée épique aux États-Unis, nous postulions à la citoyenneté. Bon élève dans l'âme, mon mari révisait cet examen depuis des mois. Oskar avait eu beau lui expliquer l'inutilité d'un tel effort, il avait étudié avec ardeur l'histoire des États-Unis, l'intégralité de la Constitution et la vie politique locale dans ses moindres détails. Il me soumettait à des quiz tous les soirs au dîner, doutant moins de ma capacité à réussir que de mon enthousiasme en la matière. J'avais même dû apprendre le nom des tribus indiennes. Grâce à son sens pathologique de la perfection, il était incollable.

— Alors, Gödel, vous êtes-vous correctement préparé ?

Einstein savoura l'angoisse de son cadet. Après toutes ces années, il se régalait toujours autant de jouer avec ses nerfs. Oskar, habitué à réparer les dégâts, était soucieux de garder son camarade dans de bonnes conditions.

— Vous connaissez son sérieux, professeur. Gödel pourrait en remontrer à un docteur en lois constitutionnelles. Ce qui n'est pas le but de cet entretien. Cet examen est une formalité, non une conférence. Nous sommes bien d'accord, mon ami ?

— Je répondrai aux questions qui me seront posées.

— Voilà, seulement aux questions.

— Et si on me pose la question, Herr Einstein, je dirai la vérité. J'ai trouvé une faille dans la Constitution !

Je souris en voyant se tendre la nuque des deux hommes.

— Non, non et non, Gödel !

— Cela me paraît pertinent ! La Constitution américaine a des limitations de procédure, mais pas de fond. En conséquence, elles pourraient être utilisées pour renverser la Constitution elle-même.

Exaspéré, Albert se tourna vers la banquette arrière et postillonna au visage buté de mon mari.

— Par la barbe de ma défunte mère ! Personne ici ne met en doute la clarté de votre esprit logique, Gödel. Reconnaissez, grands dieux, qu'en critiquant la Constitution américaine devant un juge américain, celui-ci sera moins enclin à vous autoriser à devenir américain !

— Ne vous énervez pas, Herr Einstein. Pensez à votre cœur.

Albert tapota son exaspération sur l'acajou du tableau de bord ; il se retenait de fumer en présence de son sensible ami. Kurt était un élève exécrable en cette logique commune : le bon sens. De plus, il détestait avoir tort, quel que soit le sujet. J'en avais pris mon parti : pour être un membre irréprochable dans une communauté de moutons, il faut soi-même être un mouton. Du moins pendant quelques minutes. Il refusait, lui, de se soumettre sans ergoter à cet exercice humiliant où il devait subordonner son intelligence à la loi, même s'il était bien incapable de mobiliser ses facultés au service du bien collectif. Au contraire d'Albert, sa rébellion restait théorique.

— Vous avez peut-être raison. Pour la forme.

— Soyez diplomate ! C'est tout ce qu'on vous demande. Et par pitié, fermez cette fenêtre.

— Cet examen est tout à fait simple, Gödel. On va vous interroger sur les couleurs du drapeau américain ou d'autres détails de ce type.

— Posez-lui des colles, messieurs ! Mon mari adore jouer aux jeux où il est sûr de gagner.

Kurt remonta sa vitre avant de se tasser au fond de la banquette.

— J'attends.

— Quel jour fête-t-on l'Indépendance ?

— Plus difficile. Je ne suis pas au jardin d'enfants.

— Moi, je sais ! Le 4 juillet. On célèbre la libération du joug de l'Angleterre.

— Un point pour Adèle. Qui fut le premier président des États-Unis ?

Kurt débita la liste dans l'ordre chronologique, de George Washington à Harry Truman. Il était capable de donner dates et durée de leurs mandats respectifs. Einstein lui coupa la parole avant qu'il ne se lance dans des biographies détaillées.

— Qui sera notre prochain président ?

Mon mari pensa avoir raté une information. Je répondis, heureuse de pouvoir détendre l'atmosphère.

— John Wayne !

— Un acteur à la présidence ? Quelle idée, Adèle !

— Avez-vous vu *Les Sacrifiés* ? J'ai adoré ce film.

— Restons sérieux. Vous feriez mieux d'interroger ma femme sur l'organisation du gouvernement. Elle a des lacunes en législatif. À ce propos…

— Ça ira, Gödel. Quels sont les treize États originels, Adèle ?

Je débitai ma leçon, mais j'eus une infime hésitation. Kurt, triomphant, s'empressa de souligner la fragilité de mes connaissances. Je ne gardais pas plus de quelques semaines ce genre de données en mémoire ; je n'aimais pas m'encombrer d'inutile. Kurt pratiquait, lui, l'ingurgitation depuis les langes. Albert vint à mon secours.

— Adèle, pourquoi les pèlerins fuyaient-ils l'Europe ?

— À cause des taxes ?

— C'est fort possible. Moi, j'aurais détalé devant la cuisine anglaise.

— Pour pouvoir pratiquer leur religion en toute liberté. Vous ne respectez vraiment rien !

— Ne soyez pas si puritain, mon ami. Vous n'êtes pas encore citoyen américain.

Albert interrogea Kurt sur les fondements de la Déclaration d'indépendance. Une formalité : il avait appris le texte par cœur et m'en avait expliqué toute la beauté. À mon tour, je fus questionnée sur les droits fondamentaux garantis par la Constitution. Liberté d'expression, liberté de religion, liberté de rassemblement pacifique : des valeurs que les années noires de Vienne nous avaient fait oublier. Je n'en avais pourtant fait aucun usage depuis notre arrivée, pas même du droit le plus exotique : celui de posséder une arme.

— Combien de fois un sénateur peut-il être réélu ?

— Jusqu'à momification ?

— Absolument. Mais prenez garde à reformuler, Adèle.

— Une dernière pour la route. Où se trouve la Maison Blanche ?

— 1600 Pennsylvania Avenue. Washington DC.

— Vous êtes une calamité ambulante, Gödel. Mon prochain cadeau sera une muselière !

— Je n'en sais pas autant.

— Ne vous inquiétez pas. Ce soir, vous serez américaine.

Américaine. Qui aurait dit qu'un jour je renoncerais à ma nationalité, à ma langue, à mes souvenirs pour supplier les autorités d'appartenir à un autre pays ? Je regardais défiler les rues proprettes de Princeton en pensant à celles que je venais de parcourir pendant sept mois dans une Europe moribonde.

J'avais galopé dans tous les sens pour visiter ma famille et rassurer celle de Kurt ; leur apportant de l'aide dans la mesure de nos moyens. J'avais frappé à la porte des parents de Lieesa. Son père ne m'avait pas reconnue. Il avait affirmé n'avoir jamais eu de fille, mais, contre quelques dollars, la mémoire lui était revenue. Lieesa avait fui Vienne dans le sillage des troupes nazies ; elle s'était mise à la colle avec un officier allemand. Sa putain de fille avait dû finir dans un fossé, les fesses à l'air, comme elle avait passé la majeure partie de sa vie. Sans illusions, j'avais pris un taxi jusqu'à Purkersdorf : le sanatorium n'avait pas été détruit ; la guerre lui fournissait son nouveau quota d'égarés. Le personnel survivant n'avait aucune nouvelle d'Anna depuis qu'elle avait rejoint son fils à la campagne, et personne n'avait son adresse. Je m'étais adressée à la Croix-Rouge et aux services américains, en vain : le chaos administratif était abominable. Qui s'intéressait au sort d'une petite danseuse et d'une infirmière rousse quand des milliers de personnes pleuraient leurs disparus ? J'avais allumé deux bougies pour elles à la Peterskirche. En face, le *Nachtfalter* n'avait pas fermé : il accueillait désormais les GI en mal de distractions. D'autres danseuses allaient tenter leur chance. Lieesa avait choisi le mauvais cheval. Anna n'avait jamais eu de quoi miser.

En charge de la vente de notre appartement viennois, je devais aussi réclamer des indemnités pour la villa de Brno réquisitionnée pendant la guerre : un nouveau casse-tête administratif. Après des années de repli angoissé, l'action me remettait à la vie, mais la détresse de mes compatriotes était une douleur de chaque instant. Vienne avait été ravagée par les bombardements alliés, y compris son centre-ville historique où l'Opéra avait brûlé. En avril 1945, l'arrivée des Soviétiques l'avait plongée dans une orgie de violence : viols, incendies, saccages. En l'absence d'une quelconque autorité de police, la cité agonisante, privée d'eau, d'électricité ou de gaz, avait souffert, peu après, d'une seconde vague de pillards, autochtones cette fois. Les troupes américaines avaient rejoint l'Armée rouge ; ils se disputaient maintenant les derniers lambeaux de ma ville exsangue.

Einstein avait raison : le monde d'hier[25], le monde dont j'avais la nostalgie, n'existait plus. Ce qui pouvait ressembler à un foyer était dorénavant l'Amérique. Pourtant, ce printemps-là, j'avais quitté Princeton avec l'idée de ne pas revenir. *Après moi, le déluge.* J'étais fatiguée des routines insupportables de Kurt. J'étais lasse d'avoir à trimballer mon matelas au fond du gouffre pour y attendre sa chute. J'étais exténuée de solitude et d'exil ; je voulais rentrer chez moi.

L'hypothèse de la liberté est plus importante que son usage. L'Amérique m'avait offert cette leçon de démocratie pragmatique : ne donnez pas aux gens le choix, mais la possibilité de choisir. Cette potentialité nous est nécessaire et bien suffisante. Peu d'entre nous tolèrent le vertige de la pure liberté. En me laissant partir, mon mari s'assurait de mon retour. À l'aller, sur le pont du *Marine Flasher*, j'étais enfin redevenue moi-même, loin de notre monastère intime. Je vivais ces premiers jours d'autonomie comme un bonus de jeunesse, heureuse d'être si petite sur l'immensité.

Très vite, mes pensées étaient retournées vers Kurt. Il aurait hurlé de froid sur ce bateau. J'aurais dû me mettre en quête de toutes les couvertures inutilisées du pont-terrasse. Il aurait détesté le menu. Il aurait fui les autres passagers, trop bavards, quand moi je trouvais leur médiocrité reposante. Et puis, il y eut l'inévitable insomnie : « À cette heure, il doit être rentré à la maison. A-t-il mangé ? » Je n'étais pas même arrivée à Brême. Je ne m'appartenais déjà plus.

La voiture s'arrêta devant l'imposant siège de la législature de l'État du New Jersey : un bâtiment en pierre, très *vieille Europe*. Le paradoxe aurait pu me faire sourire si je n'avais pas eu la gorge aussi nouée. Kurt m'avait contaminée de ses angoisses. Nous montâmes jusqu'à l'étage de l'audience. Une dizaine de personnes patientaient dans la grande salle. Chaque candidat devait s'entretenir seul avec le juge. Celui-ci vint saluer Albert en négligeant l'homme prêt à prendre son tour.

— Professeur Einstein ! Que nous vaut l'honneur de votre visite ?

— Juge Forman ! Quelle coïncidence ! J'accompagne mes amis, Adèle et Kurt Gödel, pour leur entretien.

Le juge nous accorda à peine un regard.

— Comment allez-vous ? Nous ne nous sommes pas revus depuis des lustres.

— Le temps file relativement vite de nos jours.

— Par qui commençons-nous ?

Je reculai d'un pas ; je ne m'attendais pas à ce coupe-file peu démocratique.

— Les femmes et les enfants d'abord ! Philip Forman a procédé à mon propre examen. Vous êtes entre de bonnes mains, Adèle.

Je suivis le magistrat dans son bureau, accablée d'une violente envie d'uriner. Il ne se formalisa ni de mes tressautements ni de mon accent toujours aussi calamiteux, car quelques minutes plus tard il me relâchait avec mon précieux butin. Il devait être impatient de pouvoir discuter avec Herr Einstein. Il m'avait posé des questions très simples, sans prêter une réelle attention à mes réponses. Je rejoignis ma petite troupe en brandissant le formulaire. Négligeant le protocole, le juge proposa à Albert et Oskar de les accompagner, Kurt et lui. Il devait s'ennuyer ferme ;

la perspective de passer quelques minutes avec notre illustre accompagnateur illuminait sa journée.

Les compères disparurent un long moment. Je froissais et défroissais le papier entre mes mains. Je craignais que Kurt, sous prétexte de précision logique, ne dépasse les limites de la bienséance. Autour de moi, les candidats s'entretenaient à voix basse dans des langues qui ne m'étaient pas inconnues : un peu d'italien ; du polonais ; un genre d'espagnol. Je souris aux futurs compagnons de ma nouvelle patrie. Qu'avaient-ils fui ? Qu'avaient-ils abandonné, eux, pour se retrouver ainsi endimanchés dans ce couloir voué aux courants d'air ?

La porte du bureau s'ouvrit enfin. Trois hommes en sortirent guillerets, le dernier soulagé. Herr Einstein me tira par le coude avant que je ne l'interroge sur leur hilarité.

— Quittons vite le temple de la loi pour rejoindre celui de la gastronomie ! J'ai faim, nom d'un petit bonhomme !

Nous nous apprêtions à reprendre l'ascenseur quand un homme vint lui quémander un autographe. Il était rare de pouvoir se promener avec Albert sans être confronté à ce genre d'interruption. Il se prêta de bonne grâce à l'exercice, mais fit comprendre à l'intrus qu'il n'était pas, pour autant, disposé à s'attarder.

— Ce doit être épouvantable d'être pourchassé ainsi par tant de gens.

— C'est une dernière réminiscence de cannibalisme, mon cher Oskar. Autrefois, on convoitait votre sang, maintenant on veut votre encre. Sauvons-nous avant qu'on me réclame ma chemise !

Dans l'intimité de la cabine, je recoiffai Einstein de ma main gantée.

— J'ai toujours rêvé de le faire.

— Adèle Gödel, je pourrais exiger votre arrestation pour outrage aux bonnes mœurs.

— Ce serait ma première infraction de citoyenne, professeur !

Sur la route du retour, l'atmosphère était plus détendue. Même Kurt souriait aux anges.

— Que s'est-il donc passé dans ce bureau ?

— Comme nous le redoutions, votre mari n'a pas hésité à mettre les pieds dans le plat.

Le juge avait commencé par l'interroger sur ses origines. Kurt, craignant un piège, avait réussi à articuler « Autriche », sur le ton circonspect d'un « Est-ce correct ? ». L'examinateur l'avait alors questionné sur le gouvernement autrichien. Kurt avait expliqué ce qui lui semblait être la stricte vérité : notre république s'était muée en dictature à cause d'une Constitution déficiente. Forman, débonnaire, s'était exclamé : « C'est terrible, cela ne pourrait jamais arriver dans notre pays. » Mon naïf époux l'avait contredit sans une once de malice : « Oh si ! Je peux le prouver ! » Son amour de la preuve était sans limites. À sa décharge, parmi toutes les questions possibles, le juge avait posé la plus risquée en toute innocence. Kurt ne voyait pas comment y répondre sans être plus sincère. Einstein et Morgenstern étaient horrifiés, mais Forman avait eu l'intelligence de ne pas relancer le débat. Les deux compères avaient certifié sur l'honneur que M. Gödel était un homme de grande valeur pour la nation ; un bon citoyen respectueux des lois. Nous passâmes donc le reste du voyage à rire, en cherchant ce que Kurt pourrait transgresser au moins une fois dans sa vie, à part des préconçus mathématiques.

En arrivant au coin de Mercer Street, Morgenstern demanda à Einstein s'il devait le déposer chez lui ou à l'Institut. Albert maugréa qu'il s'en moquait. Je m'inquiétai de cette morosité inhabituelle : il avait les traits tirés et avait à peine taquiné Kurt pendant le trajet.

— Vous vous sentez bien, professeur ?

— Trop de politique, peut-être ?

— Sans doute, mon cher Oskar. Et pas assez de physique. C'est une dure bataille d'être pacifiste. Une bataille que nous ne partageons pas. Les amères leçons du passé doivent être réapprises sans cesse.

— Je préfère assurer l'avenir.

— J'ai vécu deux conflits majeurs. Je suis épuisé d'en craindre de nouveaux. Je ne sais comment sera la troisième guerre mondiale, mais je suis certain qu'il n'y aura plus beaucoup de monde pour voir la quatrième.

Il descendit de voiture et toqua à la fenêtre arrière du véhicule.

— Toutes mes félicitations pour votre avant-dernier examen.

— Il y en a encore un ?

— Le dernier est celui où vous sauterez dans votre tombe, Gödel.

Il disparut dans la petite maison blanche sans prendre le temps de nous saluer.

— Qu'entendait-il par là ?

— C'était juste une plaisanterie, Kurt !

— Je ne l'ai jamais vu aussi déprimé.

— Il consacre beaucoup trop d'énergie à ce comité[26].

Je respecte son pacifisme, mais la boîte de Pandore est désormais ouverte. Les Russes n'auront pas autant de scrupules. L'intérêt des États-Unis est de posséder une force de dissuasion nucléaire supérieure.

— Oskar ! La guerre est finie. Ne cherchons pas à revivre dans la terreur.

— Nous devons trouver l'*équilibre* de la terreur.

— Vous êtes trop pessimiste.

— Je suis réaliste, mon ami. Vous devriez analyser en logicien les changements d'articulation de l'Histoire. L'équilibre des puissances a évolué.

— Je considère comme néfaste cette intensification de l'armement et de l'agressivité contre la Russie dans la situation actuelle.

— De l'Union soviétique, Gödel ! Soviétique ! Profitez de votre tranquillité pour vous remettre au travail. Tout cela ne vous concernera pas, ou si peu.

35.

« *Mein Gott !* D'où tenez-vous cette serpillière ? » Anna tourna sur elle-même pour se faire admirer. La veille, de retour de la petite virée au cinéma avec Adèle, elle s'était effondrée tout habillée sur son lit. Elle s'était réveillée courbaturée, mais elle avait apprécié de renouer avec la sensation de fatigue physique. Elle avait même décidé de tenter un jogging dans l'après-midi. Après une douche brûlante, un café serré et deux Alka-Seltzer, elle avait enfilé un vieux sweat aux armes de Princeton dont le tigre sérigraphié commençait à s'effacer. Elle ne savait plus quel fiancé occasionnel l'avait abandonné dans son placard. Certainement pas William ; après le départ d'Anna, il avait procédé à un inventaire méticuleux de ses affaires et déposé trois valises chez son père.

— J'en préférais presque vos frusques habituelles. Il y a un pas entre la sobriété et le laisser-aller. Même si elle n'était pas frivole, votre mère a dû, au moins, vous transmettre cela.

La jeune femme tripota la manche de son survêtement informe ; elle n'avait pas été tout à fait honnête avec Adèle.

— Ma mère est toujours tirée à quatre épingles. Je n'ai pas hérité de son élégance. Elle me l'a souvent reproché.

Mme Gödel ne releva pas la contradiction ; peut-être qu'après cette escapade elle était disposée à accorder à Anna une absolution pour les petits mensonges antérieurs.

— Je connais ce genre de femmes. Elles ne s'autorisent pas l'improvisation.

Rachel n'avait guère laissé de place à la tendresse non plus. Adèle était assez fine pour le comprendre sans qu'Anna ait besoin de rouvrir tous les vieux dossiers. Elle commençait à apprécier l'empathie sans complaisance de la vieille dame.

— Moi non plus, je n'ai jamais été très élégante. Je n'avais pas le vernis bourgeois. Le truc avec les couverts, la conversation, tout ça…

— Pourtant, sur les photos vous étiez si pimpante.

— Le côté rétro des clichés vous embrume, ma belle. Nous n'étions pas bien riches. Je me débrouillais avec un coupon de tissu. Je récupérais des boutons. Un joli bibi vous enlevait le tout. Quel dommage ! Aujourd'hui, les femmes ne portent plus de chapeaux.

— L'élégance n'est pas une question d'argent.

— De confiance en soi. Et celle-ci vient avec l'éducation. Je n'avais pas reçu l'éducation adéquate pour les thés de Princeton.

— Dans le milieu scientifique, ce n'est pas une priorité.

— C'est exact, un vrai panier de linge sale ! Albert semblait toujours avoir dormi avec ses vêtements. Pas mon Kurt. J'en ai usé, des heures, à repasser ses chemises. Même dans ses pires moments, il était impeccable. J'y veillais. « Élégant » était un mot très important pour lui, dans bien des domaines.

— J'ai assisté à une conférence sur l'« élégance mathématique ».

— Vous ne perdez pas le nord !

Adèle se gratta l'arrière du crâne. Anna pensa un moment qu'elle allait se contenter de lui signifier son désintérêt pour le sujet ; la vieille dame la surprit.

— L'élégance mathématique. Une notion inaccessible à nous autres, pauvres mortels.

— J'ai cru entrapercevoir un rapport avec la limpidité. Comme le principe du rasoir d'Occam*. L'explication la plus simple est toujours la meilleure.

— Cela va au-delà de la simplicité. Sinon cette idée serait un manque d'humilité devant la complexité du monde. Mon mari percevait et recherchait une sorte de beauté qui m'échappait. Il dépensait une énergie considérable à construire des démonstrations où tout devait être établi au-delà du raisonnable. Ses amis en riaient parfois, ses collègues le sermonnaient. Il était toujours en retard dans ses publications. Il mettait des annotations aux annotations. Il avait peur d'être mal compris, ou de passer pour un fou. Ce qui, au final, est advenu !

— Pourquoi ne pas me confier ses documents dans ce cas ? Nous rendrons hommage à son œuvre. Vous me faites confiance maintenant. Vous savez que je n'essaie pas de vous manipuler.

— Je vais y réfléchir.

*. Le principe du rasoir d'Occam, attribué au moine philosophe Guillaume d'Ockham (XIVe siècle), est : « Les hypothèses les plus simples sont les plus vraisemblables. »

Anna lui sourit ; elle avait le mode d'emploi désormais.

— Soyez donc élégante, Adèle !

— J'ai une autre conception de l'élégance morale.

— Selon Occam, vous ne les avez plus parce que vous les avez détruits.

— *Falsch*[*] *!* Je ne veux tout simplement pas vous les donner.

La vieille dame s'étira et fit craquer les jointures de ses doigts. Le bruit irrita Anna, mais elle ne lâcha pas. Une telle occasion ne se représenterait peut-être pas.

— Vous ne souhaitez pas laisser certains souvenirs personnels au public ?

Mme Gödel la regarda sans ciller : rien ne l'obligerait à avouer. Adèle ne léguerait pas le fiel de sa belle-famille en pâture à la postérité. Elle avait gagné son droit au ressentiment.

— Les égarements de mon mari sont de notoriété publique. Je ne crains pas une humiliation posthume. Cessez de jouer ainsi la mouche du coche !

— Et cette fameuse « preuve ontologique[**] » ? Selon mes recherches, elle a circulé à Princeton, mais elle n'a pas été publiée. Qu'en est-il vraiment ?

— *Ach !* La voilà ! Kurt Gödel a-t-il démontré l'existence de Dieu ? Je me demandais combien de jours il vous faudrait pour en arriver là. L'approche de ma mort vous titille la cornette, Fräulein Maria.

*. « Faux ! »

**. Une « preuve ontologique » ou un « argument ontologique » est une suite logique cherchant à définir Dieu et, par là même, à prouver sa nécessaire (au sens « déductif ») existence.

— Êtes-vous croyante, Adèle ?

— Je crois au divin. Et vous ?

La jeune femme vit les mots de Leonard Cohen flotter à la lisière de sa pensée. « *Well, your faith was strong but you needed a proof.*[*] » Elle n'avait pas de réponse sincère. Ses parents affichaient un athéisme de bon ton conforté par une jeunesse biberonnée au matérialisme triomphant. Sa grand-mère, si elle n'avait jamais été très pratiquante, respectait les rites. Anna aimait ces moments graves et joyeux, en particulier la « fête des cabanes ». Josepha préparait une *soukka* bariolée en tendant des foulards et des draps au beau milieu du salon. La gamine avait le droit de la décorer à sa guise, en fouillant dans les malles toujours pleines du grenier. Que Dieu ait un rapport avec tout ça, elle y pensait assez peu. Rachel avait soldé sa métaphysique enfantine par un trivial : « Après la mort, les atomes retournent dans le grand cycle. » Anna avait insisté : pourquoi devrait-elle renaître sous la forme d'un arbre ou d'un lampadaire ? Pourquoi ne reviendrait-elle pas sous sa propre forme, tant qu'à faire ? Rachel s'était empressée d'aller rapporter cette adorable naïveté auprès de son mari qui, lui, s'était contenté d'esquiver. « Je ne sais pas, Anna. Qu'est-ce que tu en penses, toi ? » Elle n'en pensait rien. Vu d'en bas, le monde lui paraissait déjà assez obscur pour que ses parents n'y ajoutent pas une couche d'incertitude. Elle avait grandi en éludant cette interrogation ; la maturité lui imposerait une conviction. Puisque toutes les questions n'avaient pas de réponse.

— Je m'interroge encore.

*. « Eh bien, ta foi était forte, mais tu avais besoin d'une preuve. »

— Une démonstration logique ne vous soulagerait pas de ce doute.

— Je serais pourtant curieuse de la lire.

— Voilà une des raisons pour lesquelles je répugne à divulguer ces papiers. L'œuvre de Kurt Gödel ne doit pas devenir un objet de curiosité. Il l'a été lui-même toute sa vie.

— Je ne veux surtout pas manquer de respect à sa mémoire. Ce document pourrait intéresser tant de gens. Il s'agit d'une pièce remarquable dans une longue chaîne de travaux de philosophes ayant cherché à démontrer l'existence de Dieu. Leibniz, en particulier, dont votre mari était un fervent admirateur.

Adèle attrapa la bible sur son chevet. Elle en caressa la couverture défraîchie en souriant. Anna se souvint de la statue de la Madone, au fond du jardin de Linden Lane ; sur la foi de la vieille dame, elle n'avait aucun doute.

— J'ai rencontré tant d'hommes parmi les plus intelligents de ce siècle. Certains d'entre eux ne touchaient jamais terre. En matière de foi, la science n'apporte pas de réponse. Ceux qui se rapprochent du mystère sont modestes avec l'idée de Dieu. Dans ses dernières années, Einstein était croyant et n'avait pas besoin d'un alibi logique pour être conforté.

— À vos yeux, la démonstration de votre mari serait donc une pirouette sémantique.

— Elle tenait du jeu logique et de la foi.

— Vous disiez ne pas être capable de comprendre son travail.

— Kurt craignait de voir cette pièce devenir une pseudo-relique. Je respecte ses volontés.

— Il ne l'a pas détruite, mais a-t-il demandé à ce qu'elle reste secrète ?

— Il n'était pas en état de prendre cette décision.

— Vous vous donnez le droit de décider à sa place ? Vous me surprenez.

— Qui d'autre pourrait mieux le faire ? J'ai partagé sa vie.

— Soyez sincère. Cette preuve va-t-elle contre vos propres convictions ?

Sans ménagement, Adèle reposa la bible sur le chevet.

— Il faut être Dieu pour parler de Dieu lui-même.

— Alors, à quoi sert cette bible ?

— Je l'aère le dimanche matin.

— Vous en voulez au savoir ou à Dieu ?

— Peu importe. Il s'agit d'une seule et même Essence.

— J'aimerais bien qu'on me le démontre.

— Contentez-vous des edelweiss. Laissez ces questions aux mourants.

— Vous tentez de vous en tirer par une pirouette, vous aussi.

Adèle fit valser ses mains devant les yeux exaspérés de la jeune femme.

— À quoi bon avoir vécu, si on n'a pas appris à danser ? Maintenant, revenons aux chiffons !

Une bourrasque chargée d'humidité agita les stores. Anna se leva pour fermer la fenêtre. La journée serait pluvieuse et sa migraine refaisait surface ; elle remettrait ses bonnes résolutions sportives au printemps.

— Vous avez de l'aspirine, Adèle ?

— Vous êtes dans un hôpital, ma cocotte. Le doute et les médicaments, c'est pas ça qui manque ici.

36.

1949

La déesse des petites victoires

« D'abord, cuire le *Strudel*, ensuite s'asseoir et réfléchir. »

Proverbe autrichien

Comme j'ai aimé cette maison ! À Linden Lane, j'ai enfin posé mes valises. Une victoire obtenue de haute lutte : Kurt ne voulait pas en entendre parler ; rien ne devait entraver sa sérénité. Cette fois, j'avais ma propre bataille.

J'avais emprunté par hasard Linden Lane – « l'allée des tilleuls » – au retour d'une balade insipide ; le nom me plaisait. J'ai aperçu un écriteau « à vendre » planté devant cette petite maison blanche, moderne, presque austère en regard des joliesses néovictoriennes de Princeton. Elle était modeste, mais charmante avec son toit sombre et ses volutes de ferronnerie. J'ai contemplé le jardinet, avant de repartir, songeuse.

Le lendemain, une force irrépressible a mené de

nouveau mes pas au 129 Linden Lane. C'était ma maison.

J'ai téléphoné au courtier : 12 500 dollars sans les frais. Elle était bien au-dessus de nos moyens. J'ai traîné Kurt pour une visite puis, quand le vendeur nous a enfin lâchés, j'ai fait miroiter tous les avantages de l'affaire : le pavillon possédait une climatisation neuve ; de nombreuses fenêtres ; un jardin où il pourrait reposer ses nerfs et une pièce indépendante à aménager en bureau. De plus, le quartier très calme et situé sur les hauteurs de Princeton serait plus frais en été. Kurt a réfléchi en silence tout le chemin du retour. Il a dit : « Le salon est très grand, on pourrait y faire une fête avec cinquante personnes. »

Prudente, j'ai laissé reposer la pâte. Puis, ne voyant rien venir, craignant que le bien nous file entre les doigts, j'ai décidé de harceler Kurt dans les règles de l'art. Le perturber dans son travail était ma seule option pour le forcer à réagir. Son ami Oskar poussait de l'autre côté : à son snob avis, cette maison était beaucoup trop chère, trop éloignée de l'Institut et située dans un secteur peu reluisant. Il se montrait toujours soupçonneux envers mes idées. J'ai téléphoné en douce à Kitty Oppenheimer : un confort plus bourgeois serait profitable à l'équilibre du fragile génie. Elle en a touché deux mots à son directeur de mari. L'IAS se porterait co-garant pour le crédit. Pris entre deux feux, Kurt a choisi la paix domestique. Il a cédé, angoissé à la perspective de nous mettre un tel emprunt sur les épaules. Qu'est-ce qui ne l'angoissait pas ? J'avais la chance de me battre à domicile ; j'ai gagné.

L'ai-je empêché de travailler, comme me le reprochait Morgenstern ? Bien sûr ! Kurt n'a pas manqué de l'écrire à sa mère ; elle a dû en vomir son *Strudel*. Cette maison constituait mon salaire d'infirmière, avec vingt ans d'arriérés.

J'essuyai mes mains et ôtai mon tablier avant d'ouvrir la porte.

— *Willkommen auf Schloss Gödel*[*] !

Sur le seuil, mon amie Lili brandissait deux bouteilles de champagne. À son côté, Albert se débattait avec un énorme paquet.

— Ma chère Adèle, ma modeste contribution à cette journée mémorable. Vous cessez enfin de changer d'adresse.

— Nous avons passé au moins une heure chez l'antiquaire. Le vendeur n'en revenait pas d'avoir Albert comme client.

— Où est Gödel ?

— Il arrive, Herr Einstein. Il travaille.

— Comment se porte-t-il ? Nous nous sommes peu fréquentés ces derniers temps. Je pars si souvent en voyage.

Mon mari surgit derrière moi, comme frais sorti du moule : il était emballé dans son costume croisé impeccable, sa cravate nouée au millimètre.

— Je suis en très bonne forme. Le 49 nous va bien. Regardez comme ma femme est ravissante !

— Tu parles de cette robe ? Une vieillerie. Nous devons nous serrer encore plus la ceinture maintenant.

C'était un petit mensonge domestique parmi d'autres. Je m'étais offert cette robe blanche à motifs bleus pour fêter ma victoire. Quarante-neuf ans en 1949 valaient

*. « Bienvenue au château Gödel ! »

bien un chiffon à 4,99 dollars ! Si je n'avais craint ses remontrances frileuses, je l'aurais avoué à Kurt ; il aurait pu apprécier la symbolique numérique. De toute façon, il n'aurait pas distingué une toilette neuve d'une serpillière.

J'invitai nos amis à se mettre à l'aise avant d'ouvrir le paquet. Il contenait un magnifique vase d'inspiration chinoise.

— Dorénavant, Adèle, vous pourrez vous consacrer à la décoration, sport favori des dames établies.

Albert accompagna Kurt au jardin, nous laissant, Lili et moi, à nos conversations de femmes. J'étais un peu déçue de ne pouvoir lui faire les honneurs de notre nouveau logis. À défaut, je pris mon amie par le bras pour l'entraîner dans une visite guidée avant l'arrivée des autres invités : les Morgenstern et les Oppenheimer. Kurt n'avait pas voulu recevoir plus de monde.

— J'oubliais ! Erich vous prie de l'excuser, sa mère est un peu souffrante. Il a préféré rester à ses côtés aujourd'hui.

— Tu as de la chance d'avoir une belle-mère comme Antoinette. La mienne est un vrai dragon.

— Il m'a fallu deux mariages avant d'en trouver une correcte !

Elle changea trop vite de sujet pour que je n'y décèle pas une forme de gêne.

— Ça va mieux avec Oskar ?

— Nous nous tolérons.

— Il s'occupe bien de Kurt, reconnais-le. Ce serait moins facile sans lui.

J'allumai une cigarette.

— Tu fumes encore ? Ton mari déteste ça.

— Juste pour enquiquiner M. Morgenstern ! Tu veux un verre ?

— Tu ne m'as pas attendue pour commencer, Adèle.

Elle me réprimanda d'une tape amicale. C'était bon d'avoir une amie comme Lili : une sœur d'exil ; une compagne qui vous tire vers le haut, sans condescendance. Elle était plus intelligente, plus cultivée, plus riche, plus sociable que moi ; toutes les vertus de base des épouses princetoniennes. Cependant, elle possédait une qualité inhabituelle dans ce petit monde : elle s'en moquait comme de sa première permanente. Ma Lili n'était pas une beauté. Elle avait un nez fort, des lèvres épaisses, mais elle avait un regard franc, d'une infinie douceur ; un refuge plein de compassion où abriter une âme fatiguée. Albert, exigeant dans ses affinités, l'appréciait beaucoup.

J'ouvris grand les bras, singeant un vendeur fébrile, pour lui présenter le living-room. Nous n'avions pas eu besoin d'acheter de nouveaux meubles, nous en avions déjà trop. Kurt se plaignait de l'absence d'un vestibule comme en Europe : ce plan américain était une atteinte à l'intimité. J'adoptai, moi, pour une fois, le pragmatisme local : l'entrée est une perte de place. Nous avions deux chambres : de quoi se faire la tête en toute tranquillité. J'avais des tas de projets : je comptais transformer le fond de la pièce principale en salle à manger et aménager un bureau bien isolé derrière la cuisine. Ainsi, je ne l'entendrais plus rouspéter contre mon agitation. Lily m'écoutait jacasser avec son sourire des beaux jours.

— Je suis si heureuse pour toi, Adèle ! Tu vas enfin pouvoir recevoir. Tu es trop souvent seule.

— Tu connais Kurt. Il n'aime pas les mondanités.

— Il peut tout de même admettre qu'il existe des nuances entre la réclusion et la foire perpétuelle.

— Je ne le changerai plus à son âge. Nous aurions pu espérer tellement plus, comme les Oppenheimer. Lui au moins sait faire fructifier ses talents.

— La gloire ne fait pas tout, Adèle. L'argent encore moins.

— À d'autres !

Lili eut un imperceptible froncement de sourcils. J'avais un vieux fond d'ouvrière viennoise difficile à masquer sous ma panoplie de « femme établie ». Si je n'avais jamais travaillé à l'usine, j'avais montré mes jambes à la chaîne. C'était du pareil au même. J'enviais la situation des Oppenheimer. Le couple vivait avec leurs deux jeunes enfants dans une vaste maison de dix-huit pièces sur Olden Lane, à l'entrée de l'IAS, tout en bénéficiant des subsides apportés par les nombreuses activités de Robert. De quoi assurer l'avenir de Kitty qui, elle, soignait son ennui par le jardinage et le gin tonic. Elle avait abandonné ses études pour jouer à la châtelaine dans son manoir trop grand. J'avais appris bien des détails croustillants sur son compte par la secrétaire de Kurt. « Oppie » était son quatrième mari : avant lui, elle avait essayé un musicien, un politicien et un radiologue. L'avant-dernier, un militant communiste, serait mort en combattant en Espagne. Je me demandais comment Robert, qui avait travaillé pour le gouvernement pendant la guerre, pouvait s'arranger avec ça.

— Viens voir la cuisine. Elle est un peu trop moderne à mon goût, mais j'ai mon idée là-dessus. Je voudrais la transformer en *Bauernstube*[*]. Quelque

*. Salle à manger rustique traditionnelle.

chose de plus chaleureux, avec du bois, comme au pays.

Même si je ne pouvais priver ma langue du plaisir coupable des ragots, j'appréciais la compagnie des Oppenheimer. Robert avait débarqué à la tête de l'IAS en 1946, peu après sa démission du programme Manhattan. À quarante-deux ans, il avait acquis une influence considérable, grâce à ses travaux à Los Alamos et ses accointances politico-militaires. Derrière la barrière de sa cryogénique arrogance, Oppie avait un charme dangereux : son étiquette d'« inventeur de la bombe » y était pour beaucoup. Comme mon mari, il avait un corps très sec et un visage émacié : une austère silhouette de pasteur, illuminée par un regard troublant. Ses yeux d'un bleu très clair semblaient vous disséquer l'âme, et, au passage, l'anatomie. Son entourage le disait travailleur acharné, étranger au sommeil. Son épouse devait l'obliger à manger ; un minuscule point commun entre nous, car, au contraire de Kurt, il pouvait se montrer bon vivant. Je ne l'ai jamais vu sans une cigarette vissée au coin des lèvres, allumant la suivante à la dernière, indice de son inépuisable combustion intérieure. Si Kurt était un taiseux asocial, Robert était un meneur, un homme de pouvoir et de paroles, capable de maîtriser n'importe quel sujet, bien au-delà de son domaine d'expertise, la physique nucléaire. Il ambitionnait de transformer l'IAS en un *team* interdisciplinaire d'excellence, n'hésitant pas à recruter tous azimuts hors des cheptels mathématiques et physiques. À la différence de l'écurie précédente d'Oppenheimer, le laboratoire de Los Alamos, les pur-sang de l'Institut comme mon mari ou Einstein avaient tendance à vouloir trotter seuls. Et pas dans la même direction.

— J'ai planté des camélias dans le jardin. Je vais faire construire une fontaine. Et pourquoi pas une tonnelle ? Je t'y inviterai à prendre le thé. Comme une vraie dame ! À propos de vraie dame, un cocktail, ma chère ?

— Lève le pied sur le martini, Adèle.

Lili avait raison : j'avais un peu trop bu. J'avais le trac de recevoir. En comparaison de Lili, de Kitty ou de toutes les Dorothy, ces femmes baignant dans les milieux intellectuels depuis l'enfance, je savais mes goûts trop rustiques. Je n'en avais pas d'autres à ma disposition. À quoi bon singer la décoration d'une demeure bourgeoise ? Cette maison étrange, voire minable à leurs yeux, était mon chez-moi, un monde à mon image. Je ne m'en excuserais pas, même s'il me fallait quelques verres d'alcool pour épauler ma fierté. Sans écouter ses protestations, je nous préparai des martinis bien tassés. Nous les sirotâmes en observant les deux compères qui arpentaient le fond du jardin.

— Comment va Albert ? Je le trouve fatigué depuis son opération. Il se surmène toujours.

— Il masque sa fatigue sous l'humour. L'autre jour, il m'a dédicacé une photo. « Quel dommage que vous ne vouliez pas passer la nuit avec moi ! »

— Tu lui sers déjà de chauffeur. Tâche de ne pas céder à son charme poussiéreux !

— Albert est un comme un père pour moi.

— Prends garde à tes fesses quand même.

Je lui tirai la langue, parodiant un autre cliché du physicien, qui avait fait le tour du monde[27]. Le vénérable ne se privait pas lui-même de réflexions grivoises. Un jour où des convives un peu trop prudes à son goût parlaient de sexe à mots choisis, je l'avais entendu déclarer : « Toute l'affaire ne dure que deux minutes, et c'est tout ! » Kurt était au bord de l'évanouissement. Albert méprisait l'hypocrisie des conventions comme le mariage, à son sens incompatible avec la nature humaine. Je le comprenais, mais, si nous n'avions ni l'un ni l'autre appliqué ce postulat, lui avait su profiter de sa liberté d'homme en conservant le confort du foyer. Certains principes sont de consistance relative.

— Les steaks sont prêts.

— Adèle ! Où est passée votre cuisine viennoise ?

— Je suis américaine, Herr Einstein. Je possède une demeure américaine. Je fais de la cuisine a-mé-ri-cai-ne.

— Nous le sommes tous, n'en faites pas trop. Si vous tenez à être vraiment patriote, ici, le barbecue est un travail d'homme.

Ce début septembre ensoleillé était une parenthèse magique. Kurt se portait plutôt bien, j'avais ma maison, de la compagnie et une quantité suffisante d'alcool dans le sang pour croire en l'immortalité de ce moment. Je n'étais pas la seule à boire : les Oppenheimer avaient une longueur d'avance quand von Neumann n'était pas dans les parages pour prendre la tête du peloton. J'avais travaillé du matin au soir depuis notre emménagement. Je m'étais même surprise à chantonner ; mon mari m'avait accordé quelques miraculeuses marques d'affection.

J'observai mon monde avec tendresse : Kurt disséquait son steak, tentant en vain, malgré ses talents topologiques, d'en reconstituer un morceau plus petit. Lili et Albert riaient d'une anecdote ; Robert mangeait d'une main, fumait de l'autre ; Kitty rêvassait.

Les Morgenstern échangeaient de tendres attentions de jeunes mariés, de celles que j'avais peu connues. Je ne pus m'empêcher de les asticoter.

— Toujours aussi méfiant sur notre investissement, Oskar ?

— J'ai donné un avis sincère. Ce quartier n'est pas des plus commodes.

— Kurt marchera vingt minutes de plus. Le vendeur nous a assuré que la maison prendrait de la valeur.

— Il n'allait pas vous dire le contraire.

Mon mari abandonna le puzzle dans son assiette.

— J'espère que cette maison ne sera pas une trop lourde charge. Je n'aime pas l'idée d'être ainsi enchaîné par un crédit.

— Pourquoi ? Tu comptes rentrer en Europe ? Tu ne veux même pas envisager de rendre visite à ta chère mère ! Tu préférerais sans doute vivre jusqu'à la retraite dans un appartement d'étudiant ?

Il grimaça en se pétrissant le ventre : sa façon habituelle de couper court aux reproches. Sous la table, Lili posa une main apaisante sur mon genou. Je la repoussai ; Kurt n'était pas en sucre. Albert tenta de faire oublier mon agressivité en prenant des nouvelles de la santé de mon époux, mais j'étais peu disposée à lâcher le morceau.

— Vous lui avez causé du souci, Herr Einstein. Kurt a travaillé des mois sur votre cadeau d'anniversaire.

— Vous pensez à cette gravure ? Je ne comprends pas.

— Je parle de son article sur la relativité[28]. Il n'en dormait plus. Le pauvre chou.

— Votre mari n'est pas le plus à plaindre dans l'histoire. L'éditeur était au bord du collapsus. Il a reçu le texte à la dernière minute et encore… Si Gödel avait pu être au cul de la presse pour peaufiner son épreuve, il ne s'en serait pas privé !

— Vous ne l'avez pas vu décortiquer le contrat d'achat de la maison !

— Si je vous dérange, je peux aller faire ma sieste.

— Ne boudez pas, mon cher ami. Votre contribution n'a pas eu l'écho qu'elle méritait, certes, mais la qualité de votre travail n'est pas en faute. Qui s'intéresse aujourd'hui à la relativité ?

Je tenais là l'explication de ses nouvelles insomnies. Encore une fois, tant d'efforts en vain. Son heure viendrait-elle jamais ? La malédiction d'être en avance, toujours. Ou celle d'être un pas à côté.

J'avais eu ma part de déception : j'avais tricoté un gilet en l'honneur des soixante-dix ans d'Albert, avant d'apprendre par Lili l'allergie du génie à la laine. J'avais donné l'inutile tricot aux bonnes œuvres. Nous étions tous deux déçus : Albert n'avait exprimé qu'un enthousiasme poli pour la gravure et l'article de Kurt. Qu'y a-t-il de plus déplaisant que d'être désappointé par un cadeau, sinon d'être celui dont le présent est méprisé ? Lili, elle, était tombée juste : elle lui avait offert un sweater et un gros pull-over suisse en coton achetés dans un surplus militaire ; le vieil homme ne les quittait plus. Quelle ironie pour un pacifiste !

— En quoi consistait ce cadeau d'anniversaire ?

Oskar tapota la main de sa jeune femme.

— C'est trop compliqué à expliquer, Dorothy. Adèle ne doit guère en savoir plus.

— Je suis parfaitement au courant ! Plus rien ne m'étonne de sa part. On pourrait voyager dans le temps ? La belle affaire ! Albert l'a dit lui-même un jour. On peut tout prouver avec les mathématiques.

— Vous galopez un peu trop vite et trop loin, Adèle. Sans doute avez-vous pris trop de carburant.

Lili coupa court à la remarque acide d'Oskar.

— Cette histoire est sérieuse ? Nous voilà en pleine science-fiction !

Mon mollusque de mari, sentant le courant s'intensifier, se terra dans sa coquille.

— Notre ami Gödel n'est pas un charlatan ! Qui ne le sait pas ?

— Faites-nous une leçon, Herr Einstein ! Je pourrai raconter à mes enfants que je vous ai eu comme professeur.

Dorothy battait des mains. Elle connaissait la technique pour faire parler les hommes. J'avais vingt ans d'avance sur la question, elle en avait autant de moins sur les hanches ; Albert n'était pas insensible à son charme.

— Allez dire ça aux miens ! Ils ne s'en sont pas remis.

— Donnons à boire au maître du temps !

— J'ai surtout besoin de ma pipe pour ce genre d'équilibrisme.

Je vis ses jeunes confrères toussoter quand le physicien se lança dans une explication succincte des équations de la relativité générale. Son vocabulaire ne m'était pas étranger : à force d'écouter les conversations, j'avais fini par grappiller quelques notions de physique. Mais j'avais beau faire, je ne parvenais pas à me représenter son Jell-O quadridimensionnel : les trois dimensions de l'espace et celle du temps. Peut-être n'avais-je pas assez de doigts. D'après ce que j'avais compris, les ingrédients d'Einstein autorisaient plusieurs recettes. Ses équations admettaient différentes solutions, chacune modélisant un univers possible. Même s'il m'était difficile d'imaginer l'existence d'autres mondes, ce n'était pas impossible à envisager : avec les mêmes ingrédients de départ, je cuisinais parfois des plats très différents ; du divin à l'atroce.

Avec sa propre cuisine mathématique, mon mari avait émis la possibilité d'univers à la géométrie indigeste. Dans ces mondes, les trajectoires spatio-temporelles étaient des boucles de temps fermées, repliées sur elles-mêmes. Il me l'avait expliqué en tordant mon ruban à couture. En d'autres termes, vous pouviez arriver dans une gare du passé avec un ticket à destination du futur. D'après Kurt, si nous voyagions à bord d'un vaisseau spatial suivant une courbe assez grande, nous pourrions, dans ces univers, nous rendre dans n'importe quelle région du temps et en revenir, comme nous nous déplacions dans l'espace de notre univers.

Ce jeu virtuose chiffonnait Albert, qui n'avait jamais été, comme il se plaisait à le dire, un prodige des mathématiques. Il nous avait confié qu'adolescent il s'ennuyait ferme en cours de maths, tandis que ses enseignants ne décelaient aucun talent particulier chez cet adolescent brouillon[29]. Il affichait une coquette modestie de vieux cancre devant les travaux de mon mari pour ne pas le froisser sur le fond. L'extrapolation extrême de Kurt débouchait sur une vision du temps incompatible avec les conceptions philosophiques d'Albert. Avoir à commenter cet accroc à leur amitié en public contrariait celui-ci. Il se tortilla une mèche près de l'oreille, cherchant une porte de sortie acceptable.

— Notre ami est sans vertige. Il s'est amusé comme un petit fou avec ses mathématiques.

Kurt repoussa son assiette et plia sa serviette au carré. Il était irrité par le ton trop frivole de la conversation qui malmenait son irréductible souci d'exactitude. Oskar lui passa la pommade adéquate.

— Nous attendons vos lumières, Kurt. Nous sommes entre amis, vous excuserez sans peine notre amateurisme. Notre curiosité est sincère.

— Je ne vois pas pourquoi je devrais me justifier devant une assistance dont la moitié ne peut comprendre une terminologie objective. Vous savez qu'il ne s'agit pas que d'un jeu théorique, Herr Einstein. Je compte sur la découverte d'une preuve empirique de ce modèle cosmologique. J'ai d'ailleurs calculé avec précision les valeurs nécessaires de vitesse de ce déplacement.

— Tu as pensé aux sandwichs pour la route ?

Ma remarque fit un magnifique bide. Robert écrasa son mégot et cloua mon mari de son regard radioactif.

— Je ne doute pas un seul instant de votre perfectionnisme, Gödel. Mais ni vous ni moi ne pouvons corroborer cette possibilité à l'aune de notre technologie actuelle.

— J'entends confirmer ma théorie par l'étude des phénomènes astrophysiques. La première piste est l'existence d'un mouvement de précession giratoire de tous les systèmes galactiques.

Robert vida son verre avant d'allumer une nouvelle cigarette. Il adorait avoir le dernier mot. Et ceux d'avant.

— Arrêtons-nous là. Kitty bâille à s'en décrocher la mâchoire. Vos « univers en rotation » vont l'achever.

— La nuit fut agitée. Toni fait des cauchemars. Tu as dû connaître cette joie, Lili.

— Ils ont des angoisses morbides à cet âge-là. À cinq ans, Hanna me réveillait pour vérifier si j'étais vivante.

J'étais peu désireuse d'écouter une conversation où j'avais encore moins à partager.

— J'apporte du café.

— Noir de noir, Adèle ! Oppie l'aime comme du goudron.

Quand je revins avec mon plateau, les convives en étaient toujours à se battre avec le temps.

— Moi, si je pouvais remonter dans le passé, j'irais tuer Hitler.

Kitty, dont les discussions scientifiques alourdissaient un peu plus les paupières, se servit une bassine de café.

— Quelle bonne idée, Lili ! Jouons à « et si » !

— Ma très chère amie, si vous aviez tué ce monstre avant qu'il ne nous entraîne tous dans ce cauchemar, nous ne serions pas ensemble à Princeton et, *ipso facto*, vous ne penseriez pas à ce genre de douceur. Je suis étonnée de vous découvrir si violente.

Lili se rembrunit ; si elle cherchait un père en Albert, elle l'avait trouvé.

— C'est un paradoxe temporel[30]. Un obstacle irréductible à la théorie du voyage dans le temps de mon cher ami.

— Les paradoxes ne sont pas des impasses, Herr Einstein. Seulement des défis. Je les considère comme des portes à ouvrir vers des univers plus grands.

Oppenheimer vida sa tasse d'un trait avant de se resservir. Kurt n'aurait pu avaler une larme de ce coaltar sans gémir sur son ulcère.

— Vous êtes mathématicien. Les faits vous concernent assez peu.

— Les mathématiques sont le squelette quand la physique est la chair, Robert. Les premières ne s'incarnent pas sans la seconde. Celle-ci s'écroule sans les autres.

Je notai le sourire dubitatif du physicien. Oppie connaissait l'ambition de mon mari de vouloir étayer la théorie de la relativité par une approche mathématique systématique, comme Newton avait pu décrire celle de la gravitation. Si la mission de l'IAS était d'encourager ces travaux ambitieux, ce projet lui semblait, sinon présomptueux, du moins assez hasardeux. Comme le lui avait fait remarquer Herr Einstein, plus personne, à part lui et quelques astronomes, ne s'intéressait à la relativité. Tout Princeton faisait dans le quantique. Kurt avait toujours eu le goût des quêtes impossibles. Ou démodées. Ce n'étaient pas ces « univers en rotation » dont tout l'Institut riait sous cape qui paieraient l'emprunt de la maison.

— La possibilité du voyage temporel n'est pas qu'une anecdote plaisante à resservir dans les dîners mondains, répliqua Kurt. Ses conséquences philosophiques m'apparaissent bien plus captivantes.

— Vous vous chamaillez pour un jouet que personne ne comprend.

— Nous ne nous disputons pas, Adèle. Nous discutons.

Albert, emberlificoté entre ses convictions et le souci de ménager son ami, se réfugia dans la flatterie.

— L'étude en général, la poursuite de la vérité et la beauté sont des domaines dans lesquels il nous est permis de rester enfants toute la vie. Votre mari possède cette merveilleuse qualité d'observer chaque nouvel objet avec un regard neuf, sans a priori.

— Et refuse d'aller jouer dehors avec les grands !

Oskar s'étrangla avec une gorgée de café.

— Ne vous servez pas de ces superbes métaphores pour purger vos querelles domestiques, Adèle. Votre mari est mû par une ambition admirable, même si à vos yeux elle n'est pas rentable. Il veut prouver la *nature* du temps par les mathématiques. Je n'y vois rien de puéril.

Kitty, rompue aux bisbilles de salon, crut bon de détourner l'orage sur elle-même.

— Cher Oskar, vous me remémorez mon prof de philosophie à la Sorbonne. Les étudiants l'appelaient « Kant-Kant-codec ». Il ressemblait à un vieux coq déplumé.

Lili se pinça les lèvres, même Dorothy se retint de sourire pour ne pas blesser son homme. Il était si rare de voir Morgenstern ainsi mortifié.

— Je ne pensais pas au physique, Oskar. Notre hôte cherche à résoudre cette vénérable querelle entre idéalistes et réalistes[31], n'est-ce pas ? Le temps a-t-il une existence objective ?

Je remerciai Kitty d'un clin d'œil discret. Comme j'aurais aimé être de ces femmes – pouvoir discuter *presque* d'égale à égale ! Je les observai, jalousant à chacune un trait de sa personnalité : Kitty, petite brune pétillante, regard dur, mais sourire éclatant ; ses maris, ses études, ses enfants et sa somptueuse maison. Dorothy, jeune, belle, amoureuse éperdue de son grand échalas patricien. À ma douce Lili, j'enviais sa force : la mienne explosait en éruptions acides quand la sienne berçait le monde dans ses bras.

— J'ai la preuve que le temps existe bel et bien. Comme la gravité. Mes paupières tombent !

Oppenheimer prit le visage de son épouse entre ses mains pour embrasser ses rides une à une. Je fus émue par cette tendresse spontanée. Kurt était gêné par ces démonstrations d'affection dont il n'avait jamais usé en public. Et si peu dans l'intimité. Il nous rappela à plus de sérieux :

— Pourtant, certains philosophes suggèrent que le temps, ou plutôt son passage, est une illusion due à notre perception.

— Le temps est plus clément pour vous, messieurs. Voilà ma théorie de la relativité.

— Cela n'a rien à voir, Adèle ! La relativité restreinte nous prouve que la simultanéité des événements est relative.

— Moi, *darling*, je trouve ton sens de l'humour tout à fait relatif.

Albert, qui peinait à rallumer sa pipe, s'étouffa de rire.

— Détrompez-vous, Adèle ! Votre mari a un humour très subversif. Sous votre panoplie de gentleman, mon ami, vous êtes un anarchiste. Vous déposez vos petites bombes, ni vu ni connu.

— Kurt est incapable de faire du mal à une mouche !

— Suivez son raisonnement. Si vous remontez à un instant du passé, les événements intermédiaires ne sont pas advenus. Le temps n'est pas passé. Par conséquent, le temps *intuitif* n'existe pas. Vous ne pouvez pas relativiser un concept comme le temps sans en détruire l'existence même. Gödel a assassiné la grande horloge ! Cela ne l'avait pas rassasié de faire exploser le rêve positiviste !

— Sainte Mère ! Je ne peux pas te laisser seul une minute, mon chéri ?

— Si je voyageais dans le passé et me trouvais en

face de Hitler, je n'aurais donc pas conscience d'avoir vécu les expériences intermédiaires ? Je n'essaierais pas de les modifier ?

— À vrai dire, ma petite Lili, je n'en sais fichtre rien ! Peut-être pourrions-nous revivre *ad vitam aeternam* tous les bons moments en évitant les mauvais.

— Et vous, professeur ? Que changeriez-vous ?

— Si j'étais jeune à nouveau ?

Albert tira sur sa pipe en fixant Oppenheimer et maugréa :

— Si j'avais à décider comment gagner ma vie, je ne tenterais pas d'être un chercheur. Je choisirais de devenir plombier ! C'est moins dangereux pour l'humanité.

Toute la tablée se récria d'une seule voix. Albert ne s'abandonnait pas à une séance d'autocritique. Il visait surtout les amis politiques de Robert. La mainmise des militaires sur la science l'inquiétait au plus haut point. Pour lui, Truman n'avait pas l'envergure d'un Roosevelt. Il serait incapable de s'opposer aux paranoïaques ou aux opportunistes qui pullulaient à Washington. Les journaux vomissaient déjà les déclarations d'un certain sénateur McCarthy, la nouvelle bête noire du vieux physicien. Kurt et Robert pensaient que le Congrès ne le suivrait pas dans cette voie absurde et vociférante. Albert craignait, lui, de voir les fous de guerre du Pentagone transformer les échauffourées de la lointaine Corée en un terrain d'expérimentation atomique. Robert, démissionnaire de Los Alamos, mais consultant auprès de l'AEC, un organisme fédéral destiné à contrôler le développement de la technologie nucléaire, était ambivalent sur le sujet de l'armement. Albert le poussait à user de son influence pour lutter contre cette fuite en avant insensée. Oppie n'était pas aveugle aux nuages noirs menaçants, mais il se croyait capable de naviguer sur ces eaux troubles sans encombre, même par fort grain. Le temps, même s'il n'existait pas, allait lui donner une rude leçon de modestie.

— Pourquoi ne pas choisir le futur ? Pourquoi se perdre dans le passé et ses impossibilités ?

Oskar observa mon mari du coin de l'œil avant de répondre à Lili. Il n'avait pas envie de contrarier son ami et d'avoir à payer sa sincérité pendant des jours.

— La mort contredit le voyage dans le temps, elle aussi.

— Cette peur est la moins justifiée de toutes, mon cher Oskar. Il n'y a plus aucun risque d'accident pour un mort.

Je souris, Albert nous resservait là un de ses aphorismes préférés, mais il enchaîna sans plus attendre avec un commentaire plus substantiel :

— La mort n'est qu'une ultime conséquence de l'entropie. Une tasse brisée ne se recollera pas d'elle-même. Nous allons du point *a* de l'enfance au point *b* de la vieillesse. L'idée de l'*avant* et de l'*après* a une existence physique irréfutable à l'échelle de notre vécu humain. Que cette évidence puisse perdre son irréductibilité à travers des concepts mathématiques poussés dans leurs retranchements, je peux le concevoir… Mais peut-être devons-nous les exclure. Tout simplement parce qu'ils contredisent ce vécu physique.

— Vous avez pourtant déclaré : si les faits ne correspondent pas à la théorie, changez les faits.

— Vous avez trop de mémoire, Gödel. Et moi, je parle trop. Accordez à un vieil homme le droit à l'erreur. Rien ne peut lutter contre l'entropie. Elle est ma plus intime ennemie. Elle place la terre de plus en plus bas chaque matin.

— Opposer un argument de l'ordre du ressenti à une démonstration objective me paraît peu rationnel, Herr Einstein. Vous me surprenez.

— Oskar, la raison me fatigue. J'écoute la bonne fée de mes intuitions depuis des années, elle ne m'a jamais déçu. Le mental intuitif est un don sacré, le mental rationnel un serviteur fidèle. Nous avons créé une société qui honore le serviteur et a oublié le don.

— Elle vénère l'apparence de la rationalité, répliqua Morgenstern. Sa livrée seulement.

— Nous sommes en accord sur ce point. La recherche scientifique est une subtile balance entre intuition et raison.

— Un équilibre à ne pas oublier en chemin, Herr Einstein. Nous sommes dans l'ère des calculateurs. L'intuition n'entre pas dans leur système de fonctionnement.

— Un jour, les machines pourront résoudre tous les problèmes, mais jamais aucune d'entre elles ne pourra en poser un !

Je pensai à notre ami von Neumann : avec le calculateur ENIAC, il venait de réussir à calculer « π » jusqu'à la décimale 2037. La baby-sitter des Oppenheimer nous en avait fait une description détaillée, en oubliant la petite Toni qui tirait sur sa jupe. Le premier ordinateur « électronique », opérationnel depuis 1946, était un jouet de 30 tonnes, occupant la superficie d'un modeste appartement. Ses milliers de résistances, de condensateurs et autres diodes lui permettaient de réaliser 100 000 additions par seconde. Bien que dubitative sur l'utilité de ce boulier géant, j'avais été attendrie par l'enthousiasme de cette jeune étudiante. Peut-être ce nouveau monde laisserait-il plus de place aux femmes. En attendant, cette fameuse entropie n'épargnait pas le monstre logique issu en partie du cerveau cannibale de von Neumann. Ses ingénieurs passaient plus de temps à changer les pièces qu'à calculer : les insectes s'acharnaient à venir griller sur les tubes à vide chauds[32]. J'étais toujours rassurée de voir la nature ramener ces chers cerveaux à la réalité.

Albert nous sauva de l'esprit de sérieux en se levant de table, sonnant ainsi le signal du départ.

— Mes amis, je me retire avant de m'autodétruire sous vos yeux navrés. Adèle, merci pour ce charmant déjeuner. Je vous abandonne avec toute cette vaisselle sale. Seules les femmes osent encore s'opposer à l'entropie.

Kurt et moi raccompagnâmes nos invités à la porte, après quoi il s'empressa de disparaître. Je remis un peu d'ordre dans la maison en savourant le silence. Avant de rencontrer Kurt, je ne m'étais jamais posé de questions métaphysiques : il y avait Dieu, il y avait les hommes et la mission quotidienne de remplir mon assiette. Toutes ces discussions me permettaient d'entrevoir l'étendue des questions que je ne m'étais jamais posées. Mais, au final, était-ce la nature du monde d'être complexe ou le questionnement des hommes qui le rendait ainsi ? Kurt n'avait pas de réponse simple à me proposer. En choisissant de le suivre, j'avais dû abandonner le confort de l'ignorance. J'en avais la volonté, pas la capacité. J'ai compris très tard que la tentation métaphysique ne s'embarrasse pas de religions ou de frontières, de genres ou de cultures ; elle est allouée à tous, mais le luxe de sa jouissance n'en est offert qu'à certains.

Que valaient leurs acrobaties philosophiques en regard du quotidien ? S'ils avaient été capables d'écouter, je leur aurais donné mon avis. Moi, je connaissais l'ordre du temps : dans l'enchaînement des points d'un ourlet, à la vaisselle lavée et rangée, dans l'alignement des piles de linge repassé, à la cuisson parfaite d'une tarte qui embaume. Quand vous avez les mains dans la farine, rien ne peut vous arriver. J'aimais l'odeur de la levure, celle d'un ordre fertile. Je croyais en cet ordre de la vie à défaut de lui donner un sens.

Mon mari interrogeait les étoiles ; moi, j'avais déjà un univers bien ordonné. Un tout petit, certes, mais à l'abri, sur cette terre. Ils me laissaient me battre seule contre l'entropie. La belle affaire ! Si les hommes passaient plus souvent le balai, ils seraient moins malheureux.

37.

Anna hésitait à entrer dans la chambre de Mme Gödel. Adèle était en grande conversation avec Gladys. Accroché à son sac de vinyle pailleté, le pull en angora rose ne semblait pas prêt à décamper. En levant les bras pour arranger sa choucroute, elle laissa voir deux écœurantes auréoles jaunes. Anna détourna les yeux.

— Nous vous attendions. La douche est très propre, nous l'avons nettoyée exprès pour vous.

Adèle désignait la minuscule salle d'eau attenante à sa chambre. Sans oser comprendre, Anna prit la serviette et le citron qu'on lui tendait.

— Lavez-vous les cheveux ! Gladys va vous faire une petite coupe.

Affolée, la jeune femme contempla la meringue surréaliste de la dame. Celle-ci ne s'en offusqua pas.

— N'ayez pas peur ! J'ai géré un salon de coiffure pendant plus de trente ans.

Dans un geste mélodramatique, Adèle s'étreignit la poitrine.

— N'essayez pas de nous contredire ou je fais un malaise.

Anna s'exécuta en soupirant. À genoux devant le bac

en plastique, elle s'étonna de sa passivité. *Jusqu'où es-tu prête à aller pour ces maudites archives ?* La question ainsi formulée sonnait faux. Elle n'eut pas le temps de s'appesantir : Gladys surgit dans la salle d'eau.

— Le citron, c'est pour le rinçage. Je vous les aurais bien lavés moi-même, mais vous comprenez, avec ma hanche…

Anna leva la tête et la mousse lui brûla les yeux.

Quand elle revint dans la chambre, la coiffeuse l'attendait debout derrière l'unique fauteuil, peigne et ciseau à la main. Anna s'assit avec une angoisse non dissimulée.

— La prochaine fois, ce sera quoi ? Un cours de maquillage ? Vous me prenez pour un jouet ?

Elle cria : son bourreau lui passait brutalement le peigne tandis qu'Adèle les contemplait avec un large sourire satisfait.

— Vous êtes une de ces poupées qui pleurent quand on leur tire les cheveux.

Anna avait toujours détesté ces ersatz de plastique. Elle préférait jouer avec le Meccano de Leo, même si celui-ci y démontrait un talent très supérieur au sien. Pourtant, chaque Noël apportait son lot décevant de poupées, qu'elle déshabillait, peinturlurait puis jetait à la poubelle sans plus d'égard. Rachel l'avait traînée chez un psychologue : elle craignait que sa fille ne soit mal à l'aise avec sa féminité. Le thérapeute avait souri et conseillé à la mère d'encourager les dons artistiques de la petite.

— Quel foin, vos tifs ! J'aurais dû prendre de l'huile en cuisine.

— Entendons-nous bien ! Vous coupez juste les pointes !

Gladys lui fit baisser la tête sans douceur. Elle entama son travail en chantonnant ; la jeune femme voyait le tas de mèches à ses pieds grossir à toute vitesse.

— Ne vous inquiétez pas. J'ai du métier. Je sais ce qui plaît aux hommes. Si nous écoutions un peu de musique ?

Gladys sautilla jusqu'à la radio en agitant ses ciseaux. Un flot de cuivres incongru envahit la chambre. Anna frémit en sentant l'artiste capillaire se trémousser, ainsi armée, dans son dos.

— Vous aimez James Brown, Adèle ?

— J'adore. Pourquoi ?

— Je vous imaginais du côté de Perry Como.

En entendant le nom du vieux crooner, la miniature se pâma, ses instruments décrivant de dangereuses trajectoires. « Ne me lancez pas sur Perry Como ! » Anna s'efforçait surtout de ne pas penser à ses cheveux. « Cette musique me rappelle Louis. Un beau métis de Louisiane… » Adèle interrompit vertement Gladys : elle voulait bien utiliser ses services, mais pas avoir à souffrir de ses radotages. La petite dame ravala ses souvenirs sans se vexer. La veuve Gödel savait se faire respecter, moins grâce à son riche passé qu'à cause de son sale caractère. Au début, les pensionnaires n'avaient pas cru un mot de son amitié avec Einstein ou Oppenheimer. Mais Gladys était présente quand le médecin avait proclamé son admiration pour Kurt Gödel. Depuis, elle suivait les règles du jeu dictées par Adèle. De toute façon, à Pine Run, elle ne manquait pas d'oreilles avides de conversations à sens unique.

— Le bavardage est une déformation professionnelle.

Il faut avouer que vous ne parlez pas beaucoup, ma jolie. Vous êtes toute tendue.

— Elle préfère la compagnie des scientifiques à celle des coiffeuses. Je l'ai pourtant prévenue de s'en méfier !

Anna relâcha les épaules. Elle devait tenter de se mettre au diapason de ces deux vieilles piquées.

— Je n'ai que ça sous la main ! Et les femmes de science ? Vous en avez rencontré, Adèle ?

— Si peu. C'était un monde d'hommes.

— Olga Taussky-Todd[33], Emmy Noether[34], Marie Curie ?

— Albert les considérait comme des exceptions. Il avait eu une jolie phrase : « Mme Curie est très intelligente, mais elle a l'âme d'un hareng. »

— J'adore le hareng au petit déjeuner.

— On s'en contrefout, Gladys.

— Einstein n'était pas connu pour sa mansuétude envers la gent féminine. On le disait pourtant plein d'humanité.

— Vous confondez humanité et bonté, ma petite. Le propre de l'homme n'est-il pas plutôt la cupidité, la violence ou la mesquinerie ?

Gladys n'osa intervenir ; Adèle la menaça du sourcil avant de reprendre.

— J'exagère. Ce n'était pas le caractère d'Albert, bien au contraire. Il était un peu macho, comme on dit maintenant. Il en faisait toujours trop parce qu'il était observé en permanence. Certains n'appréciaient pas son humour caustique.

— Sa femme a dû en souffrir, elle aussi.

— Ses femmes ! Il avait divorcé de sa compagne des mauvais jours pour épouser sa cousine. Et je ne vous parle pas de ses maîtresses ! Mais ne le jugeons pas. Chacun a une histoire personnelle compliquée. Il n'y a pas de grand scientifique, ou de grand artiste, sans grand égoïsme. Et mon mari était un grand scientifique ! Kurt était un enfant. Le monde tournait autour de sa tête. Jusqu'au jour où il a connu la difficulté. Il ne voulait pas l'accepter.

La coiffeuse approuva en coupant une longue mèche.

— Les hommes sont égoïstes ! Vous pouvez me croire, j'en ai essayé des wagons !

Adèle l'ignora et poursuivit :

— Pourquoi le génie arrive-t-il si jeune ? Comme chez les poètes. Les portes d'accès du royaume des Idées se referment-elles avec la maturité ?

Gladys opina du chef :

— Ça doit être hormonal. Après, ils prennent du ventre et s'inquiètent uniquement du dîner.

Adèle, exaspérée, balaya sa remarque d'un geste méprisant. Elle qui s'était toujours soumise à l'intelligence de son milieu prenait plaisir à la condescendance à son tour.

— L'expérience ne peut remplacer les fulgurances de la jeunesse. L'intuition mathématique s'évanouit aussi vite que la beauté. On dit d'un mathématicien qu'il a été grand comme d'une femme qu'elle fut belle. Le temps est sans justice, Anna. Vous n'êtes plus toute jeune pour une femme, vous le seriez encore moins pour une mathématicienne.

Anna pensa à Leo : comment supporterait-il cette malédiction ? Habitué à la facilité, il n'avait jamais admis l'échec. Ses parents avaient même dû l'écarter de toute compétition sportive, chaque défaite se soldant par une colère noire, des insultes puis un mutisme irrespirable. Au fil des années, il avait abandonné toute activité sans rapport direct avec son talent natif. Il deviendrait peut-être un de ces hommes remâchant ce qu'il avait été, niant qu'il ne l'était plus, emmuré dans un système clos et stérile ; trop paresseux pour rendre des comptes à la réalité. Elle n'avait pas envie d'être là pour ramasser les morceaux, comme l'avait fait Mme Gödel.

— Vous auriez voulu être une scientifique, Adèle ?

— J'aurais aimé être Hedy Lamarr[35]. Vous la connaissez ?

Gladys ne put ravaler un commentaire :

— Elle avait des cheveux fabuleux, mais elle ne doit plus être très fraîche. D'après les journaux, elle pique dans les magasins maintenant.

— Hedy était une actrice stupéfiante. Un teint immaculé et des yeux bleus extraordinaires. Elle avait tourné la première scène de nu de l'histoire du cinéma. Le film s'appelait *Extase*. Il avait fait scandale !

— Mon deuxième mari me photographiait nue. J'aurais pu être modèle.

— Mlle Lamarr était une Juive viennoise. Comme nous, elle a émigré aux États-Unis. Pendant la guerre, elle a travaillé sur un système de radioguidage des torpilles. Tout en continuant sa carrière artistique !

— Un personnage de roman.

— De cinéma, jeune fille ! Elle illuminait l'écran.

Gladys brandit à deux mains un engin chromé.

— J'ai terminé. Maintenant, je vais vous sécher les cheveux. Je n'y connais rien en torpille, mais croyez-moi, je suis la reine du brushing.

Anna grinça des dents. Toute tentative de conversation était désormais impossible sous le ronflement du séchoir. La diablesse rose accomplissait son forfait avec un tel entrain qu'il était inutile de la décourager. Anna se laverait de nouveau la tête en rentrant ce soir comme après toute séance chez le coiffeur.

— Doucement sur le volume. Je n'ai pas envie de ressembler à Barbra Streisand !

38.

1950
Sorcière

> « Les tigres de la colère sont plus sages que les chevaux du savoir. »
>
> William Blake

Je le hais. Je me cogne de pièce en pièce. Je le hais. Je m'arrête devant le miroir du salon. J'y vois mon visage ravagé, méconnaissable. Je suis une sorcière. Un bloc de colère pure. Une bombe. Je brise ce maudit miroir. Dix ans de malheur ? J'ai déjà donné ! Que pourrais-je vivre de pire ? Je contemple les morceaux à mes pieds. Je m'y coupe en ramassant un éclat. Cela ne me soulage pas. Je cuisine pour moi seule. Je me gave debout à même le plat. Je mange, je mange, je mange. J'engloutirais le monde s'il n'avait pas si mauvais goût. Et je le chierais. Je ne parviens pas à calmer mon cœur. Mes pensées s'emballent. Je suis une machine à vapeur. J'ai mal aux intestins, à la poitrine, à la matrice. Je vais me gonfler de toute cette colère et m'envoler vers ailleurs. Non, je ne veux pas *ailleurs*. Je veux *avant*. Avant lui. Quand la terre s'arrêtera-t-elle de tourner autour de son nombril ? Je suis quoi ? Sa gouvernante ? Celle qui nettoie sa merde ! Un meuble encombrant dont il n'ose se débarrasser. Toutes ces années à éponger ses angoisses. J'avais enfin cru à une promesse de bonheur avec cette maison. Pour, au final, entendre que je suis coupable ? Le comble ! Je suis en colère comme jamais. Ma vie est un immense gâchis. Ma seule faute est d'avoir été trop bête. Il se malaxe l'estomac. Qui croit-il encore apitoyer ? Qu'il rentre dans sa coquille et ferme sa porte ! Il a mal ? Il a toujours mal quelque part ! Pourquoi devrais-je m'inquiéter ? Il a trop crié au loup ! S'il savait ce que je pense de lui. Un gamin pleurnichard. Je n'ai pas demandé à être sa mère. Sa foutue *Liebe Mama* ! Moi, je veux un homme, un vrai ! Un qui n'a pas ses migraines. Je suis une brailleuse ? Pour sûr ! Je dois remplir le silence. Il se tait. Il s'endort devant la télévision. Il se promène avec papi Albert. Soi-disant il travaille. Alors, oui, je braille ! Que me reste-t-il d'autre ? Je la vomis sur sa tête, ma colère. Que sommes-nous devenus ? Qui est cette grosse femme hurlante ? Pourquoi hurle-t-elle ainsi après ce squelette ? Le docteur Rampona a dit que je devrais le laisser tranquille. Je n'en ai rien à faire qu'il soit un ami d'Einstein ! Vingt ans à l'entendre couiner après tous ces charlatans de médecins ! Aujourd'hui, je serais responsable de son ulcère ? Il sait très bien se creuser les entrailles sans mon aide. Ne comptez plus sur moi pour le materner. Qu'il aille à l'hôpital, ça me fera des vacances ! Je suis une vieille au ventre sec. Je n'ai plus la force de le prendre pour l'enfant qu'il n'a pas daigné me donner. Il m'a traînée dans son exil parce qu'il n'avait pas le courage de vivre seul. De « demain » en « bientôt », voilà, j'ai cinquante ans. C'est trop tard. Et on voudrait me faire taire ? Au milieu de tous ces grands hommes et de leurs bourgeoises frigides, je ne suis rien. Une toute petite bonne femme. Je ne vois jamais personne. J'ai attendu qu'il n'ait plus honte de me présenter à sa mère. J'ai guetté ses crises. Je l'ai sorti d'un asile de fous. Je l'ai épousé à la va-vite. J'ai perdu ma vie à l'attendre. Il trouve mes mots « inappropriés » ? J'en ai en réserve, de l'inapproprié ! Il ne comprend rien à part ses saloperies de mathématiques ! J'en fais des confettis, de ses fichus carnets ! Des confettis pour fêter son nouveau délire ! Il a peur de moi. Je l'empêche de travailler. Qu'existe-t-il de plus précieux à ses yeux ? Mais le monde s'en fout, de ses pattes de mouche ! Même ses amis rient dans son dos de ses histoires de cosmos qui tourne ! Cet homme est une saleté de trou noir, un monstre aspirant la lumière de l'univers. Ça leur en boucherait un coin, à tous ces messieurs, de m'entendre parler ainsi ! La petite danseuse a appris quelques trucs en passant. Comme si j'avais pu vivre avec lui pendant vingt ans sans jamais rien comprendre. Vingt ans à quémander un peu de son auguste attention. Je n'en ai plus rien à faire, de ses délires. Non, personne ne le suit. Personne ne le croit. Personne ne s'intéresse plus à lui. Kurt Gödel est un has been qui m'enterre vivante avec lui. J'étais gardienne d'une idole. Je suis devenue la prisonnière d'un fou. Oui, d'un fou ! Où sont passés l'homme que j'aimais, la musique, la fête ? Où a disparu ma jeunesse ? Avec toute cette intelligence, il aurait pu être riche, si ce n'était indigne de lui. Les autres vivent dans des palaces avec du personnel à ne savoir qu'en faire. Le pauvre chéri est trop fragile pour prendre des responsabilités. Trop perfectionniste pour publier. Il refuse de se battre. Je dois le faire à sa place. Alors, Adèle vit dans une maison de papier. Adèle compte ses sous pour s'acheter des bas, mais Kurt exige des costumes impeccables et des chemises neuves. Un enfant trop gâté. Un ingrat. Qu'il l'écrive à sa mère ! Qu'il lui raconte bien toutes les misères que je lui fais ! Qu'il n'oublie pas de lui dire à quel point ma cuisine le dégoûte ! Qu'il a peur d'être empoisonné par sa propre femme ! Il préfère se nourrir uniquement de beurre. Si j'avais voulu le tuer, je l'aurais laissé crever à Purkersdorf ! Il a mal ? Tant mieux ! C'est qu'il est encore vivant.

39.

Anna s'arrêta sous le porche de Pine Run pour saluer Jean, l'infirmière préférée de Mme Gödel. La soignante jonglait entre une tasse de café fumante et une cigarette. « Vous êtes toute belle, mademoiselle Roth ! Vous avez fait quelque chose à vos cheveux ? » Par réflexe, Anna toucha sa coiffure. À sa grande surprise, la rose diablesse avait eu la main heureuse. La jeune femme avait pu le constater en se précipitant sur un miroir, sitôt la séance terminée. Jean profita de l'occasion pour l'entretenir de la santé d'Adèle. La vieille dame était très agitée et ils ne parvenaient plus à stabiliser sa tension. Anna se pinça les lèvres ; leur escapade n'avait pas été sans conséquences.

L'infirmière écrasa sa cigarette sous la semelle de son sabot puis glissa le mégot à moitié fumé dans sa poche.

— Gladys vous a coiffée et vous avez emmené Adèle au cinéma. Vous êtes une aventurière, vous alors !

Et elle s'éloigna en riant.

Adèle avait retrouvé sa mine de fillette boudeuse : elle s'ennuyait ferme.

— Vous ne regardez pas la télévision ?

— De la merde en bocal !

— Si je vous faisais la lecture pour changer ?

— Par pitié, non ! Je préfère de loin la conversation. Vous aimez trop les livres et pas assez les gens. Vous me rappelez mon mari.

Anna avait entendu ce reproche toute sa vie. Petite, on la forçait à s'aérer. Elle se cachait dans le placard pour continuer à lire. Depuis son retour penaud à Princeton, elle dévorait uniquement du polar, comme si la détresse fictive adoucissait sa tristesse quotidienne. Quand d'autres s'écœuraient de romans à l'eau de rose, Anna, dans le secret honteux de sa couette, engloutissait : meurtres, viols, putes, maquereaux, dealers, pipes. Elle avait besoin de cette autre dimension où naissaient les mots noirs. Une fois le livre refermé, elle se lavait les mains, buvait un verre de vin, un moment soulagée malgré son cœur crasseux.

— J'ai l'impression de mieux comprendre les autres en lisant.

— Personne ne peut être dans la tête des autres. Vous devez apprendre à vivre avec cette solitude. Aucun de vos bouquins n'y changera rien. Seul le cul est honnête.

Adèle l'observa du coin de l'œil. La jeune femme n'avait pas bronché.

— Le sexe vous manque à ce point ?

Mme Gödel souriait ; l'idée d'avoir amorcé un pas de plus vers le *Nachlass* traversa l'esprit d'Anna sans qu'elle s'y accroche. Elle s'étonna de sa propre indifférence.

— Le désir me manque plus que le plaisir. J'avais beaucoup d'appétit dans ce domaine. Kurt a cessé ses attentions trop tôt. Il négligeait son corps et le mien par la même occasion.

— Comment avez-vous passé ce cap ?

— Ai-je été une femme adultère ? Non. J'ai eu une éducation très stricte. Il en reste toujours des traces. J'avais tant souffert de ces années où nous avions vécu dans le péché, comme on disait à l'époque. Je me suis juré d'être une épouse exemplaire. Je l'ai été. Pourtant, je pouvais encore séduire. J'étais belle avant de devenir cette… chose.

Elle soupesa sa vaste poitrine d'un air dégoûté.

— Je ressemble à un paquebot. C'est terrible de se sentir enfermé dans un corps étranger. À l'intérieur, j'ai vingt ans. Non, en fait, j'ai votre âge. Celui où j'ai rencontré mon Kurt.

— Comment l'avez-vous séduit ? Je ne doute pas de vos charmes physiques, mais M. Gödel n'était pas un homme ordinaire.

Adèle tournait son alliance dans sa chair boursouflée. Anna eut mal pour elle. La vieille dame ne s'était pas décidée à la porter autour du cou ; elle préférait une petite douleur à une trahison symbolique.

— Les scientifiques sont des hommes comme les autres. Génie ou pas. J'ai appliqué le « théorème d'Adèle ». Il ne m'a jamais fait défaut. Mais le monde a changé, comme vous me l'avez fait remarquer.

Adèle eut un sourire espiègle. Deux rayons de lumière vinrent chatouiller le mur. À leur croisement, un carré parfait et éclatant semblait ouvrir une nouvelle fenêtre.

— Dieu est parmi nous, soupira Adèle.

Les deux femmes contemplèrent l'éphémère poésie ondulatoire jusqu'à ce qu'un nuage la dissolve.

— Tout d'abord, il faut savoir écouter les hommes.

Laissez-les parler, même s'ils dissertent sur un sujet où vous êtes plus compétente. Surtout si vous l'êtes ! Et si vous ne l'êtes pas, absorbez leurs paroles comme une manne divine. En chaque homme sommeille un prophète. Pour un peu que sa *Liebe Mama* l'ait délaissé enfant, vous êtes une révélation. Avec votre minois de Sainte Vierge, cela ne devrait pas être un problème.

— Existe-t-il un mot pour le machisme féminin ?

— On s'en contrefout. Seul compte le résultat.

La jeune femme se garda de dire à Adèle qu'elle lui rappelait sa mère. Rachel ne s'était jamais privée de jouer sur tous les tableaux. Anna, elle, n'avait pas résolu l'ambivalence de son éducation : la double injonction d'être une séductrice et une intellectuelle. L'une minorait toujours l'autre. Et le mélange des genres lui semblait inapproprié, voire honteux. Elle préférait attendre d'être séduite.

— Je me fie aux bases de la métallurgie. En premier lieu, chauffez le sujet ! Je n'ai pas besoin de vous expliquer comment, vous n'êtes pas si naïve. Puis refroidissez-le brutalement. C'est imparable.

— Vous avez appliqué cette méthode avec Kurt Gödel ?

— Il s'est toujours montré très sensible à mes flatteries.

Elle mit ses mains en présentoir sous son menton et prit une voix enjôleuse.

— *Kurtele, ton intervention était de loin la meilleure !* Je voyais son sourire apparaître. Même si, entre nous, j'avais piqué un petit roupillon discret pendant la conférence.

— Le « théorème d'Adèle » induit un système où, pour séduire, nous devrions nous subordonner de notre plein gré. Je suis désolée, Adèle, mais c'est une idée réactionnaire.

— La séduction n'est rien. La constance, elle, est difficile. Et ça en valait la peine. Malgré tout. Au final, tout dépend de l'éducation donnée par la mère du mâle choisi. S'il était au centre de tout, il réclamera de le rester. S'il était négligé, il aura besoin d'être rassuré.

— Comment était celle de votre mari ?

— À l'exacte intersection entre lui et lui.

Anna pensa aux lettres de Marianne qu'Adèle avait brûlées. Les relations entre les deux « Mme Gödel » avaient dû être d'une violence rare.

— Laissons ma belle-mère de côté ! Je la retrouverai bien assez tôt. Si vous doutez de ma théorie, tentez cette expérience : regardez un homme dans les yeux sans frémir. Attention ! Sans aucun soupçon de sarcasme ! Puis susurrez-lui : « Comme tu es fort… »

Anna réprima un fou rire ; elle ne parvenait pas à déterminer le degré de sérieux de la conversation. Ni où était le piège.

— Vous verrez. Aucun ne résiste. Cette phrase leur gèle les méninges. Bien sûr, certains sont plus résistants. Il n'empêche, pendant un court instant, l'information neutralise leur réflexion. Elle caresse leur cervelle préhistorique. C'est un raccourci implanté chez les petits garçons par leur mère.

Cette fois, Anna sourit de bon cœur ; elle imaginait très bien les minauderies de la jeune Adèle.

— Tout est dans la conviction de la voix et la candeur du regard. Mon théorème fonctionne aussi sur les chats.

— Je tenterai l'expérience sur le mien. Avant de m'attaquer à l'espèce humaine.

— J'avais bien remarqué des poils sur vos vêtements ! Mes chats préférés étaient ceux de l'île de Man. Ils n'ont pas de queue. Mes voisins en possédaient trois de cette race. Un jour, je leur ai dit que j'allais faire couper mon chat de gouttière pour qu'il ressemble aux leurs. Ils se sont empressés de m'en dissuader. Madame Gödel, la queue est importante pour l'équilibre de ces bêtes ! Et patati et patata. Ils n'ont pas compris la plaisanterie. Quelques jours après, ma coiffeuse à Princeton voulait me décourager de commettre une telle horreur. Hulbeck, notre psy, en avait fait ses choux gras ! La femme du fou est-elle folle ? Oui ! L'épouse du génie est-elle géniale ? Pour sûr, non ! Voilà comment j'étais considérée dans le quartier.

Adèle avait un débit précipité. Anna pensa à l'avertissement de l'infirmière à sabots ; il était temps de calmer le jeu. Elle espéra que leur escapade n'avait pas grillé les derniers points de vie de la vieille dame.

— Gladys a fait du beau travail.

Anna se tripota une mèche instinctivement.

— « J'aime vos cheveux ! » est le pendant féminin du « Comme tu es fort ! » masculin. Même une grande fille surdiplômée n'y résiste pas. Je suis peut-être réactionnaire, ma cocotte, mais mon théorème reste éternel. Et vous feriez bien de vous mettre aux travaux pratiques. Qu'avez-vous prévu de porter à Thanksgiving ? Je vous verrais bien en rouge.

40.

1952

Un divan pour trois

> « Le dadaïste aime la vie parce qu'il peut s'en débarrasser à tout moment, la mort étant pour lui une affaire dadaïste. Le dadaïste envisage sa journée, sachant qu'un pot de fleurs peut lui tomber sur la tête. »
>
> Richard Huelsenbeck, *En avant Dada !*

— Ceci n'est pas une séance. Prenez-la comme une simple conversation.

Je serrai mon sac contre mon ventre. Kurt prenait grand soin de ne pas me regarder. Nous n'avions pas pour habitude de nous épancher auprès d'un inconnu, en particulier quand celui-ci ne l'était pas vraiment. Au départ, j'avais considéré cette consultation comme une bonne idée. Dans ce bureau étrange, en face de cet homme encore plus bizarre, j'avais une furieuse envie de tourner les talons.

Kurt se remettait avec peine d'une hospitalisation.

Cette dernière crise aurait pu avoir un goût de déjà-vu s'il n'avait, depuis sa sortie, regimbé à manger ce qui était préparé de ma main. Nous étions dans une impasse. Il se méfiait de moi. Nous vivions comme deux étrangers englués dans un silence mortifère : rancune et incompréhension.

Albert, pas dupe de nos difficultés conjugales, avait recommandé un psychanalyste avec tact : Charles R. Hulbeck, un de ses nombreux protégés. Kurt avait suivi, comme il le faisait souvent, le conseil de son vieux compagnon. Hulbeck, de son vrai nom Richard Huelsenbeck, était un émigré allemand de la première heure qui avait obtenu un visa par l'entremise du toujours secourable Herr Einstein. Albert l'avait décrit comme un drôle d'hurluberlu : artiste toqué, mais psychiatre compétent. Fantaisie et science me semblaient incompatibles ; en général, les gens préfèrent dégoiser sur ce qu'ils ne maîtrisent pas.

Les murs de son bureau étouffaient sous une collection d'œuvres d'art. Des collages abstraits et de grands aplats de peinture noire se disputaient l'espace avec une assemblée grimaçante : figures africaines, masques de théâtre japonais et déguisements de carnaval. Mon œil fut attiré par une petite aquarelle plus traditionnelle. Je frissonnai en l'observant de plus près : un ange morbide aux jambes dévorées par les flammes.

— Vous aimez William Blake, Adèle ?

Je hochai la tête, dubitative. Que pouvait faire pour nous cet énergumène ? Une simple conversation avec lui pouvait-elle sauver un couple de la noyade ?

— Kurt, je vous sens tendu.

Mon mari tressaillit ; il ne s'attendait pas à être interpellé de manière si cavalière.

— Vous devez m'éclairer sur vos méthodes, docteur Hulbeck. De quelle école êtes-vous ? Je me suis renseigné sur les thérapies.

— Je ne suis pas freudien. À peine jungien. Je me place en dehors de l'orthodoxie. Si je dois me réclamer d'un maître, je suis proche de Binswanger. Un neuropsychiatre qui s'est éloigné de la psychanalyse d'origine contrôlée viennoise en créant la *Daseinsanalyse*[36].

— Qu'entendez-vous par « *Daseinsanalyse* » ?

— Je ne suis pas là pour vous faire une conférence.

Mon époux inspecta de nouveau les murs. Le connaissant, je savais qu'il ne manquerait pas d'étudier dans le détail les références de ce Hulbeck. Encadrés par la terrifiante collection, diplômes de médecine et galons de chirurgien de marine avaient grand-peine à être pris au sérieux. Je me demandais si ces masques étaient des souvenirs de voyages ou des trophées de guerre psychiatriques ; des têtes raccourcies. Il n'aurait pas la mienne.

— Enlevez votre manteau, Kurt. Vous serez plus à votre aise.

Mon mari ne bougea pas. Il s'accrochait à son pardessus comme une jeune mariée à sa chemise de nuit. J'avais pris place d'office sur le divan où je me tenais raide, le dos dans le vide. La banquette de cuir glacé aux pieds chromés me semblait peu propice aux confidences. Kurt avait dû se rabattre, pour ne pas risquer de me toucher, sur un siège bas recouvert d'une fourrure à longs poils fauves. Il se laissait absorber par ce gigantesque sexe féminin. Le psychiatre fit trois fois le tour du bureau avant de s'asseoir et de poser sur ses genoux un petit tambour[37]. Hulbeck ressemblait à un dogue allemand, attachant mais dangereux. Je m'attendais presque à ce qu'il urine sur les pieds de son fauteuil. Il n'en fit rien, nous affligeant, à défaut, d'une tonitruante sérénade.

— L'un de vous pourrait-il formuler les raisons de votre démarche ?

Kurt m'interrogea du regard ; je lui offris l'ouverture.

— Ma femme est très colérique.

Charles anéantit ma tentative de réplique d'un roulement de tambour.

— Ne lui répondez pas. Laissez-le parler.

— Adèle ne se maîtrise pas. Elle hurle pour un rien. Elle me dérange dans mon travail.

— Pourquoi êtes-vous en colère contre votre mari, Adèle ?

— Vous voulez une liste exhaustive ? Il est égoïste, infantile, paranoïaque. Tout tourne autour de ses petits problèmes de santé.

— Votre époux n'a-t-il pas toujours souffert d'une constitution fragile ?

— Je n'en peux plus. Il dépasse les limites. Sa fragilité est une bonne excuse !

— Pouvez-vous préciser ?

Cet olibrius commençait à me fatiguer. Il s'échinait à faire sortir les mots ? Il allait être servi !

— Bordel de Dieu ! Je suis fragile moi aussi ! Son génie, sa carrière, ses maladies, ses angoisses ! Aucune place pour *mes* angoisses !

Kurt sursauta. Il ne supportait pas la vulgarité ; elle me soulageait. Tout le monde n'a pas la même manière de formuler son mal-être. Il n'avait jamais pu le comprendre. Moi, je braillais, j'insultais. J'étais vulgaire. Si tristement vulgaire. J'avais peut-être la mélancolie moins chic que la sienne, mais elle n'en était pas moins profonde. Sa souffrance ne pouvait rivaliser avec la mienne et ses dépressions lui avaient fourni de bonnes excuses pour ne pas se mêler aux autres, ne surtout pas prendre parti. Il s'était construit une magnifique légende noire pour se protéger, mais les murs de protection étaient devenus ceux d'une prison.

— Pourquoi qualifiez-vous votre mari de paranoïaque ? C'est un terme clinique très précis.

— Il se croit suivi. À l'entendre, le FBI nous aurait placés sur écoute. Un prétexte idéal pour ne pas parler du tout !

— Comment en êtes-vous parvenu à cette conclusion, Kurt ?

— Par simple déduction. Je suis proche d'Einstein et d'Oppenheimer. Tous deux sont inquiétés par la commission McCarthy. De plus, j'ai reçu plusieurs lettres censurées en provenance d'Europe.

— Travaillez-vous sur des sujets sensibles ?

— Ils font feu de tout bois. Il leur suffit de savoir que nous avons pris une fois le Transsibérien pour nous cataloguer pro-russes. Tout est logique dans cet illogisme.

— Quand vous dites « ils », à qui pensez-vous ?

Kurt le fixa, sincèrement étonné de sa question.

— Les services secrets. Le gouvernement. Princeton grouille d'espions en tout genre.

— Les nouvelles de la guerre en Corée vous angoissent-elles ?

— Elles me déçoivent. J'espérais vivre dans un pays avisé, où étudier en toute sérénité. J'y rencontre des gens creusant des abris antiatomiques dans leur jardin ou stockant des paquets de sucre ! Je suis le très sain ressortissant d'une nation paranoïaque.

Hulbeck resta pensif un instant, la main en suspens.

— Adèle, reprochez-vous à votre mari de ne pas s'occuper assez de vous ?

— Ce n'était pas dans le deal de départ. J'ai été engagée comme infirmière.

Kurt leva les yeux au ciel. Charles donna un peu du tam-tam.

— Que savez-vous des angoisses de votre femme ?

— Il n'en sait foutre rien !

Un nouveau « bong ! » me remit à ma place. Je finirais par lui faire avaler son maudit instrument.

— Adèle se plaint à longueur de journée du manque d'argent. Elle n'en a jamais assez. J'ai pourtant pris sur moi. Je viens d'accepter un poste de professeur. La charge de travail et les responsabilités sont très lourdes.

Je bouillonnais sur mon divan. Quatre mille pauvres dollars de plus par an ! Pas de quoi se baigner dans le champagne ! Son poste, il le devait à la bienveillance d'Oppenheimer et à l'incessant soutien des duettistes Einstein-Morgenstern. Son collègue Carl Siegel avait toujours refusé d'appuyer sa candidature. Il avait même déclaré : « Un seul fou à l'Institut, c'est suffisant ! » Je n'ai jamais su qui était l'autre. Lui-même peut-être. Quant à ses prétendues responsabilités ! Il pourrissait la vie de l'Institut avec ses chicaneries perpétuelles. L'ordre du jour aux réunions commençait par : « Qui va assommer Gödel aujourd'hui ? »

— J'ai reçu de nombreux prix ces dernières années. Ma femme devrait être satisfaite. Elle revendique sa petite part de gloire. Comme à la réception de mon diplôme honoraire à Harvard. À titre personnel, je déteste ce genre de raouts. Elle a exigé d'être assise à côté de moi pendant la cérémonie. C'était tout à fait déraisonnable. Elle a créé un regrettable incident auprès des organisateurs.

Un coup de tam-tam l'empêcha de poursuivre.

— Quel menteur ! Il a couru après la reconnaissance toute sa vie ! Même Albert le sait ! Pourquoi crois-tu qu'ils t'aient attribué le premier prix Einstein[38] ? Par pitié ! Pour payer la facture de l'hôpital ! Comment aurions-nous pu sinon ?

Triple « bong ! ». Kurt, livide, s'accrochait aux poils du siège comme s'il espérait rentrer dans la matrice. « Vous n'en avez pas besoin, mon ami », avait chuchoté Albert en lui tendant le prix. Personne n'était dupe, surtout pas lui.

J'avais fini par un K.-O. Je sortis mon poudrier, me refis une beauté et gratifiai mes interlocuteurs d'un claquement de lèvres jouissif. C'était à Kurt de jouer, mais il n'avait jamais été à son aise sur un ring. Dans un silence de mort, Hulbeck se leva pour faire à nouveau trois petits tours autour de son bureau.

— Vous devriez envisager votre couple comme un système dynamique à l'équilibre fragile. Vous êtes tous deux à la fois victimes et bourreaux. Mon travail consistera à vous aider à extérioriser vos insatisfactions sans agressivité. Me permettriez-vous de fumer ?

Kurt haussa les épaules. Le thérapeute me tendit une cigarette puis l'alluma à un briquet de table en forme de champignon. Il quitta la pièce pour demander des cafés à sa secrétaire. Un ange passa. Je me ramollissais. J'observais mon mari du coin de l'œil. J'étais peut-être allée un peu loin.

Le café servi, Hulbeck se rassit derrière son bureau

et se mit à triturer un étrange objet. Je m'interdis de le questionner, mais il avait remarqué mon intérêt.

— Une réplique du masque mortuaire de Goethe. Je le garde toujours à portée de main.

— Pour quoi faire, grands dieux ? Vous êtes morbide !

— Vous avez un problème avec la mort, Adèle ?

— Qui n'en a pas ? Je n'ai pas besoin de tripoter des horreurs pour autant.

Sa bouche se contracta en une parodie de sourire.

— Comment qualifieriez-vous votre vie intime ? Je parle de sexualité, bien sûr. Kurt ?

Je réfrénai un rire nerveux. « Élève Gödel, au tableau ! Avez-vous fait vos devoirs ? » Poils, sexe, désir ; autant de mots étrangers à son vocabulaire. Il ne s'était même pas aperçu que je n'avais plus mes règles. Il aurait déjà fallu qu'il consentît à m'approcher. La vie devait-elle vraiment se réduire à cette guerre froide ? Une chambre à part. Un repas pris seule, debout devant la fenêtre. Il existait peut-être dans ce monde, dans cette ville, un homme pour moi. Un inconnu qui m'aurait fait rire et danser. Qui m'aurait mise dans son lit. Pourquoi n'aurais-je pas suivi un compagnon de hasard à l'hôtel ? La peur des ragots ? Un reste d'amour pour Kurt ? La honte de mon corps vieillissant ? Un manque d'occasion, sans doute.

— Depuis quand êtes-vous ménopausée, Adèle ?

Ce fut mon tour d'être désagrégée. C'était un coup bas. Kurt se tassa un peu plus dans son fauteuil.

— Ne serait-ce pas le fond du problème ? Votre mari a son travail, vous avez… votre mari. Votre système est-il déséquilibré par l'absence d'un enfant ?

Je tirai nerveusement sur ma cigarette. J'avais fait une croix depuis longtemps sur la maternité, même quand mon ventre me criait que c'était encore possible. À la longue, Kurt aurait pu céder, comme pour la maison. Je m'ennuyais tant. Il aurait pu consentir au moins à essayer de me faire un enfant. Allongeant ainsi la liste de ses résolutions ; décision faisant acte de réalisation. Mais mon horloge biologique avait clos le débat. Aucune âme n'avait voulu atterrir chez nous. Nous avions même pensé adopter une petite fille après la guerre, mais Kurt ne pouvait se résoudre à donner le nom des Gödel à quelqu'un qui n'était pas de son sang. Il avait bien mis dix ans avant de m'accorder ce nom.

Comment aurait été notre garçon ? J'y ai souvent songé, comme en un délicieux exercice de mortification. Je l'imaginais enfant unique. Un gosse de vieux. Je ne nous ai jamais envisagé une « mademoiselle Gödel ». Ce monde n'est pas fait pour les filles. « Loué celui qui ne m'a pas fait femme ! » m'avait appris mon amie Lili von Kahler, citant la Thora.

Je répondis à Hulbeck avec tout le calme dont je me sentais capable ; je répugnai à lui offrir mon trouble en pâture.

— Nous avons choisi de ne pas avoir d'enfant.

J'aurais tenu à appeler mon fils « Oskar », pour honorer le fidèle ami Morgenstern, même s'il m'agaçait. Marianne aurait insisté sur « Rudolf », pour dédommager un mari mort. Il aurait fini par s'appeler Rudolf comme le père et le frère de Kurt. Einstein, von Neumann et Oppenheimer auraient assisté à son baptême. Il aurait eu les yeux clairs, comme nous deux. Élevé en Amérique, il aurait eu de belles dents dans une solide mâchoire de conquérant. Aurait-il aimé le chewing-gum ? Il est difficile de réfléchir en mâchant ; Kurt ne l'aurait pas autorisé à mâcher. Aurait-il été scientifique ? Il aurait gâché sa vie à essayer d'être à la hauteur de son père. Comment être le fils d'un dieu sans être un dieu soi-même ? Interdits d'Olympe, ces rejetons ont le choix entre folie et médiocrité, du moins ce que les génies considèrent comme tel et que nous nommons « normalité ». Voilà ce qu'avaient choisi les fils d'Albert : le plus brillant avait fini schizophrène, l'autre ingénieur. Quelle terrible déception ! « Il ne faut pas imaginer que ses propres enfants hériteront d'un esprit », disait-il. Cher Albert, si bon et cruel à la fois, comme toute divinité qui se respecte.

L'enfant de Vienne aurait pu être musicien. Qu'aurait pu devenir celui de Princeton ? Sculpteur, peut-être. Ainsi, Rudolf Gödel senior aurait vendu des gaines pour permettre à Kurt Gödel d'être un scientifique et à son petit-fils d'être artiste. Alors qu'aurait fait le fils de mon fils ? Il aurait fermé la boucle en commerçant l'art de son propre père.

Et si notre gamin avait été doué en sport ? S'il avait trouvé son bonheur parmi ces grands gaillards à cheveux courts du campus ? J'aurais félicité le destin pour son ironie ; obliger Kurt à accompagner son fils à un match de base-ball, lui qui fuyait l'exercice physique comme la peste.

Mais Kurt ne m'a pas autorisée à enfanter ; ç'aurait été laisser la place à l'imprévu, à l'incontrôlable. À la déception. Notre fils a bien fait de ne pas se présenter. Je n'aurais pas eu de force pour trois.

Le sourcil droit du psychiatre resta bloqué vers le haut comme s'il avait porté trop longtemps le monocle. Il plissa ses grosses lèvres.

— Qui souhaite s'exprimer sur cette histoire d'hôpital ?

— Il a été hospitalisé d'urgence pour un ulcère perforé qu'il avait refusé de faire soigner. Il s'entête à esquiver les médecins. Il préfère se plaindre ou avaler des potions magiques. Il a failli mourir ! Il a même dicté son testament à son ami Morgenstern !

— J'avais d'autres soucis en tête. Je devais préparer mon intervention au Congrès international des mathématiciens et à la conférence Gibbs[39].

— Adèle, vous sentez-vous responsable des problèmes de santé de Kurt ?

— Vous voulez dire coupable ? J'ai perdu ma vie à sauver la sienne !

Je me levai, résolue à partir. « Asseyez-vous ! » tonna le tambour.

— Vous voyez ? Elle est hystérique ! Incapable d'avoir une conversation d'adultes !

— Il tient un journal de ses problèmes de constipation et il a le culot de parler d'hystérie !

— Je prends grand soin de ma santé. À ma manière. Je suis une diète très précise.

Je me rassis en jetant ma pochette sur la banquette. Si Hulbeck avait connu l'étrangeté de son régime quotidien, il l'aurait fait interner sur-le-champ : un quart de livre de beurre sur une miette de pain toasté et du blanc d'œuf battu. Ni soupe ni fruits frais. Presque jamais de viande. Un poulet pouvait nous faire la semaine si je ne le dissimulais pas dans sa purée. De la nourriture blanche, neutre, réduite à un minimal de survie.

— Il n'ose pas vous avouer qu'il a peur d'être empoisonné, y compris par moi ! Quand nous sommes invités quelque part, je suis obligée d'apporter son repas dans une boîte. Imaginez un peu ma honte !

— Ma femme exagère. Je trouve sa cuisine trop

lourde et elle se vexe d'un rien. La pièce est très enfumée, ne pourriez-vous pas ouvrir la fenêtre ?

— Pourquoi n'enlevez-vous pas votre manteau Kurt ? Vous êtes pressé de partir ?

— J'ai froid.

Je levai les yeux au ciel ; il n'était plus à une contradiction près.

— Ce sera suffisant pour aujourd'hui. Je tiens cependant, en tant que médecin, à vous recommander un petit séjour au grand air, Kurt. Afin de vous refaire une santé. De manière scientifique.

— Pourquoi n'irions-nous pas en Suisse visiter les Pauli ? Ça te plairait, la Suisse. C'est propre. Calme. Ou à Vienne ? Je suis même disposée à voir ta mère !

Hulbeck toussotait avec fort peu de discrétion.

— Tu sais très bien ce que j'en pense, Adèle.

— Je n'en peux plus de Princeton. Pourquoi n'acceptes-tu pas l'offre de Harvard ? Les gens y étaient très amicaux.

— Nous en reparlerons.

Le tonnerre du tambour nous dissuada de continuer. La séance était terminée.

— Nous progressons. Vous prendrez rendez-vous auprès de mon assistante.

Kurt se leva et paya le psychanalyste qui nous raccompagna à la porte de son cabinet. Dans le vestibule, j'enfilais mes gants, un peu sonnée, quand Hulbeck passa sa tête de vieux chien par l'encadrement.

— À propos, Adèle. Je garde ce masque mortuaire pour une seule raison. La colère a aussi ses vertus. Je m'applique à ne jamais l'oublier. Je chierai sur Goethe jusqu'à ma mort. On se voit dimanche chez Albert ?

41.

Anna faisait à pied le tour de l'IAS en attendant l'heure propice. Elle avait suivi les conseils d'Adèle en s'offrant une nouvelle tenue : sous son strict manteau, elle portait une robe en crêpe rouge, trop décolletée pour sa poitrine menue. Elle se sentait endimanchée. Elle s'était maquillée et, au dernier moment, elle avait dénoué ses cheveux en s'interrogeant sur l'utilité d'un tel arsenal dans une guerre déjà perdue.

À l'heure de l'invitation temporisée d'un retard acceptable, elle remonta l'allée vers Olden Manor, opulente maison néovictorienne d'une bonne vingtaine de pièces attribuée aux directeurs de l'IAS depuis 1939. La demeure avait vu, entre autres, grandir les enfants de Robert Oppenheimer. Petite, Anna en avait fouillé tous les recoins, mais elle n'en avait pas passé le seuil depuis des années. Les souvenirs associés à ce lieu alimentaient son angoisse. Au moment où elle allait tourner les talons, la porte s'ouvrit sur le visage bienveillant d'Ernestine.

La Créole était au service de la famille Adams depuis près de vingt ans. Elle appartenait au décor, comme ses éternelles blouses aux couleurs flamboyantes. Virginia n'avait pu l'obliger à renoncer à ses goûts tropicaux pour un sévère uniforme de *nanny* plus conforme au standing familial. Au contraire, avec le temps, les ramages avaient pris de l'ampleur. Ernestine n'avait jamais cédé sur quoi que ce soit, y compris sur cette déroutante manie de ponctuer ses phrases d'obscures expressions françaises.

— Anna, *mon bel oiseau*[*] ! Je suis si heureuse de te voir ! Elle embrassa la jeune femme sur les deux joues sans plus de manières. Anna reconnut son odeur particulière : vanille et levure.

— Vous n'avez pas changé, Tine.

— *Taratata, je suis une vraie baleine.* Mais toi, tu es jolie comme un cœur.

Elle lui pinça la taille.

— Si je t'avais sous la main, tu aurais un peu de chair autour des os. Mon Dieu ! Les jeunes femmes d'aujourd'hui !

Anna lui tendit un petit paquet. Elles sursautèrent en entendant un appel hystérique tomber du premier étage. Ernestine se tint les reins en soupirant. Calvin Adams apparut dans le hall. Il avait revêtu une tenue décontractée : une chemise de flanelle aux tons chauds sur un pull à col roulé blanc ; Anna le soupçonnait de cacher un début de goitre derrière cette coquetterie récurrente.

— Vous êtes ravissante avec cette nouvelle coupe de cheveux, Anna.

Cette fois, elle s'empêcha de toucher ses cheveux ; elle ne se laisserait plus piéger par des compliments faciles. Ceux de Calvin lui faisaient l'effet d'une paume moite sur ses seins. Heureusement, il n'insista pas et pria Ernestine d'aller calmer Madame.

*. En français.

Virginia se matérialisa dans un lourd nuage de parfum capiteux. Un verre à la main, dans l'autre, une cigarette ; Anna l'avait toujours connue ainsi.

— Vous êtes en avance. Rien n'est prêt.

Anna ne se formalisa pas ; elle était vaccinée contre le fiel de Mme Adams depuis l'enfance. Elle évalua le temps qu'il faudrait à son hôtesse pour ravager son maquillage impeccable par une des crises de larmes théâtrales dont elle était coutumière. Virginia savait encore y faire, même si l'âge l'avait contrainte à augmenter la dose d'artifices. Elle était une superbe grenade dégoupillée et son mari s'épuisait depuis des années à en retarder l'explosion.

Anna resta un moment les bras encombrés avant qu'on lui fasse l'aumône de la débarrasser de ses affaires. Mme Adams lui infligea l'inspection habituelle. Elle tripotait la robe rouge d'un doigt sans lâcher sa cigarette. Anna pria pour ne pas voir l'extrémité incandescente incendier le fragile tissu. Elle ne s'était jamais offert un bout de chiffon si coûteux. Pourtant, elle était encore loin du luxe affiché de Virginia, drapée dans un caftan de soie.

— Elle ne résistera pas au lavage. Mais ça fait son petit effet, ce rouge.

Virginia était de ces personnes qu'il faut comprendre à rebours : l'enthousiasme comme une insulte ; un vague reproche comme un compliment consenti. La jeune femme tendit à son hôtesse une bouteille d'orvieto, un blanc italien qu'elle avait un peu trop apprécié pendant son séjour en Ombrie avec Gianni. Virginia saisit son humble offrande du bout des doigts. Calvin, diplomate averti, invita son employée à s'installer au salon.

— Vous êtes ici chez vous. Vous le savez bien.

Anna choisit une place reculée au fond d'un des grands Chesterfield près de la cheminée, le dos tourné à la porte de la bibliothèque. L'odeur du cuir la réconforta. Elle avait de bons souvenirs dans cette pièce. Petite fille, elle y faisait ses devoirs avec Leo pendant qu'Ernestine leur préparait des gaufres en cuisine. Sans qu'elle ait eu le temps de se composer une posture, Leonard surgit dans son champ de vision et s'écroula sur le canapé qui lui faisait face.

— Toujours aussi élégant, Leo.

— J'ai fait un effort pourtant. Tu as vu la cravate ?

— Tu ne ressembles à rien. Ta chemise est toute froissée.

Elle arrangea son nœud de cravate en songeant à toutes les fois où elle avait refait ses lacets, retrouvé ses affaires de classe ou lui avait permis d'échapper à des punitions par de savants mensonges. Il vida son verre d'un trait, en évitant de regarder la porte de la bibliothèque ; il devait être assailli par les mêmes souvenirs. Anna se maudit alors d'avoir renoué si vite avec ses gestes maternants. Sous la panoplie négligée, elle reconnaissait le gamin aux lèvres pincées, trop timide pour montrer ses dents, ou trop malin pour laisser filtrer son autosatisfaction. Son nez, d'une taille extravagante dans une figure aussi étroite, avait beaucoup complexé Leo à la puberté. Sans ses yeux sombres et rieurs, il aurait pu être laid. Gêné d'être ainsi dévisagé, il agita ses sourcils comme un crooner de pacotille.

— Personne ne t'a proposé à boire ?

— J'ai besoin de rester lucide pour traduire. Je suis en service commandé auprès du mathématicien français.

— C'est inutile. Son anglais est parfait. Mon père m'a joué le même tour. Il espère me voir tapiner avec Richardson III. Ou IV. Un contribu-raseur de première.

Anna se sentit piégée : Leonard n'était donc pas à l'origine de ces retrouvailles ; la porte de la bibliothèque était close depuis bien longtemps. Elle accepta le verre. Son ami traîna sa silhouette désarticulée vers le bar. Sa chemise diplomatique ne lui allait pas et Anna s'était habituée à ses éternels tee-shirts à message obscur. Son terrible négligé vestimentaire pouvait dérouter les moins perspicaces. Adams Junior dissimulait sa rigueur d'esprit cristalline sous une panoplie de rebelle à deux sous : il était pourtant une pure machine analytique, comme ces ordinateurs dont la découverte à un âge précoce avait scellé son destin. Son anticonformisme appliqué n'était pas pour rien dans la calvitie paternelle ou l'alcoolisme maternel, à moins qu'il n'en fût la conséquence naturelle.

Il revint avec deux verres larges comme des soupières. Si on se fiait à son whisky bien tassé et à son front déjà dégarni, Leo cumulait les deux hérédités. Calvin Adams passa la tête dans la pièce et fit un signe de la main : les invités arrivaient. Son fils lui répondit par un simple clignement d'yeux. Anna s'inquiéta de cette docilité inhabituelle. Elle se souvenait d'un soir où le garçon était parti pieds nus de chez lui en claquant la porte. Il ne s'était pas sauvé très loin. Ses parents avaient envoyé Tine le récupérer au poste de police. Leo avait refusé de parler à ses géniteurs pendant plus de trois semaines. Il avait à peine dix ans.

— J'ai appris le remariage de ton père avec son étudiante. Rachel a dû faire une belle crise.

— De l'histoire ancienne. Depuis, elle s'est dégotté un anthropologue bronzé à Berkeley. Une merveille !

— Ne te plains pas. Cela aurait pu être le contraire.

Elle sourit en imaginant George, image parfaite d'une virilité princière à crinière blanche et boutons dorés, en compagnie du petit escroc en pantalon kaki. La vision de sa mère au bras d'une jolie friponne était moins inconcevable.

Leonard alluma une cigarette. Anna avait arrêté à son retour d'Europe, non sans peine. Elle réfréna sa pulsion. Depuis quelques jours, le manque la torturait de nouveau ; l'univers entier fumait, sauf elle.

— Pourquoi es-tu revenue à Princeton, Anna ?

Elle finit son scotch d'une seule gorgée ; la question était trop directe pour provoquer une réponse sincère. Leo était sans nuances. Comme il lui avait souvent dit : « Il y a 10 sortes de personnes. Celles qui comprennent le binaire. Et les autres*. » Son monde était peuplé de « 1 » et de « 0 » en noir et blanc quand celui d'Anna remâchait toutes les teintes de gris ; il appartenait au « discret », elle, au « continu ». Ils n'avaient jamais réussi à définir entre eux une frontière simple, nécessairement perméable, mais suffisamment étanche pour que l'un des deux ne se dissolve pas dans l'autre. Contrairement aux mathématiques, l'infini de Leo semblait plus vorace que celui d'Anna.

Deux ans auparavant, l'escapade à Florence avait clos le débat pour eux. Un matin, la sonnette avait retenti au loin dans la vaste demeure de Gianni. Celui-ci dormait ; il avait un sommeil de plomb et la soirée de la veille ne l'incitait pas à sortir de sa torpeur.

*. 2 en binaire s'écrit « 10 ».

Anna avait rampé hors du lit, attrapé une chemise d'homme qui traînait et hurlé d'attendre en italien à l'intention du salopard qui osait tambouriner à cette heure. Elle avait ouvert la porte sur Leonard. Il avait un sac de voyage à la main et un sourire indéchiffrable sur le visage. « Surprise ! » avait-il dit en guise d'explication. Et surpris, il l'avait été en apercevant Gianni à moitié nu surgir derrière elle. Leo avait fait demi-tour sans un mot. Elle ne l'avait jamais revu.

Gianni ne lui avait pas fait de scène, pas demandé de « choisir ». Elle n'avait pas à faire un choix. Tout était déjà saccagé. Il l'avait laissée partir en se permettant un seul reproche : « J'aurais aimé que tu m'en parles avant, Anna. Ce n'est jamais agréable de constater qu'on est un ersatz. Surtout quand on passe sa vie comme moi à traquer les faussaires. » Mais il n'avait pas accepté ses excuses.

Leo lui frappa l'épaule. Il n'avait jamais toléré ses absences.

— Qu'est-ce que tu as fait de ton Italien ?

— Il faut croire que ça n'a pas marché.

Virginia agitait ses voiles pour les attirer vers la table.

— Garde-moi une place à côté de toi.

— Ravie d'être encore ton bouche-trou de service.

— Je te retourne le compliment.

42.

1954
Alice in Atomicland

> « Si l’on boit une bonne partie du contenu d’une bouteille portant l’étiquette “poison”, ça ne manque presque jamais, tôt ou tard, d’être mauvais pour la santé. »
>
> Lewis Carroll, *Alice au pays des merveilles*

— Le L51 est disponible en deux couleurs. Le bleu ciel se vend très bien.

— Je ne fais pas confiance aux Prescot. Le L18 montrait d’évidents déficits de sécurité. Ont-ils pu remédier aux fuites de fréon ?

— Je ne sais pas, monsieur Gödel. Personne ne s’en est jamais plaint. À part vous.

Notre prospère vendeur d’électroménager transférait son poids d’une jambe sur l’autre tout en admirant sa manucure. Avec ses dents de lapin et son sourire à vous céder le paradis à crédit, Smith ressemblait à un Mickey Rooney monté en graine. Il subissait l’interrogatoire de mon époux avec un désintérêt proche de l'affront. À sa décharge, sa patience avait été éprouvée par de nombreuses séances du même genre.

— Vous n'avez aucun modèle européen ?

— Pourquoi pas russe, tant que vous y êtes ? Un sacré comique, votre mari, madame Gödel !

Kurt esquiva une virile bourrade ; Smith dut se rétablir par un jeté de jambe approximatif.

— Il existe un monde entre les États-Unis et l'URSS. Vous l'ignoriez ?

— Tous des cocos ! Ici, monsieur Gödel, nous vendons de la technologie bien de chez nous.

— Smith ! Vous ne pouvez quand même pas soupçonner une machine d'être communiste !

— Je sais ce que je sais, madame. Mais je vous fais 25 dollars de ristourne sur le Golden Automatic. Vous êtes de bons clients.

— Il coûte 400 dollars, Kurt ! Nous n'avons pas les moyens de nous acheter un réfrigérateur à ce prix-là tous les ans !

Indifférent à ma méfiance, Smith peaufinait la rutilance d'un Admiral Fridge chromé, annoncé à 299 dollars. Il tenta d'emporter la vente par des arguments imparables : le modèle bénéficiait d'un compartiment freezer supplémentaire et la porte pouvait s'ouvrir à droite ou à gauche. Je n'avais pas enduré la conversation des plus grands illuminés de ce siècle pour avaler sans sourciller la condescendance huileuse d'un petit quincaillier. J'entraînai mon mari dehors.

— Adèle, il nous faut un nouveau réfrigérateur ! Le nôtre est dangereux. Nous risquons d'être intoxiqués.

— Nous en ferons livrer un de New York. Smith

est trop sûr de notre clientèle. Il ne fait plus d'effort. Il nous escroque.

— Tu t'égares, Adèle.

— Vraiment, mon ami, tu devines des complots partout, sauf là où ils existent !

Je poussai Kurt sur le trottoir, le dos glacé par le sourire narquois du vendeur.

— Peux-tu essayer de comprendre la simple idée que les gens nous considèrent, au mieux, comme de gentils zinzins, à vouloir changer de réfrigérateur aussi souvent ? Et en ce moment, il est préférable de faire profil bas.

— Quel dommage que Herr Einstein n'ait pas commercialisé son brevet[40] !

— Il a bien d'autres sujets de préoccupation. Si tu lui causes encore de ton frigo, il va finir par t'y enfermer ! Dépêchons-nous. Tu es en retard pour ton rendez-vous avec Albert et moi, chez ma coiffeuse.

Rose s'apprêtait à ôter les rouleaux de ma mise en plis. Depuis le shampoing, je la sentais tourner autour d'un racontar qui lui brûlait la langue. En connaissant déjà la teneur, j'avais feint de ne pas saisir ses allusions. Elle ne put attendre davantage : la retenue était trop douloureuse pour cette commère professionnelle.

— Alors, il en est ou pas ? Tout Princeton en parle. Le directeur de votre mari aurait vendu la bombe aux Russes. C'était dans le journal de ce matin.

— Si vous croyez tout ce que racontent les journaux, Rose, je ne peux plus rien pour vous.

Elle déroula une mèche sans ménagement.

— Les Oppenheimer sont des amis à vous pourtant.

J'hésitai un instant à prendre position : à Princeton,

une anodine bulle de mensonge pouvait vous retomber dessus telle une météorite après avoir fait trois fois le tour de la ville.

— J'ai toute confiance en eux.

— Mme Oppenheimer fait sa grande dame. Vous ne trouvez pas ?

— Rose, l'avoir perdue comme cliente ne vous autorise pas à l'accuser de tous les crimes !

Elle ôta avec vigueur le dernier rouleau.

— Vendre nos secrets aux communistes. Tout de même. Si les Russes ont la bombe, c'est bien que quelqu'un de chez nous qui s'y connaît la leur a donnée !

— Vous ne les estimez pas capables de la fabriquer tout seuls ? Vous ne croyez pas qu'ils ont, eux aussi, leur quota de savants fous ?

Elle interrompit le passage du peigne ; cette idée ne l'avait pas effleurée.

— Les Oppenheimer ne sont pas membres du parti communiste, Rose. J'en suis certaine.

Elle me fixa dans le miroir.

— Vous ne comprenez pas, madame Gödel. Les éléments les plus précieux du parti communiste n'en sont pas membres, car cela entraverait leur action. Je l'ai lu dans le journal.

— Vous devriez vous contenter de *Harper's Bazaar* !

J'avais envie de la planter là, quitte à m'enfuir avec les derniers rouleaux sur le crâne. Fuir devant la bêtise ? Quelle mauvaise idée ! Elle court toujours plus vite et finit par vous rattraper. L'ignorer, peut-être. Fuir, plus jamais.

— Dépêchez-vous, je vous prie, Rose. Je suis attendue chez M. le professeur Einstein.

Elle digéra l'information ; Albert jouissait d'une admiration populaire encore considérable. Pour me punir de ma fanfaronnade, elle me gratifia d'une dose superflue de laque.

J'arrivai chez Albert à l'heure du thé. Je puais la laque bon marché et la sueur rance d'une angoisse perpétuelle. Je détestais cette période de ma vie américaine. Elle me rappelait trop la Vienne d'avant guerre. De surcroît, le climat nauséabond avait un effet terrible sur Kurt. La suspicion permanente, désormais infligée au milieu scientifique lui-même, alimentait son anxiété. Il cuisinait son habituel brouet malsain en faisant siens les problèmes bien réels des autres, comme ceux de Robert Oppenheimer, soupçonné d'espionnage. Mon mari se voyait des ennemis partout. Le laitier changeait l'horaire de sa tournée : il nous espionnait. Un étudiant tentait de prendre contact avec lui pour sa thèse : Kurt s'enfermait à double tour et ne répondait plus au téléphone. On osait le contredire pendant une réunion : il accusait l'IAS tout entier de se liguer contre lui. Nous étions sur écoute ; notre courrier ouvert. Nous étions suivis. On voulait l'empoisonner. Seuls ses amis les plus proches consentaient encore à l'écouter sans hurler d'ennui. Bien sûr, un scientifique de son acabit avait souffert d'un avancement de carrière d'une lenteur douteuse. À qui la faute sinon à son manque d'entregent ? Il mettait sur le compte de jalousies professionnelles les rumeurs ou les commentaires désobligeants dont il se croyait la cible. Les moins indulgents de ses confrères s'émouvaient plus souvent de ses lubies que de ses travaux eux-mêmes. Kurt y voyait un complot larvé ; moi, un réflexe sanitaire :

ils s'inquiétaient avant tout de savoir s'il n'allait pas leur claquer entre les pattes. En conséquence, Kurt ne mangeait pas, ou si peu. J'avais repris mes fonctions de goûteuse. Pourtant, il continuait à travailler, comme s'il existait un compartiment étanche en son esprit, une soute insubmersible aux flots déments qui noyaient le reste.

Je nouai mon foulard sur mes cheveux avant de sonner. Lili m'ouvrit la porte, plus blanche qu'à son ordinaire.

— Que se passe-t-il, ma douce ? Quelqu'un est mort ?

Elle mit un doigt sur ses lèvres. Dans le salon, Albert achevait une conversation tendue au téléphone. Tous les visages étaient tournés vers lui. Lili, Kurt, Oskar, Helen et Bruria, ses assistantes, tenaient leur tasse de porcelaine suspendue. Helen me fit signe de prendre sa place et me servit d'office un thé. J'aurais préféré un alcool fort. Albert raccrocha, ivre de rage, avant de s'effondrer dans un fauteuil.

— Leur conclusion est qu'il n'existe ni preuves ni indices de déloyauté. Mais pour eux, cela ne signifie pas que notre ami ne représente aucun danger. Les rois de la litote !

— Mon Dieu ! Robert va-t-il être radié de l'IAS ? Pire encore ?

— Ne nous affolons pas, Lili. Les Oppenheimer ne sont pas dans la situation des Rosenberg. Il perd son poste à Washington et son accréditation à l'AEC. De toute façon, son mandat arrivait à expiration. Ils comptent l'éloigner de tous travaux ou décisions sensibles.

— Pourquoi diable a-t-il insisté pour comparaître

devant ce jury de mascarade ? Vous l'en aviez pourtant dissuadé, Herr Einstein.

— Il cherchait à laver son honneur. Je le crois capable d'avoir voulu expier sa participation à Los Alamos.

— Ce Teller[41] est un fieffé salopard !

— Adèle !

— Laissez, Gödel ! Votre femme n'a pas tort. Tout leur dossier d'accusation repose sur les prétendues intuitions de Teller. Ces fous de guerre ont désormais les mains libres à la commission. Car c'était bien leur but. Discréditer Robert pour anéantir son influence.

Personne n'osait répondre à Albert, qui semblait submergé par la tristesse. Le vieux physicien s'épuisait à force de se battre ainsi pour tout le monde quand Kurt n'avait jamais lutté que pour lui-même. Le malheur allemand se répétait. Nous étions devenus âgés ou trop cyniques pour en être surpris. Hitler avait lui aussi agité l'épouvantail d'une conspiration communiste pour affaiblir la démocratie. L'Amérique suivrait le même chemin, à moins que des gens avisés et capables de sacrifice comme Einstein[42] ne viennent la défendre.

— Gödel, vous dénonciez une faille dans la Constitution américaine. Personne ne vous a écouté. Nous y voilà ! Nous avons mis un pied dans la merde de la dictature.

— Vous devriez modérer vos propos. Nous sommes surveillés.

Le vieil homme jaillit hors de son fauteuil, attrapa une lampe à pampilles et s'en servit comme d'un microphone.

— Allô, allô ! Ici Radio Moscou ! Albert Einstein vous parle. J'ai vendu la recette de la soupe aux pois à Staline. Qu'il s'étouffe avec, lui et McCarthy ! Comment ça, Staline est déjà mort ? Allô ?

Il secoua le malheureux objet.

— *Pronto ?* Personne au bout du fil ? On devrait inventer une ligne directe entre Moscou et Princeton. Les communications sont désastreuses.

Nous étions ballottés entre rire et angoisse. La prudente Bruria vint lui ôter la lampe des mains.

— Calmez-vous, professeur ! N'allez pas encore au-devant des ennuis !

Il tapota ses poches à la recherche de sa fidèle compagne. Helen ramassa les pampilles tombées sur le tapis. En sortant de la pièce, elle posa une main apaisante sur l'épaule de son employeur. Écroulé dans son fauteuil, celui-ci torturait sa moustache jaunie parsemée de brins de tabac. Si les traits tombants de son visage accusaient désormais son âge, son regard n'avait rien perdu de sa jeunesse : deux étoiles noires.

— S'il n'y a pas de prix à payer, c'est que le courage ne vaut rien. Depuis que j'ai soutenu publiquement Robert, j'ai cinquante imperméables de plus à mes trousses ! Et vous avez lu ce que des journaleux ont écrit sur moi ? Par bonheur, ma Maja n'est plus là pour endurer ça !

— Vous êtes si courageux, Herr Einstein.

— Que pourraient-ils donc me faire, Lili ? M'enlever la nationalité américaine[43] ? Me jeter en prison ? Voilà le seul intérêt de cette foutue célébrité ! Elle les empêche de faire n'importe quoi !

Il alluma sa pipe et en tira quelques bouffées qui parurent le calmer.

— Pauvre Kitty. Elle défend Robert bec et ongles bien qu'ils aient déterré une vieille affaire d'adultère avec son ancienne petite amie communiste ! Jusqu'à quelles bassesses iront-ils ?

— Cela ne nous regarde pas, Adèle ! Je méprise les ragots de basse-cour.

J'avalai l'affront. Je n'étais pas dupe : Oppie n'était pas blanc comme neige dans l'histoire. Certes, je l'appréciais, il nous avait beaucoup aidés, mais il avait joué avec le feu. Cette parodie de procès clôturait, au final à son avantage, ce que la presse avait titré l'« affaire Chevalier ». En cette période d'hystérie anticommuniste, quiconque était contre l'usage de la bombe était considéré comme antipatriote. Einstein avait mis en garde l'opinion publique contre la bombe H lors d'une émission télévisée. La bombe « à fusion » serait mille fois plus destructrice que la bombe « à fission » [44]. Par cette déclaration, Albert s'était attiré les foudres de tous les anticommunistes et de leur marionnettiste, Edgar Hoover, l'indéboulonnable patron du FBI. Après s'être montré un zélé collaborateur des militaires en tant que directeur de Los Alamos, Oppenheimer avait tenté, lui aussi, de freiner la surenchère nucléaire. Je l'avais entendu en discuter avec ses collègues autour d'un barbecue. Selon lui, l'arsenal américain suffisait déjà à expédier la Sibérie dans le Pacifique ; de quoi causer une bonne frousse à nos rouges « adversaires ». En 1949, l'annonce de l'explosion de la première bombe atomique russe avait provoqué une vague d'espionnite aiguë, culminant par l'arrestation puis l'exécution du couple Rosenberg, accusé d'avoir livré aux Soviétiques des secrets de Los Alamos. L'été précédent, en pleine chasse aux sorcières et dans le marécage de la guerre de Corée, nous avions appris l'explosion de la première bombe H soviétique, moins d'un an après « Ivy Mike », celle des Américains. La rapidité avec laquelle les Russes avait mis au point la fusion nucléaire avait réalimenté le moulin fou du sénateur McCarthy. Ces salopards de cocos osaient pisser aussi loin ! Qui leur avait vendu leur joujou ? Les soupçons s'étaient de nouveau tournés vers les protagonistes du « projet Manhattan ». En affichant des positions modérées, Oppenheimer avait lancé la meute à ses trousses. Cet Edward Teller ne lui avait jamais pardonné de lui avoir préféré Hans Bethe à la tête du département de physique théorique du laboratoire de Los Alamos. Il avait roulé les manches de sa blouse blanche pour creuser lui-même la tombe d'Oppie. Robert n'était pas un petit saint : il avait déjà donné dans le *naming names** ; un exercice courant à cette époque où l'on réhabilitait l'usage de la terreur par le gril. Pour se couvrir, lors d'audiences antérieures, il avait dû admettre, en s'embrouillant, avoir été invité, sans y céder, à communiquer des informations secrètes à des « personnes ». Il avait fini par dénoncer son ami Haakon Chevalier, professeur à Berkeley. La nouvelle commission chargée d'établir la « loyauté » de Robert n'avait pas manqué de relever les incohérences de ses précédentes déclarations. Comme elle n'avait pas manqué de questionner son passé de sympathisant « gauchiste », d'exhumer une fiancée militante ou l'ex-mari combattant antifranquiste de Kitty, son épouse. Les Oppenheimer se retrouvaient prisonniers d'un sac de nœuds prévisible. Car, avec son mélange d'arrogance et d'indéniable supériorité intellectuelle, Oppie était une cible idéale pour les petits bras jaloux. Dans

*. « Délation ».

l'esprit de ce grand joueur d'échecs, se positionner comme une victime était donc un risque calculé : l'Histoire le retiendrait en martyr, non en faible délateur. Ses parts d'ombre ne remettaient pas en question mon affection pour lui, bien au contraire. Le tout-puissant patron avait ses failles, lui aussi.

Cet après-midi-là, l'heure n'était pas encore à la nuance, mais à l'indignation. La colère empêchait la peur de prendre le contrôle des esprits. Pour un moment seulement, car qui serait le suivant sur la liste noire ? Kurt n'avait rien à se reprocher. Il n'avait pas l'âme d'un traître et rien à offrir. Pourquoi les Russes se seraient-ils intéressés à ses travaux ? Pourtant, dans la logique démente de l'époque, personne n'était à l'abri, même lui. Une simple comparution à titre de témoin aurait été fatale à mon mari.

Nous sirotions notre thé froid en espérant des jours meilleurs. Je regardai l'horloge : il était temps de partir. Je craignais que Kurt, profitant du silence, se lance dans une conversation dont il avait le secret : obscure et dépourvue d'à-propos. Il ne manqua pas l'occasion.

— Le procès Oppenheimer n'est pas une première. Les grands scientifiques ont de tout temps fait l'objet de cabales orchestrées par le pouvoir. Galilée, Giordano Bruno, Leibniz…

Albert tergiversa quelques instants ; il savait où cette perche tendue allait le mener. Il se laissa prendre à la tentation d'asticoter un peu son ami. Morgenstern masquait à grand-peine son impatience en finissant une tasse déjà vide. Lili croisait et décroisait les jambes en prévision de l'épreuve.

— Je me demandais combien de temps vous tiendriez sans ramener ce vieux Gottfried au menu, Gödel.

Que vient-il faire dans cette liste de valeureux persécutés ? Leibniz ne fut pas un martyr, que je sache !

— Newton avait de puissants appuis politiques. Il a volé à Leibniz la paternité du calcul infinitésimal en toute impunité.

— Cela n'a rien à voir avec un complot ! Newton était un sale type. Je lui ai fait la peau, rassurez-vous !

— Et que dites-vous de ça ? Des références sur Leibniz ont disparu de la bibliothèque de Princeton ! Oskar m'est témoin.

Morgenstern, gêné, acquiesça. L'université de Pennsylvanie était entrée en possession d'une bibliographie très complète des recherches du scientifique allemand, mais des documents étaient manquants. Selon Kurt, Leibniz avait conservé tous ses écrits, ses brouillons ou ses notes pour la postérité. Il ne pouvait avoir détruit lui-même ces documents. Pour Oskar, ces lacunes démontraient la négligence des recenseurs, en rien un complot. Mon mari faisait la sourde oreille, trop heureux de pouvoir alimenter sa lubie.

— Certains textes sont détruits en secret par ceux qui ne veulent pas que l'homme devienne plus intelligent.

— Par qui, grands dieux ? McCarthy ? Il doit à peine savoir épeler son propre nom !

— Leibniz a anticipé sur la recherche scientifique moderne. Il a mis le doigt sur les antinomies de la théorie des ensembles près de deux cents ans à l'avance. Il a même devancé mes amis Morgenstern et von Neumann sur la théorie des jeux[45] !

Le stoïque Oskar avait supporté bien d'autres affronts ; il ne se formalisa pas de ce dernier.

— Ne me resservez pas une conspiration à base

de rose-croix ou de je ne sais quelle société secrète. Nous avons assez d'abrutis contemporains. La politique se charge des persécutions au grand jour désormais. Soyons sincères. Notre époque se fout de votre Leibniz !

— L'indifférence générale est une preuve supplémentaire de la machination ! Pour ma part, je crypte tout en Gabelsberger. Vous devriez en faire autant, Herr Einstein.

— C'est inutile. Je suis incapable de me relire moi-même.

Je souris aux tentatives du vieux physicien d'alléger le propos. Kurt avait une telle foi en leur amitié qu'il ne pouvait admettre le désintérêt de Herr Einstein pour ce sujet et continuait à protester de l'incomparable actualité des travaux de son idole. Leibniz aurait travaillé, comme lui, sur un langage universel des concepts et y serait parvenu sans oser publier ses résultats trop précurseurs. À quoi Einstein répondait invariablement : « Gödel, vous êtes devenu mathématicien pour que les gens vous étudient. Pas pour étudier, vous, Leibniz, bon sang de bois[46] ! » Et nous repartions pour un tour.

— Comme Leibniz, je cherche la Vérité. À ce titre, je suis moi aussi une cible. On veut m'éliminer.

— Qui est « on » ? Le fantôme de Hilbert vient-il vous chatouiller les pieds la nuit ?

— J'ai démasqué des agents étrangers tentant de s'introduire chez moi. On a essayé de m'empoisonner à plusieurs reprises. Si je n'étais pas si raisonnable, j'affirmerais même que notre réfrigérateur a été saboté !

— Ne me parlez plus de ce satané réfrigérateur, Gödel ! Je vous en supplie. Je préférerais encore subir une commission McCarthy.

Il était temps de s'éclipser avant de voir mon mari s'enfoncer davantage. Ses amis faisaient preuve d'une patience absolue dont il abusait trop souvent. La mienne était désormais inaltérable. J'avais renoncé à la colère. La thérapie avait-elle été efficace ? J'aime à me dire qu'elle m'avait permis de comprendre la vacuité de ma lutte ouverte. J'étais retournée à notre ancien mode de fonctionnement ; je le regardais tanguer sur son fil d'équilibriste en préparant le matelas de réception.

La colère vous purge. Mais qui peut la vivre à long terme ? La colère rentrée vous consume. Puis elle finit par s'échapper par petits pets fielleux qui ne font qu'empuantir un climat déjà délétère. Que faire de toute cette colère ? À défaut, certains la font rejaillir sur leur progéniture. Je n'avais pas cette malchance. Je la réservais donc aux autres : aux fonctionnaires incompétents ; aux politiciens véreux ; à l'épicière tatillonne ; à la coiffeuse intrusive ; à la météo ingrate ; à la face de fesses d'Ed Sullivan*. À tous les empoisonneurs dont je n'avais rien à faire. J'étais devenue une mégère par mesure de sécurité. Je ne m'étais jamais mieux portée. Dorénavant, quand mon baromètre indiquait trop de pression intérieure, je partais en voyage. J'ai pratiqué cet art de la fugue jusqu'à ce que la vieillesse me spolie de cet exutoire. Kurt m'y encourageait malgré la dépense, même si je le retrouvais toujours plus amaigri et silencieux. Si l'espoir osait germer en moi grâce à la distance, il pourrissait en deux heures à Princeton : rien ne le changerait.

Je n'avais plus la tentation de rentrer vivre en

*. Animateur d'un show très populaire sur la chaîne CBS.

Europe. Ma famille m'avait déçue. Au printemps précédent, on m'avait fait accourir à Vienne au chevet de ma sœur à l'agonie. Mensonges. Poussée par l'urgence, j'avais pris l'avion pour la première fois de ma vie, en engageant des frais inutiles ; nous étions à notre aise, pas riches comme ils le croyaient là-bas. J'étais devenue une vache à lait pour ces gens. Je leur proposais de l'amour ; ils me demandaient de l'argent. Au final, ce qui aurait pu me détruire m'avait délivrée : ma vraie famille, c'était lui, vaille que vaille.

— Prenons congé, Kurt. Nous sommes en retard. Nous allons au Met* ce soir. *Chauve-souris*, limousine, champagne. Tout le tremblement !

— Quelle mouche vous a piqué, Gödel ? Vous flambez vos appointements ? Vous avez vendu des secrets aux Russes ?

— Strauss est tout à fait supportable pendant deux heures et je voulais faire plaisir à ma femme. Elle l'a bien mérité.

Tout le monde approuva. J'intimai l'ordre à mon époux de partir en lui tendant son pardessus. J'espérai ainsi épargner à nos amis un dernier monologue égaré. J'avais déjà la main sur la poignée de la porte quand il fit demi-tour et repartit au salon.

— Vous me prenez tous pour un excentrique. Croyez-moi, en termes de logique, je n'ai de leçons à recevoir de personne ! Si j'ai peu de preuves de ce que j'avance, je vois la trame. Je la vois !

*. Metropolitan Opera de New York.

43.

— Pierre, je vous présente Anna Roth. Elle dirige la documentation de l'Institut. Elle est un peu comme notre fille.

Anna s'interrogea sur le sens de cette démonstration d'affection et de cette promotion subite au poste de directrice. Calvin Adams avait beaucoup insisté sur sa présence à cette réception. Elle le soupçonna soudain de vouloir la refourguer en cadeau bonus à son prestigieux invité. Conférences et chair fraîche : spécialités locales. Elle se sermonna : elle commençait à devenir paranoïaque, elle aussi.

Elle salua le mathématicien dans sa langue, il lui répondit dans un anglais impeccable avec une pointe d'accent méridional. Pierre Sicozzi avait des allures de buste antique : nez aquilin, barbe et cheveux bouclés. Il ressemblait au profil d'Archimède gravé sur une face de la médaille Fields. D'une élégance décontractée, il portait une simple chemise blanche. Les manches retroussées découvraient ses avant-bras bronzés ; ce scientifique ne négligeait pas la vie au grand air.

La jeune femme le connaissait de réputation. Titulaire d'une chaire à l'Institut des hautes études scientifiques, il venait de recevoir la prestigieuse médaille Fields : l'équivalent du Nobel pour les mathématiciens. Une récompense attribuée aux chercheurs de moins de quarante ans. Elle repensa à sa discussion avec Adèle sur la précocité du génie mathématique. Elle se demanda si, désormais, Sicozzi se considérait comme un sportif de haut niveau à la retraite. Une question qu'elle n'oserait pas lui poser. Quant à ses sujets de recherche, en particulier sur la théorie des algèbres de von Neumann, autre figure illustre de Princeton, elle n'était guère capable d'en énoncer plus que le titre. L'homme avait la réputation d'être accessible et excellent pédagogue.

— Je suis désolée, monsieur Sicozzi, je ne suis pas une scientifique. Nous ne pourrons pas parler de mathématiques.

— Tant mieux. Vous me dispenserez de servir de repas aux bébés requins.

Il indiqua d'un discret signe de tête trois *fellows* rigides qui louchaient vers lui avec avidité, tout émus d'être invités à cette table.

— Ils n'ont pas tous les jours une Médaille Fields sous la main.

— On en rencontre pourtant à tous les coins de rue par ici.

La garde rapprochée du directeur Adams était au complet, chacun ayant amené sa moitié. À l'autre bout de la table, l'héritier Richardson semblait s'ennuyer ferme sous le feu nourri des questions de Virginia. Anna salua plusieurs résidents, dont un très courtisé Prix Nobel, familier de son service. Leonard fit irruption à ses côtés. Il se présenta à Pierre Sicozzi sous l'étiquette « fils prodigue et prodige de la maison » puis il s'assit, sans plus de manières, à côté de son amie d'enfance. Sa mère le fusilla du regard ; il l'ignora. Calvin Adams dut se rabattre sur la place destinée à son fils, près de Richardson. La situation ne lui permettait une vue directe ni sur le décolleté de la jeune Roth, ni sur celui, plus confortable, de Mme Wilson. Il se consola en finissant son whisky ; l'une était trop maigre, l'autre trop vieille.

Anna se demandait comment engager la conversation. L'alcool absorbé à jeun tourmentait son estomac et la présence mutique de Leo à sa droite n'était pas faite pour la détendre.

— Thanksgiving est une journée particulière. Nous sommes censés remercier Dieu pour tous les bienfaits de l'année.

— Comment le punissez-vous du reste ?

— De la même manière. Indigestion, ivresse et tensions familiales.

— En France, nous comptons sur Noël pour ce genre de chimie explosive.

Elle lutta contre la nausée en avalant une gorgée d'eau. Il se pencha vers elle.

— Je suis un peu inquiet à l'idée de manger de la dinde.

— Les Français ont si peu confiance dans les cuisines étrangères.

— Nous avons des a priori. Autant que les Américains en ont sur nous. Mais nous partageons tous deux un même pessimisme. Vous, sur l'ambiance. Moi, sur la dinde.

— Rassurez-vous. La cuisinière a une façon bien à elle d'accommoder Thanksgiving. Virginia tente en vain de lui faire respecter les traditions. Mais c'est plus fort qu'elle, Ernestine y met toujours une touche exotique. Je me souviens d'une farce très pimentée. Tous les invités en pleuraient.

Elle préféra taire ce Thanksgiving où Leo avait ajouté un ingrédient très particulier à la farce. La *space turkey* avait donné lieu à une fin de journée mémorable où les survivants avaient divagué sans fin, vautrés dans les vastes canapés. Anna avait beaucoup appris cet après-midi-là sur le Big Bang. Cette plaisanterie avait valu à Leonard un aller simple au pensionnat.

La table était magnifiquement dressée : argenterie en ordre de bataille ; cristallerie étincelante ; arrangements floraux alambiqués et plats fumants. Anna reconnut le service blanc à fougères d'argent qu'elle aimait tant, enfant, quand elle suivait du doigt les circonvolutions végétales pour s'abstraire des interminables discussions d'adultes. Elle était passée de l'autre côté du pont maintenant. Elle caressa les motifs de son assiette. Elle pensa aux Gödel à l'époque où, tout frais débarqués du bateau, ils avaient été confrontés à ces montagnes de nourriture : Adèle s'empiffrait et Kurt chipotait sa volaille.

Ernestine apparut, tenant à bout de bras un énorme volatile doré qu'elle disposa sur une desserte avant de saisir un couteau digne des proportions de la bête. Les convives regardaient en silence ce combat de titans. Le monstre n'aurait pas le dessus ; Ernestine était une force de la nature. Elle menaça la tablée de son arme. « Une dinde de Thanksgiving *à ma façon* ! » Virginia émit des signaux de détresse vers son mari, qui la rassura d'un sourire contrit. Identifiant l'odeur des truffes, Pierre Sicozzi s'illumina. La Créole, ravie de son succès, le servit en premier. Quand elle s'approcha d'Anna avec une tranche affolante accompagnée d'une portion de farce excessive, celle-ci faillit tourner de l'œil. Pourtant, elle ne se leurrait pas ; elle avait tout intérêt à finir son assiette. Ernestine servit tous les convives avec une générosité identique, excepté Virginia, devant laquelle elle déposa un morceau microscopique avec un air entendu. « Si c'est pas malheureux d'être au régime pour Thanksgiving. » Virginia offrit à la tablée une moue confuse très convaincante. Sourire jusqu'aux oreilles, le professeur Sicozzi semblait apprécier le spectacle.

Les invités se passaient les plats : purée de patates douces et de pommes de terre ; haricots verts fluorescents ; maïs et petits pains dorés. Leonard gribouillait des notes sur un calepin maculé sans prêter la moindre attention à son assiette ou à ses compagnons de table. Pierre Sicozzi montrait, lui, un appétit peu en rapport avec sa constitution sèche.

— Vous devez être très sportif.

— Je marche beaucoup, par tous les temps. J'en ai besoin pour réfléchir.

Ernestine lui présenta l'étiquette de la bouteille : Gevrey-Chambertin, 1969 ; un peu léger avec la truffe, mais il ne le décevrait pas. Le Français tourna son vin en bouche avec recueillement. Le charmeur avait déjà mis Tine dans sa poche. Elle repartit de son pas dansant, faisant onduler les chamarrures sur sa vaste croupe. Leonard engloutit le nectar comme un vulgaire soda. Pierre Sicozzi l'observait avec un demi-sourire.

— Vous semblez préoccupé, Leonard.

— J'avais une idée. Je ne voulais pas l'oublier.

— Vous avez bien raison. Certaines comètes ne passent qu'une fois. Les meilleures hypothèses ne viennent pas derrière un bureau. Il faut laisser parler l'intuition, présente en chacun, mais que la plupart des gens refoulent[47]. Savoir relâcher le cerveau gauche pour autoriser le droit à vagabonder.

— Vous faites allusion aux dernières publications de Roger Wolcott Sperry sur l'asymétrie cérébrale[48] ?

Anna, soulagée des frais de la conversation, se demanda si elle n'allait pas regretter la légèreté des premiers échanges. Sicozzi et Leonard appartenaient à la même espèce ; elle s'attendait à ce qu'ils discutent « boutique » par-dessus son assiette sans se préoccuper d'elle.

— Je compte souvent sur mon lobe droit, celui de l'intuition, pour me sortir d'affaire. Vous-même êtes chercheur en informatique théorique, je crois.

— Cryptanalyste, pour être exact.

— Votre père m'a informé de vos explorations sur le chiffrement. Vous vous êtes éloigné de ses propres recherches.

— Il aime à me répéter qu'il classe mon domaine entre la plomberie et le dépannage automobile[49].

Anna s'interdit de relever cette ingratitude : Calvin ne cachait pas sa fierté quand il parlait de Leo. Le père n'avait jamais tenté qu'un peu d'ironie pour tuer un fils qui, lui, ne se privait pas du plaisir de la crucifixion. Ainsi, quand il s'inquiétait de voir son génial rejeton gaspiller ses capacités dans des études trop « techniques », Leo l'accusait sans ménagement d'avoir, pour sa part, masqué sa stérilité conceptuelle en briguant un poste administratif. Calvin avait été un mathématicien inspiré avant d'avoir, par goût des honneurs et du confort, accepté cette fonction chronophage.

— Calvin m'en a pourtant fait une description enthousiaste.

Leo, flatté par l'attention du Français, devint prolixe. Avec deux camarades, il travaillait sur un nouveau système de cryptage des données informatiques. Il parla d'un « chiffrement asymétrique » permettant de conserver la confidentialité des échanges numériques. Bien que ces histoires de « cryptage à clef publique » soient tout à fait obscures pour elle, Anna écoutait avec avidité ; en d'autres circonstances, Leo n'aurait pas pris la peine de lui détailler ses recherches. Combien de fois, enfant, ne s'était-il pas énervé en lui expliquant des concepts limpides à ses yeux ? Reconnaissant la mimique ahurie qu'il avait tant raillée autrefois chez son amie, il saisit son carnet pour y griffonner un rapide croquis.

— Imagine un cadenas tout simple. N'importe qui peut le fermer. Toi seule peux l'ouvrir si tu as la clef. Le chiffre.

Elle pensa à son casier de collège. À l'époque, Leo l'utilisait comme annexe : chaussettes douteuses et substances prohibées. Elle avait beau changer de code, il réussissait toujours à le découvrir ; une vocation précoce.

— Le chiffrement, ou verrouillage, est facile. Tout le monde peut le faire. Le déchiffrement, ou déverrouillage, n'est possible que pour le propriétaire de la clef. Pouvoir fermer le cadenas ne donne pas d'indication pour comprendre comment l'ouvrir.

Anna marqua son entière attention en posant ses couverts.

— Imagine que tu envoies ton casier, avec le cadenas ouvert, et que tu gardes avec toi la clef.

Elle visualisa une file de semi-remorques chargés de casiers, parcourant le pays en une version moderne du

Poney Express. Elle se retint d'exprimer son ironie ; Leo souffrait d'un humour assez peu bijectif : sa susceptibilité était à la hauteur de sa capacité à malmener celle des autres.

— Je place un message dans cette boîte. Je ferme ton cadenas. Pour moi, c'est une action irréversible. Mais toi, quand tu le recevras, tu pourras décadenasser et récupérer son contenu.

Pierre Sicozzi cherchait du regard une bouteille ; à l'autre bout de la table, les trois étudiants faisaient un sort au gevrey-chambertin. L'omnisciente Ernestine s'empressa de lui en déboucher une nouvelle.

— Il faudrait encore être capable d'identifier des fonctions à sens unique répondant aux exigences de ce chiffre asymétrique. Des opérations mathématiques simples, mais très difficiles à inverser.

Leonard afficha son sourire pincé qui, chez lui, exprimait l'exultation.

— C'est chose faite[50].

— Magnifique ! Où avez-vous trouvé votre inspiration ?

— Dans la pizza. J'en consomme des quantités hallucinogènes. Mais, pour être tout à fait sincère, l'idée est venue à mon collègue, un lendemain de beuverie.

— Une bonne migraine anéantit le cerveau gauche.

— Parfois les deux ! Tout dépend des doses d'éthanol absorbées. Nous pratiquons beaucoup de tests *in situ* dans ce domaine.

— Pouvez-vous m'accorder un aperçu de vos résultats, à moins que mademoiselle ne soit saturée ?

— Je vous en prie. C'est si rare d'entendre Leonard parler de son travail.

Elle pensa au « théorème d'Adèle ». Elle se surprenait

en flagrant délit d'application. Elle se contentait de battre des cils ; la mauvaise influence de sa robe rouge.

— Bon, pour toi, je fais simple.

Elle refusa de se vexer ; elle avait admis depuis belle lurette, et non sans amertume, qu'elle ne jouait pas dans la même catégorie que son ami d'enfance. Il ne cherchait pas à la snober : on ne se vante pas d'un talent naturel ; on ne soupçonne pas les autres de ne pas le posséder.

— Tu choisis deux nombres premiers : « p » et « q » et tu les gardes secrets. Leur produit te donne un composant variable : « N ». Tu sais ce qu'est un premier ?

— Des nombres seulement divisibles par eux-mêmes et par 1.

— Je vais te l'expliquer avec de tout petits premiers. Si « p » = 13 et « q » = 7, 13 × 7 = 91. Ta valeur personnelle de « N » est 91. Si je veux t'envoyer un message, tu dois me fournir ce « N », ta *clef publique*. Soit 91. Je chiffrerai mon information en fonction de cette valeur. Toi seule pourras la décrypter.

— Quelqu'un peut deviner d'où vient mon « N » !

— Multiplier deux premiers est une fonction à sens unique, ou presque. Si « N » est assez grand, il est très difficile de factoriser le résultat en nombres premiers. Autrement dit, de retrouver la source du produit initial. Toi seule auras les valeurs de « p » et de « q » définissant « N ». La paire « 13 » et « 7 » sera ta *clef privée.*

— Comment garantis-tu qu'un petit malin doué en calcul ne va pas réussir à factoriser mon « N » ?

— Pour accroître la sécurité du cryptage, il suffit de choisir une valeur gigantesque. Si « N » tend vers 10 puissance 308, il faudrait cent millions de personnes avec leurs ordinateurs pendant plus de mille ans pour faire céder ce chiffre[51].

— Quelqu'un découvrira un jour une méthode d'identification rapide des nombres premiers.

— Les mathématiciens s'y emploient sans succès depuis des siècles. C'est un système très élégant.

De joie, Leo montrait presque ses dents.

— Nous avons lancé un concours dans la rubrique des jeux mathématiques du *Scientific American*. Nous avons publié un texte chiffré qui donne une explication succincte du chiffrement avec une clef « N ». Elle est de l'ordre de 10 puissance 129. Nous avons été magnanimes.

— Que dit ce message ?

— Déchiffrez-le ! Il a un rapport avec cette dinde[52].

Pierre Sicozzi déclina l'offre en souriant ; il avait bien d'autres sujets de recherche où perdre ses mille prochaines années, mais il le félicita de nouveau pour ces travaux primordiaux. Anna s'inquiétait, elle, du panier de crabes où Leo avait mis les pieds. La NSA[53] ou tous les acronymes kaki du pays allaient lui tomber dessus. Ils avaient d'ores et déjà préempté tous les réseaux émergents. Big Brother n'autoriserait pas un niveau qui ne puisse être décrypté en quelques heures. En matière de sécurité, l'Histoire le lui avait appris : le respect des droits fondamentaux passait loin derrière l'intérêt national. Du moins, ce que certains s'arrogeaient comme tel. Turing, père du cryptage informatique, l'avait payé de sa vie. Elle se demanda comment aurait réagi M. Gödel devant ces progrès technologiques. Aurait-il apprécié de voir la pureté de sa logique d'encre se muer, en cinquante ans à peine, en une guérilla sourde faite de bits et d'octets ?

— Dorénavant, nous sommes dans l'ère de l'information. Elle deviendra le bien le plus précieux.

— Elle a toujours été le nerf de la guerre. À propos de bataille, laissez-moi vous aider, *demoiselle*.

Anna tentait, en vain, de venir à bout de sa dinde. Elle repoussa son assiette vers le Français, qui l'attaqua sans plus de manières. Elle avait avalé assez de mathématiques et de volaille confondues. Elle abandonna les deux hommes à leur conversation. Elle avait eu droit à un aperçu de l'histoire d'Adèle ; toute une vie en terre étrangère. La jeune femme se reconnaissait un avantage : elle avait été entraînée depuis l'enfance à absorber l'érudition des autres en silence. Leo ne remarquerait même pas son absence ; il avait un petit camarade de jeu à la hauteur de ses capacités.

44.

13 avril 1955

Le borgne, l'aveugle et le troisième œil

> « Dieu ! Que le nouvel habit de l'empereur est admirable ! Personne ne voulait avouer qu'il ne voyait rien, puisque cela aurait montré qu'il était incapable dans son emploi, ou simplement un sot. Jamais un habit neuf de l'empereur n'avait connu un tel succès. Mais il n'a pas d'habit du tout ! cria un petit enfant dans la foule. Grands dieux ! Entendez, c'est la voix de l'innocence, dit son père. »
>
> Hans Christian Andersen,
> *Les Habits neufs de l'empereur*

Je rinçais les assiettes avant de les tendre à Lili. Beate Hulbeck, l'épouse de notre ancien thérapeute, nous préparait des cocktails digestifs que Kitty Oppenheimer buvait en rêvassant. Penny, notre cocker anglais, vint quémander une énième gratification ; je le repoussai doucement. Dorothy Morgenstern monta le volume de la radio sans lâcher des yeux son bébé qu'elle avait installé dans un *relax* sur la table de la cuisine. Il faisait très chaud pour un après-midi de printemps ; l'enfant jouait avec ses pieds nus. J'avais une envie folle de m'en rapprocher et de les lui manger.

— Vous connaissez Chuck Berry, mesdames ? Ils appellent ça du *rock'n'roll*.

Je n'éprouvais guère d'enthousiasme pour ces nouvelles musiques noires, mais mes pieds s'agitèrent d'eux-mêmes. Ils savaient d'instinct en apprécier le rythme. Le jazz de ma jeunesse avait pris un sacré coup de vieux. Je n'aimais plus le son de mon époque, le temps était déjà venu de raccrocher mes escarpins. Je ne me sentais pas non plus concernée par les échos récents des luttes pour les droits civiques. Si les Noirs voulaient s'asseoir dans le bus avec moi, pourquoi les en empêcher ? Écouter leur *blues*, leur *rock'n'roll* ? Boire à la même fontaine ? Je pourrais m'y résoudre. De là à accepter d'être transfusée par un sang de donneur noir, je préférais ne pas me poser la question. Dans l'enclave proprette et snobinarde de Princeton[54], nous n'avions jamais fréquenté de gens de couleur, mis à part la petite bonne que j'avais préféré renvoyer. Nous ne connaissions aucun mathématicien ou physicien noir. Albert avait tenté de me démontrer par $a + b$ l'insanité du système ségrégationniste. La raison avait, à mon sens, peu à voir là-dedans.

Beate me tendit un verre en dansant. Nous nous trémoussions à l'abri du regard de nos hommes, restés au jardin. La chaleur, l'ivresse et ma cuisine étaient venues à bout de leurs trop sérieuses discussions. À la fin du morceau, nous nous écroulâmes, ivres de joie. L'âge asservirait nos jambes avant nos rires. J'ôtai le tablier qui protégeait ma robe. Avec la cinquantaine, j'avais pris beaucoup de poids et j'avais dû faire élargir toute ma garde-robe.

— Vous ne trouvez pas qu'il est vraiment bizarre, cet homme ?

Lili s'interrogeait sur l'invité surprise, seul convive étranger à notre petit groupe. Dorothy sortit le nez du cou de son poupon rieur.

— Je l'adore ! Il profère de si jolies bêtises avec tant de convictions.

— Il a une vilaine peau. On dirait Tom Ewell.

— Vous l'avez vu dans *Sept ans de réflexion ?* Il n'arrive pas à la hauteur de Cary Grant.

— Tout dépend de l'usage que tu veux en faire, ma chérie.

— Adèle, si ton mari t'entendait !

Je virevoltai en parodiant Marilyn Monroe sur sa grille de métro. Penny s'engouffra sous ma jupe ; ce chien était un véritable obsédé.

Les maris au digestif, les femmes à la cuisine : tout était en ordre. Je n'étais pas contre ces interludes sexistes ; ils apportaient un peu de légèreté dans ma vie. Ces bouffées sporadiques de vie sociale constituaient mon dernier réel plaisir. Nos bavardages féminins suivaient toujours le même protocole rassurant : fiertés et soucis maternels de mes amies ; constipation et ballonnements de nous toutes ; commentaires de chiffons ; récriminations conjugales et, au final, réquisitoire sur les hommes en général. Nos époux avaient besoin d'une bassine d'alcool ou d'un ciel étoilé pour refaire le monde, un bac de vaisselle sale me suffisait.

Cet après-midi-là, nous avions fêté l'élection de Kurt à l'Académie nationale des sciences[55]. Nous avions invité tous nos proches à un barbecue. Seul Albert manquait à l'appel. Il avait décliné l'invitation, prétextant la fatigue. L'époque était redevenue clémente. Le Père Fouettard Staline étant mort, l'Amérique se détendait : la guerre de Corée avait pris fin, celle du Vietnam était en gestation. Eisenhower nous avait enfin débarrassés de la mycose McCarthy. Le sénateur avait fini par lasser jusqu'aux militaires. Les Oppenheimer s'en étaient bien sortis : Robert était resté à la tête de l'IAS, son aura scientifique inaltérée. L'augmentation des subsides gouvernementaux alimentait toute la recherche, l'heure était à la satisfaction dans notre petit monde. L'Amérique desserrait d'un cran sa ceinture.

Je leur servis le café à l'ombre de la tonnelle. Dorothy était partie faire une sieste avec son fils. Évaluant le degré d'hébétude de mes hôtes, je sus que je profiterais de leur présence encore un bon moment. J'avais réussi dans mon désir de transformer cette maison en un cocon douillet.

Éternel provocateur, Charles Hulbeck nous avait offert, à défaut de champagne, une curiosité : Theolonius Jessup, un homme d'une quarantaine d'années à la peau tannée par le soleil californien, autoproclamé sociologue et végétalien. Il s'était dit très flatté d'assister à ce repas où il n'avait pas été invité. Tout en broutant ses crudités, il avait tenté de s'immiscer dans des conversations où il n'était pas davantage convié. Quelle nouvelle pensée tordue avait traversé l'esprit de Hulbeck pour nous encombrer d'un tel hurluberlu ? Charles ne ressentait aucune gêne à dîner chez un de ses anciens patients, il ne verrait pas plus d'inconvénient à y traîner un autre.

Depuis l'apéritif, mon mari avait porté à cet inconnu

un intérêt déroutant. Je l'avais à peine senti s'agacer quand le monsieur s'était lancé dans un parallèle périlleux entre le *théorème d'incomplétude* et ses propres recherches sociologiques. Kurt m'avait maintes fois exposé son avis sur la question. S'il protestait et donnait avec gentillesse des éclaircissements sur ses travaux aux néophytes aventureux, ils ne le comprenaient pas. Ils restaient sur leurs positions puis se vantaient d'avoir discuté avec M. Gödel alors que ce dernier s'était juste montré poli. Si, plus rarement, il s'énervait et les remettait à leur place d'un « N'essayez pas de manipuler des notions qui vous échappent », il passait pour arrogant. Avec moi, il ne se privait pourtant pas de cet argument. En général, Kurt préférait jouer le rôle de l'absent ou de l'original de service. Il voyait, dans la conversation légère, lubrifiant nécessaire au jeu social, une perte de temps et d'énergie. La vanité des autres était trop lourde à porter ; il avait déjà fort à faire avec la sienne.

Avide de briller, l'invité surprise profita de l'apathie générale pour se lancer dans une comparaison hasardeuse entre psychanalyse et sciences formelles. Il ne manqua pas de pommader Kurt au passage. S'il avait mieux connu les convives, il n'aurait jamais tenté de tremper un orteil dans ce marécage. Charles qui, jusque-là, luttait pour garder les paupières ouvertes, sembla fouetté par un seau d'eau glacée ; en réalité, il attendait le moment d'en découdre depuis les hors-d'œuvre. Il s'offrit un quatrième café sucré du plaisir de la bravade.

— Pour moi, les psychanalystes se divisent en plusieurs groupes dont chacun publie sa propre revue pour y présenter sa manière particulière de blasphémer, d'outrager la nature et d'expliquer l'art[56]. Les mathématiciens, c'est le contraire.

Jessup sembla s'interroger en vain sur la pertinence d'une telle sentence dans la bouche même d'un psychanalyste. Il se contenta d'un sourire complice : s'il y avait matière à comprendre, son rictus passerait pour de la pénétration ; sinon, il serait pris pour de la connivence. Oskar toussota. Erich, le mari de Lili, et Oppie avaient abandonné la partie pour succomber aux charmes de mes transats. Kurt n'avait laissé que son corps à table. Seul Charles souhaitait entretenir la conversation. Quand son chiot aurait fini de l'amuser, il le dévorerait vivant. Beate, bonne fille, posa une main apaisante sur l'épaule musclée du bellâtre. Je me demandai comment un végétalien pouvait avoir une telle musculature. Il lissa le bord de la nappe avant de lâcher ce qu'il n'avait pu placer durant le repas.

— Je suis moi aussi thérapeute, à mes heures.

— Vous êtes psychanalyste ? Vous vous disiez sociologue.

— Je ne me soucie pas des étiquettes, madame von Kahler. Je me considère comme un simple conseiller de vie.

Je me pris au jeu ; ces conseils devaient être lucratifs, car il avait une montre de prix au poignet et son costume de lin fleurait bon le sur-mesure. Amateur d'art, il avait acheté plusieurs toiles de Beate Hulbeck, peintre de talent. Selon Albert, Charles possédait lui-même une remarquable collection. Le soin des âmes rapportait bien.

— Comment se compose votre clientèle ? D'ailleurs, ne dit-on pas « patientèle » ? « Clientèle », ça fait un peu boucherie !

— Je préfère parler de « cercle », madame Gödel. Je conseille des businessmen, des artistes. J'ai aussi beaucoup d'acteurs. Je réside à Los Angeles quand je ne voyage pas.

— En quoi consiste votre méthode ?

— Je suis hypra empathique. Un récepteur d'ondes. Positives ou négatives. J'aide mes patients à faire le tri dans leurs vibrations. Car tout est vibration, n'est-il pas ?

Kitty, jamais en reste pour s'amuser, prit le relais.

— Mon cher Theolonius, je parie que vous croyez en la réincarnation !

Il acquiesça avant d'ôter, avec une lenteur calculée, ses lunettes de soleil. Il avait un regard intéressant, sans être aussi stupéfiant que celui d'Oppie. Pour le moment, ce dernier ronflait, une cigarette en fin de combustion pendant au bout des doigts.

— Je préfère le terme de « métempsycose ». J'ai fait plusieurs séjours en Inde. Je suis imprégné de culture asiatique. Elle ne sépare pas l'âme du corps, comme nous le faisons en Occident. Tout est un. Nous sommes de purs états d'énergie. Nous sommes quantiques.

Charles se curait les dents ; à moins qu'il ne se les affûtât.

— Qu'entendez par quantique, Theolonius ?

— Mon activité est le fruit de longues années de recherches et de voyages. Grâce à la méditation, j'ai profondément changé ma conscience d'être au monde. J'ai pu développer une capacité remarquable de centration de mon entité corpo-spirituelle. Elle me permet de mobiliser mon énergie sur un mode quantique.

— Je n'ai rien compris.

Theolonius prit Beate par l'épaule.

— Je sais, c'est compliqué. Mais c'est avant tout une histoire de foi.

Elle le fusilla du regard : par sa condescendance, il venait de s'aliéner une précieuse alliée. Décidément, ce Theolonius cherchait sa petite fessée. Conforté par l'absence de réaction des scientifiques, il se risqua davantage. Il nous servit un plat de sa sauce, mélangeant corps, conscience, curry, matière et esprit. Je vis Kurt lever un sourcil perplexe. Je n'avais rien saisi non plus de son baragouin, mais je n'étais pas certaine d'avoir le vocabulaire adéquat à ma disposition. Le gourou quantique, en roué vendeur de sa camelote, ne nous fit pas le plaisir de se vexer de notre silence. N'y avait-il pas à cette table un « cercle » potentiel ?

— L'espace quantique est un champ vibratoire où disparaît la dualité de ce qui est *moi* et de ce qui est *non-moi*.

— Je suis soulagé d'apprendre que Pauli ne nous a pas infligé ces diaboliques matrices pour rien.

Oppie avait lancé son commentaire depuis son transat ; les yeux fermés, il ne perdait pas une miette de la conversation. Je ne parvenais pas à savoir si ce Jessup était malhonnête ou naïf. Sa macédoine cosmique pouvait fonctionner sur quelques starlettes hollywoodiennes, mais ici, à Princeton ? Même moi je pouvais évaluer sa témérité. Je regrettais l'absence d'Albert et de Pauli ; ils auraient rugi de plaisir en mettant en pièces ce spécimen. Kurt, silencieux, cherchait des poussières inexistantes sur le revers de son costume blanc. Il avait ôté sa cravate ; son col ouvert laissait voir son cou maigrelet. Ce petit bout de peau claire me tordit de tendresse. Je lui souris ; il pencha la tête, complice. Oskar Morgenstern changea de conversation : il voulait dissuader l'olibrius de se lancer dans une nouvelle envolée douteuse. En privant Charles de la curée, il lui confisquait son jouet.

— Kurt, avez-vous terminé votre papier sur Carnap ?

— Je l'ai fait retirer de l'édition.

— Pourquoi ? Que d'énergie perdue !

— Je n'étais pas satisfait du résultat. Et j'étais polémique. Mon vieil ami Carnap n'aurait pas eu le temps de me répondre. Ce n'était pas correct. Je ne me consacre désormais qu'à la philosophie. Je m'intéresse de près à la phénoménologie de Husserl[57] et à ses travaux sur la perception.

— Les mathématiques vous ennuient-elles ?

— Je tire un seul fil là où vous voyez un écheveau, Lili. J'ai l'ambition, ou l'espoir, de trouver un fondement axiomatique à la métaphysique.

— En étudiant les autres ?

— L'étude n'est jamais vaine.

Theolonius rebondit, gonflé à bloc.

— Je prône moi aussi un mariage entre les approches traditionnelles et les théories scientifiques modernes. La vérité est indivisée.

Charles avalait ses paroles comme autant de perles de caviar ; il lui préparait un *pickles* à sa sauce. Mon mari lui coupa la manœuvre en infligeant un cours sur la phénoménologie à ses invités déjà saturés de mots et d'alcool. Le philosophe Husserl, son obsession du moment, était, selon lui, dans une quête identique de pureté analytique de la pensée. J'avais regardé ses livres en douce pour essayer de comprendre cette nouvelle monomanie. Je n'avais jamais rien lu de si hermétique, pas même ces foutues mathématiques, qui, traduites dans ma langue, devenaient parfois envisageables. Ce

M. Husserl avait le chic pour dégotter une terminologie plus obscure que le sujet qu'elle était censée éclairer. Même Kurt le jugeait aride. C'est dire !

— À propos de perception, connaissez-vous Huxley, monsieur Gödel ? Il vient de faire paraître un recueil d'essais sous le titre *Les Portes de la perception*. Je vous l'adresserai.

— Il a volé ce titre à William Blake !

Mon mari balaya l'air pour chasser une guêpe entreprenante.

— Laissez-le parler, Hulbeck ! Ce sujet m'intéresse.

Theolonius, ravi, se lança dans un panégyrique de ce Huxley et de son expérimentation de la mescaline, un dérivé du peyotl. Cette substance lui semblait très intéressante dans le domaine des recherches sur la perception. Selon lui, elle ouvrait des portes vers d'autres dimensions. Des portes que la raison nous occulterait par ailleurs. Au peyotl, il préférait le LSD, une drogue légale ; il eut la délicatesse de nous préciser que la mescaline donnait des diarrhées. Il s'en servait avec son cercle pour des expériences extrasensorielles. Elle lui permettait de voir la musique et d'écouter les couleurs. Je me demandai si cette potion était aussi capable de faire enfin entendre la voix des femmes à leur mari, mais je me gardai de poser la question. Charles massacrait des cure-dents à la chaîne en maugréant. Jessup avançait sur ses plates-bandes : ce miraculeux LSD n'était pas une nouveauté. Il avait traité certains de ses patients avec ces produits psychoactifs. Si le LSD pouvait altérer de façon récréative la perception du temps ou de l'espace, il entraînait de nombreux effets secondaires, dont la perte de l'appétit et l'apparition de dangereuses hallucinations, une déroute mentale dont on pouvait ne jamais revenir. Il en déconseillait la consommation avec trop de zèle : Kurt s'y intéressa davantage. Cette curiosité ne m'inquiétait pas outre mesure ; il craignait trop l'empoisonnement pour se risquer à expérimenter de telles substances. Et je reconnaissais là les dommages que mon mari s'était déjà infligés par le simple usage abusif de la cogitation.

— C'est assez tentant.

— Altérer la pensée ne signifie pas que l'on puisse la purifier ! Kurt, cela vous mènerait à de la toxicomanie !

— Ce n'est pas ce que j'entendais par tentant, Oskar. Oui, j'aurais peur de m'y perdre. J'explore des moyens, disons, moins chimiques. Le corps humain a ses propres ressources en la matière. Si je cherche à ouvrir une nouvelle porte de la perception, ce n'est pas en dénaturant mes sens, mais bien en m'en détachant.

— En premier lieu, il faudrait admettre qu'il existe une réalité en dehors de celle captée par nos sens !

— Nous en avons parlé cent fois, Oskar. Les objets mathématiques sont un des aspects de cette réalité. Ils forment un univers à part auquel nous avons à peine accès.

— Vous avez la chance de fréquenter ce monde, monsieur Gödel.

— En visiteur temporaire, pour mon plus grand dépit. Parfois, je perçois des voix lorsque je travaille. Ces voix appartiennent à des êtres mathématiques. Je dirais… des anges. Mais mes amis ont de curieuses quintes de toux dès que j'aborde ce sujet.

Kurt était injuste, en particulier avec Morgenstern qui s'était toujours montré d'une indulgence infinie pour ses conceptions fantasques. Sourd à ces envolées,

Oskar était, à ses yeux, comme un aveugle qui nierait l'existence des couleurs, faute de les avoir jamais vues.

Theolonius tomba la veste, nous offrant la vision de sa chemise tendue sur ses pectoraux. Les dames sourirent, mi-railleuses, mi-émues par cette réalité *objective* que leur homme avait depuis bien longtemps renoncée à entretenir. Le bellâtre n'en revenait pas de sa chance : non sans courage, il avait pris son parti d'être la brebis galeuse ésotérique de la table et il avait, au final, trouvé un allié en un logicien, parangon des vertus rationnelles. Cela ne me surprenait pas vraiment : pour Kurt, il ne fallait rien rejeter sous le dogme de la raison. Ce que l'on considérait comme absurde aujourd'hui serait peut-être le vrai de demain.

— Je crois moi aussi aux anges. Chaque être humain bénéficie d'un invisible et bienveillant compagnon.

— Gödel ne vous parle pas de bouclettes ou de harpe, Theolonius. Pour lui, c'est plus un principe philosophique.

— Vous affadissez mes propos parce qu'ils vous effraient, Charles ! Je subodore l'existence d'un univers parasensible et d'un « œil » spécifique de l'esprit destiné à le percevoir. Nous possédons un sens pour appréhender l'abstraction. Au même titre que l'ouïe ou l'odorat. Sinon, comment expliquer l'intuition mathématique ?

— Vous pensez à un organe physique réel ?

— Pourquoi pas ? Certains philosophes mystiques considéraient la glande pinéale comme celle du savoir.

— Chez les hindous, le troisième œil est celui de Shiva. L'instrument de la clairvoyance. Il s'agit sans nul doute du troisième œil de l'homme du futur. Cette glande pinéale pourrait en être l'appendice interne en sommeil.

Hulbeck, à bout de patience, objecta que cette glande était un poste de pilotage hormonal, non un radar à chérubins. Il en tenait pour preuve les dissections pratiquées pendant ses études de médecine. Je ne comprenais pas en quoi cela était un gage de vérité, mais je goûtai les éructations de notre imprévisible dadaïste contre ces « conneries de troisième œil ». Charles aimait trop la posture du polémiste, quitte à s'opposer à une conviction qui aurait pu être sienne. Il était délicieux de le voir contraint, par addiction à l'opposition, à adopter le rôle du conservateur. Theolonius buvait du petit-lait tandis que mon mari se malaxait l'estomac avec ostentation.

— Qui a goûté un jour aux fulgurances mathématiques, à la conversation des anges, cherchera à retrouver l'accès à ce royaume. Et si je dois passer pour un fou, Hulbeck, peu m'importe.

L'ange du silence et le démon de la gêne s'abattirent tous deux sur la table du jardin. Ses amis n'appréciaient pas quand Kurt s'infligeait sans pudeur le diagnostic porté par tous. S'il gardait ce genre d'idées pour lui, elles demeuraient des lubies, socialement acceptables. S'il les exprimait à voix haute, en une construction aussi logique que personnelle, le terme de folie pouvait être encore évité avec soin. Mais s'il se qualifiait lui-même de fou, personne ne pouvait plus s'abriter derrière la politesse.

Penny vint poser sa douce tête sur mes genoux. Je le caressai en cherchant comment calmer le jeu. Kitty, fine mouche, choisit la fausse naïveté, comme toute femme rodée à calmer les esprits guerriers.

— Je vois un corollaire déprimant à cette affirmation. Si je dois croire aux anges, je dois alors me résoudre à l'existence des démons.

— Selon les écrits anciens, il en existerait une infinité pour seulement soixante-douze anges. Je serais sous le démoniaque patronage de Buer, démon de seconde classe. Il soutient la philosophie, la logique et la vertu des plantes médicinales. Seconde classe ! Je suis un peu vexé !

— Vous êtes croyant, monsieur Gödel ?

— Oui. Je me considère comme théiste.

À cette époque de ma vie, je n'étais plus tout à fait sûre de ne pas préférer son folklore à la foi elle-même : j'aimais la messe, les pompes et les rites. Kurt avait un peu tiqué quand j'avais installé une madone au fond du jardin. En territoire protestant, j'affirmais mes origines catholiques. De toute façon, une petite dévotion décorative ne pouvait pas nous faire de mal. Mon mari se contentait de feuilleter la Bible le dimanche matin dans son lit. Sa foi était sans doute plus exigeante.

— Une position délicate pour un philosophe moderne.

— Tout dépend si nous parlons de foi ou de religion. Quatre-vingt-dix pour cent des philosophes actuels considèrent que le travail de la philosophie est d'expulser la religion de la tête des gens.

— D'après ce que j'ai lu, Kurt, vous fréquentiez les intellectuels du Cercle de Vienne. Ils voulaient éradiquer la subjectivité. Voire l'intuition. N'est-ce pas ironique ? Là même où est née la psychanalyse ?

— Si j'y avais des amis et des collègues, je ne m'en suis pas déclaré membre pour autant. Et je ne pense pas que l'on puisse réduire leurs recherches ainsi. De plus, je préférerais que vous vous en teniez à « monsieur Gödel ».

Trop confiant, Theolonius avait franchi la ligne jaune. Kurt n'était pas allergique aux théories saugrenues des autres, mais deux écarts suffisaient à lui faire réintégrer sa coquille : la familiarité et l'idée qu'on eût pu se renseigner sur sa vie avant de le rencontrer.

Oppenheimer, encore un peu sonné de sa sieste, vint nous rejoindre à table.

— Je ne suis pas réfractaire à l'idée de l'analyse. Tant qu'on ne m'oblige pas à passer à la casserole !

— Il n'y a pourtant rien de honteux. Notre ami Pauli suit depuis longtemps une psychanalyse. Il entretient une longue correspondance avec Jung.

Oppenheimer tapotait ses poches en vain à la recherche de ses cigarettes. Je lui tendis les miennes. Kitty était à sec, elle aussi.

— Je m'interroge encore sur la légitimité scientifique de votre profession, Charles. Après tout, le panthéon psychanalytique n'est pas si éloigné de ce monde des anges.

Oppie était un adversaire bien plus coriace que Jessup ; Hulbeck, décidément pas à la fête, ne se risqua pas à batailler.

— Vous voulez parler des travaux de Jung ?

À mon air vague, Charles mesura mon ignorance et s'improvisa professeur. Ce qui lui permettait, surtout, de ne pas perdre la face. Il m'expliqua que le psychanalyste Gustav Jung envisageait l'existence d'un savoir absolu constitué par un inconscient collectif formé d'archétypes auquel chaque inconscient individuel aurait accès. Les archétypes étant des thèmes universels à toutes les cultures humaines. On pouvait, par exemple, retrouver la figure de l'ogre dans les contes d'Andersen comme dans les légendes indiennes ou papoues. Il existait un vaste répertoire d'idées communes à l'humanité, transcendant les sociétés ou les époques. Nous assaisonnions cette soupe archaïque avec notre expérience personnelle. Je ne voyais guère de différences avec la religion ; on expulsait du ciel diables et anges pour y faire emménager fées et sorcières. Mais, si je devais communiquer avec ce monde extrasensible cher à mon mari, je préférais mille fois celui de la Madone. L'aride royaume des mathématiques ne m'avait jamais paru très folichon, lui non plus. Quoi qu'en disent ces jolis messieurs trop cultivés, toutes ces acrobaties verbales restaient de bons prétextes pour ne pas se colleter avec la réalité.

— Inconscient commun, Dieu, concepts… Peu m'importe la définition du monde des Idées. Mon but est d'en approcher. Par la voie du mental. Par des ponts logiques. Ou conduit par l'intuition. Mon inconscient m'indique le chemin le plus chargé de sens. Il parcourt un ensemble moins censuré de possibilités et braque un projecteur sur une idée particulière que ma raison aurait, elle, rechigné à explorer.

— Quels sont alors les critères suivis par votre inconscient pour juger une idée plus pertinente ?

— Je m'en tiens à mon domaine, monsieur Jessup. Je suis sensible à une certaine forme de beauté. L'élégance mathématique.

— Une notion très subjective et parfaitement obscure pour les non-mathématiciens.

— Je n'en suis pas si sûr, Robert. Chaque être humain a en lui une sensibilité innée pour la simplicité, la perfection. L'évidence. Le besoin d'effleurer l'immanence est universel.

Theolonius sautillait de contentement sur sa chaise.

— Magnifique comme tout prend corps, n'est-ce pas ? Une exploration des champs vibratoires sans hiérarchie entre sciences physiques et science de l'âme, tendue vers une quête unique. L'ultime communion quantique !

Oppenheimer lui écrasa son mégot sous le nez.

— La mécanique quantique étudie les phénomènes physiques à l'échelle atomique et subatomique. Point. Si Pauli et Jung constatent des correspondances entre la physique et la psychologie, ils n'ont jamais admis une égalité des deux disciplines. La plupart du temps, il s'agit de ponts sémantiques. Non de liens substantiels. Mais je peux comprendre qu'il soit très tentant d'utiliser notre vocabulaire pour impressionner les badauds.

— Vous remettez en question le principe de synchronicité ?

— Ne tentez pas d'ériger un phénomène subjectif en postulat. Encore moins en théorème. Un lien causal entre deux expériences personnelles reste un hasard, même si la résonance particulière qu'il engendre dans l'inconscient d'un individu n'est pas contestable, elle.

— Cette résonance est la preuve absolue de l'existence d'une immanence ! Ce besoin qui nous pousse à chercher un sens à un événement sous-entend la préexistence de ce sens. Sinon pourquoi la nature nous aurait-elle offert cette faculté de nous interroger ?

— Le terme « preuve absolue » est inapproprié. Par ailleurs, parlez-vous de « nature » ou de « culture » ? Pourquoi n'espérerions-nous pas un sens là où il n'y en a pas ? L'humanité n'en est pas à sa première quête vaine.

— Dieu a injecté dans le monde un maximum de sens, donnant aux mêmes événements des valeurs multiples, une fonction sur une multitude de plans.

— Si vous faites intervenir Dieu dans le débat, alors nous n'avons plus rien à dire, Gödel !

— Je vous ai connu plus spirituel, Robert. Où avez-vous rangé votre *Mahâbhârata ?*

— Je me montre parfois méfiant envers ces idées, car elles font le lit du charlatanisme. La soif de sens, présente chez tous les êtres humains, fait de certains des proies faciles. Le pas est trop aisé entre synchronicité, hasard sensé et prémonitions, médiums…

— Vous me prenez donc pour un charlatan, monsieur Oppenheimer.

— Je ne me soucie pas des étiquettes, moi non plus. Dans le meilleur des cas, vous concevez une porte spirituelle là où d'autres attendent une jolie réponse bien empaquetée. Si j'ai bonne mémoire, il existe même une pathologie associée. L'apophénie. La propension à reconnaître des symboles ou des trames dans des données aléatoires.

Charles voyait sa propre marchandise soldée ; il se réfugia dans l'ironie.

— L'apophénie est une tendance naturelle. Nous distordons la réalité pour la conformer à notre propre vision du monde. Je connais une spécialiste de la question. Ma femme !

Saisissant son mari par le cou, Beate tenta de l'étrangler. Un instant, j'avais cru percevoir dans sa réplique une allusion à Kurt. Car ce dernier était maître des maîtres en la matière. Je l'avais toujours entendu construire de ces cathédrales de sable, mêlant détails quotidiens sans intérêt et grands principes. Il créait un univers à son image, à la fois puissant et fragile ; logique et absurde.

— Avant que ma Beate ne m'assassine pour de bon, je tiens à vous contredire, Robert. La psychanalyse ne vend pas, elle, de jolies réponses. Au contraire, elle offre de solides questions !

— Elle ne les offre pas, cher ami. Vos séances ne sont pas données.

Je décidai d'orienter la conversation vers un terrain moins accidenté. Le premier commandement d'un repas serein était outrepassé depuis longtemps : « On ne parle pas de religion ni d'argent à table ! » S'ils se mettaient à causer politique, notre petite fête serait gâchée. J'enfilai ma panoplie d'amuseuse godiche et leur proposai de passer à une vraie expérience de parapsychologie. Kurt ne s'en offusquerait pas, nous pratiquions souvent ce genre de jeu. Il disait que, dans un futur lointain, on s'étonnerait que les scientifiques du XXe siècle aient découvert les particules physiques élémentaires sans même envisager la possibilité de facteurs psychiques élémentaires. J'étais bien en peine de comprendre ce qu'il entendait par là, mais j'étais très forte en télépathie. Après trente années de vie commune, deviner les pensées de son homme est un réflexe de survie. Sans grande surprise, tous les invités se récrièrent, y compris notre gourou bronzé.

— Je m'entraîne depuis quelque temps à la ptarmoscopie… La prédiction de l'avenir par les éternuements. J'ai d'excellents résultats.

Toute la tablée rit, j'avais réussi à ranger Carl Gustav sur l'étagère à embrouilles qu'il n'aurait jamais dû quitter.

— Et comment nomme-t-on la divination par l'humeur de nos femmes ?

Erich Kahler surgit à table, tout revigoré par sa sieste.

— Le bon sens, Charles, le bon sens ! J'ai raté quelque chose ?

— Adèle, je crois entendre le téléphone.

En courant vers le salon, je me pris les pieds dans Penny qui somnolait sur le perron. Je le consolai d'une caresse. Quel bel après-midi ! J'avais tant de plaisir à voir Kurt si loquace et si gai. Je me suis retournée pour regarder son sourire.

J'ai raccroché le combiné avec douceur. Je me suis tenue là, immobile, à écouter les joyeux éclats de voix provenant du jardin ; à respirer ces dernières minutes de bonheur.

Quand l'ombre du peuplier a touché le chien, je me suis approchée de Kurt. J'ai mis ma main sur son épaule. Le silence s'est imposé à tous. J'ai vu, avant même de parler, deux larmes couler des yeux de mon amie Lili.

— Albert a eu une rupture d'anévrisme aortique. Il a été admis à l'hôpital de Princeton.

45.

Sitôt les tartes englouties, Virginia invita ses convives à rejoindre les canapés. Anna préféra fuir l'assemblée des fumeurs pour rendre visite à Ernestine dans son antre. L'office avait été refait à neuf : il rutilait de chromes et d'inox. Seule la collection de pots en faïence ancienne de la nounou avait survécu. Anna y avait appris ses premiers mots de français : *sucre*, *farine*, *sel*. La cuisine était impeccable : fausse indolente, Tine faisait preuve d'une organisation militaire. Personne n'avait le droit de traîner dans ses jambes quand elle rangeait. Mais Anna bénéficiait d'un régime de faveur ; enfant, elle avait passé de longues heures à regarder les mains caoutchoutées de Tine s'affairer. Elle l'écoutait parler de son pays, de poésie et des derniers potins du quartier, ou elle venait lire à ses côtés, bercée par les chansons créoles. Elle aimait aussi son rituel : une fois la vaisselle terminée, Ernestine s'octroyait un petit punch accompagné d'une cigarette.

Celle-ci ôta son tablier en énumérant ses douleurs de vieillesse. Anna protesta pour la forme ; Tine se plaignait de son âge même quand elle était encore la nurse gironde affolant les étudiants en visite.

— Avez-vous ouvert mon cadeau ?

— Penses-tu ! Je n'ai pas eu une minute à moi.

Elle récupéra le paquet dans un tiroir, ses lunettes dans un autre. Elle déballa le présent avec soin ; elle conservait des stocks de papiers pliés dans un de ces casiers à trésor. Elle caressa le livre à dos de cuir : *Anthologie de la poésie française* ; Anna avait toujours su comment lui faire plaisir.

— *Comment vas-tu, mon bel oiseau ?** Tu es toute pâlotte.

Anna n'avait pas besoin de se lancer dans une longue confession. Tine n'avait manqué aucun épisode de cette guerre des nerfs entre Leonard et elle, ses deux enfants d'adoption.

— Tu as parlé avec Leo ?

— Parlé de quoi ?

— Et ça continue ! *Pourquoi faire simple quand on peut faire compliqué ? Si c'est pas malheureux, vous deux !* Je n'ai jamais compris ce que tu pouvais trouver à ce crétin de New York. Comment s'appelait-il déjà ?

— William. Il s'est marié l'année dernière.

Leonard fit irruption dans la cuisine.

— C'est une conversation privée, jeune homme. Pourquoi viens-tu fouiner par ici ?

— Je refuse de faire la manche auprès de Richardson.

Tine tenta de le recoiffer du plat de la main ; il lui échappa : désormais, il était trop grand pour elle. Un ultime trait de crayon sur le chambranle de la porte l'attestait. La vieille dame avait dû terroriser les peintres pour qu'ils n'effacent pas la toise.

*. En français.

Le mathématicien français pointa le bout de son nez grec à la recherche d'un rab de dessert. Ernestine minauda sous ses compliments ; vingt ans auparavant, elle l'aurait bien croqué en guise de quatre-heures. Malgré sa discrétion, tout le quartier bruissait de rumeurs sur ses appétits. La suspicieuse Virginia n'avait jamais pu la prendre sur le fait. Et elle craignait moins les infidélités de son mari que de perdre une telle perle. Quant à Calvin, il était trop soucieux de sa réputation pour se lancer dans pareille aventure ancillaire ; il se contentait des bars d'hôtel d'après séminaire.

Tine s'empressa de préparer une assiette et d'ouvrir une bouteille pour son nouvel admirateur. Anna lui proposa une chaise. Leo cacha mal son irritation ; le Français envahissait son territoire en monopolisant l'intérêt des deux femmes. Le fils Adams avait été au centre de tout dans cette maison, réquisitionnant par ses frasques le peu d'attention qui ne lui avait pas encore été donné. Il réclamait d'y demeurer : il apostropha Anna.

— Alors comme ça, tu as été mandatée pour récupérer les papiers de Gödel ? Sa veuve a au moins trois cents ans. Une rescapée du Princeton héroïque de l'après-guerre !

Pierre Sicozzi observait la jeune femme à travers le rubis de son verre ; gênée, elle tripota le livre de poésie.

— Calvin vient de m'en toucher deux mots. Elle doit avoir une sacrée personnalité pour avoir vécu avec un homme si spécial.

— Elle n'est pas facile tous les jours, mais elle n'est pas avare d'anecdotes.

— Vous êtes une documentaliste au plus près de l'Histoire.

— Elle rechigne à nous confier ces archives. Elle a une dent contre l'establishment universitaire. Elle n'a jamais été bien considérée. Pourtant, Adèle est une femme très attachante.

Comme toujours, Leo avait un avis sur la question.

— Gödel est une icône au MIT. On se sert de son portrait comme cible à fléchettes. Nous avions même organisé une fête « Gödel *versus* Turing ».

— Qui a gagné ?

— Match nul. Proposition indécidable, professeur Sicozzi.

— Si la bataille a bien eu lieu, Kurt Gödel a vaincu depuis longtemps.

— Le prix de consolation de Turing était la paternité de l'informatique moderne. Gödel a poussé la logique formelle dans ses retranchements ultimes. L'Anglais lui a offert une réalité en engendrant une technologie.

Le Français s'attaqua à son assiette avec entrain. Leo l'observa avant de se lancer à nouveau.

— Autre destin mathématique tragique. Fulgurances et déchéance. L'un est mort fou, l'autre a fait une sortie théâtrale. Il s'est donné la mort en croquant une pomme parfumée à l'arsenic. Empoisonné comme Blanche-Neige.

Anna n'osa pas le reprendre même si elle connaissait très bien l'histoire du logicien anglais. Il ne s'était pas suicidé à cause des mathématiques : il était persécuté par le gouvernement britannique pour son homosexualité. On lui avait imposé un traitement hormonal barbare. Pourtant, grâce à lui, « Enigma », le dispositif de cryptage des Allemands, avait pu être contré. Sans

Turing, les Alliés n'auraient pas gagné la bataille de l'information pendant la Seconde Guerre mondiale.

Leonard ne se laisserait pas contredire dans son propre domaine de compétence. Sans surprise, il s'empressa de détailler l'épopée de la « machine de Turing », le principe même de l'ordinateur moderne. À la fin des années 30, le mathématicien britannique avait imaginé un système théorique capable d'exécuter des algorithmes simples. Il était passé ensuite à l'idée d'une métamachine combinant à l'infini toutes ces opérations. Anna avait contribué à la préparation d'une exposition sur von Neumann et l'ENIAC, autre grand bond de l'histoire informatique, elle aurait pu lui en conter sur le sujet, mais l'occasion d'entendre Leo s'enthousiasmer était trop rare pour qu'elle ne sacrifie pas un peu d'amour-propre. Elle était à deux doigts de lâcher un « Comme tu es fort ! ». Il n'aurait pas apprécié la plaisanterie et il n'avait besoin de personne pour se l'entendre confirmer. Quant à essayer le « théorème d'Adèle » sur le récipendaire d'une médaille Fields, elle n'oserait jamais.

— En poussant les limites de son concept, Turing a compris que son dispositif ne pouvait fournir qu'une réponse déjà existante. Il n'était pas en mesure de décider si certaines questions étaient décidables. C'est-à-dire définir au bout d'un temps fini si une proposition est vraie ou fausse.

— Le *théorème d'incomplétude* est incontournable, même par une machine.

— Toi, Anna Roth, tu t'intéresses aux mathématiques ?

— Je ne suis pas sûre d'avoir tout compris, mais Adèle m'a parlé de leur rencontre à cette époque.

Ernestine lui fit un sourire en coin avant de retourner claquer ses portes de placard ; elle connaissait la technique, elle aussi.

— Tu devrais écrire un livre là-dessus, Anna. La destinée héroïque des pionniers de l'ère informatique. Gödel, Turing, von Neumann…

La jeune femme rougit quand Pierre effleura son verre du sien.

— L'idée de Leo me paraît excellente. Vous êtes à la source de l'Histoire en accédant à l'intime.

— Adèle n'est pas une scientifique. Elle a une vision affective des événements.

— La vie n'est pas une science exacte. Un être humain est plus que la somme de ses actes. Plus qu'une simple chronologie.

— Je suis documentaliste. Je collecte des faits objectifs.

— Faites confiance à votre intuition.

— Dans ce cas, cela serait de la fiction.

— Pourquoi ne serait-ce pas une vérité parmi d'autres ? La vérité n'existe pas ou… toutes ne sont pas démontrables.

Il eut un petit sourire confus.

— Cette extension lyrique du *théorème d'incomplétude* eût fait frémir notre défunt génie.

— J'ai cru comprendre cela ! Il est incorrect d'utiliser une démonstration de logique formelle dans d'autres domaines.

— Détendez-vous, Anna. Être mathématicien ne me prive pas de jouir de la musique, d'un bon roman, de cette tarte sublime ou de ce délicieux gevrey-chambertin. Même si les mots sont impuissants à décrire la complexité de son goût.

— Vous êtes un épicurien.

— Je nourris l'animal capricieux de mon intuition à tous mes sens.

— Y compris en lisant de la fiction ?

— Pour moi, elle propose, comme la poésie, des clefs sur l'universel à partir du singulier. D'ailleurs, les mathématiques ont fort à voir avec la poésie.

Exaspéré, Leo haussa sans discrétion les épaules.

— Kurt Gödel se méfiait du langage.

— Il était à la recherche d'une autre forme de communication, d'outils formels capables de conceptualiser, dans notre monde sensible, notre réalité, un univers mathématique immanent. Pour lui, l'esprit était plus grand que la somme de ses connexions, aussi immense soit-elle. Aucun de vos ordinateurs n'atteint cet état d'intuition ou de création.

Leo bouillonnait : un tel sujet demandait plus d'exactitude et moins de rhétorique. Gödel avait mis en balance deux idées. Si le cerveau était une machine de Turing, il avait les mêmes limites : il existait des problèmes indécidables. Les mathématiques ou le monde des concepts, au sens platonicien du terme, resteraient donc en partie inaccessibles à l'humanité. Mais si le cerveau était un dispositif infiniment plus complexe, en mesure de manipuler des schèmes inconcevables à un automate, l'être humain possédait alors un système de gestion insoupçonnée de l'activité mentale. À défaut de le localiser, on se contentait de nommer « intuition » cette capacité à se projeter au-delà du langage et même au-delà du langage formel propre aux mathématiques. Pierre Sicozzi l'écoutait avec attention sans se départir de ce demi-sourire à l'ironie insondable.

— L'esprit surpasse donc toujours la matière, Leonard.

— Jusqu'à preuve du contraire ! Nous parlons d'un domaine à l'évolution phénoménale. L'ordinateur de demain donnera peut-être tort à Kurt Gödel.

— Vous prêchez pour votre paroisse numérique. La loi de Moore[*] n'est qu'une vague conjecture destinée à appâter l'industrie par la perspective d'une croissance sans fin. À mon humble avis, l'informatique a son rôle à jouer du côté de la vérification. En termes de découverte mathématique, rien ne vaut, comme vous le faites naturellement, un carnet et un crayon.

— Les possibilités semblent pourtant infinies.

— Qu'est-ce que l'infini en regard de ce sublime dessert ?

— Tout dépend de l'infini en question.

— Encore une interrogation gödelienne. Tous les chemins mènent à Gödel, n'est-ce pas, Anna ?

— Vous finissez la tarte, monsieur Sicozzi ?

— Ma chère Ernestine, nous touchons là, non aux limites de mon esprit, mais à celle de mon estomac. Je déclare forfait. Vous m'avez vaincu.

Il remarqua le cadeau d'Anna sur la table. Après avoir ouvert le recueil au hasard, il lut quelques vers de sa voix chantante.

— *CE SERAIT... pire... non... davantage ni moins... indifféremment, mais autant... LE HASARD*[**].

Leo se resservit un verre en marmonnant.

*. Cette « loi », émise en 1965 par Gordon Earle Moore, cofondateur d'Intel, prédisait le doublement de la complexité des microprocesseurs tous les dix-huit mois.

**. En français.

— C'est quoi ce charabia ? Je ne comprends pas le français.

— J'aurais plus de facilité à vous redémontrer le *théorème d'incomplétude* qu'à vous éclairer Mallarmé, Leo. Je peux vous parler de sensations. De plaisir des sons entrechoqués. Les blancs de la feuille et les pleins de la typographie de ce calligramme se répondent.

Il lui montra la mise en page du poème : un nuage effiloché de minuscules et de majuscules.

— Une intuition géniale de la nature même de notre monde physique. Du vide où dansent quelques grains de hasard.

— Si on va par là, les livres de recettes de Tine détiennent un sens caché sur l'univers.

— *Mécréant !* Ne seriez-vous donc qu'une « machine de Turing » ? Comment ignorer la fertilité d'une phrase comme : « Un coup de dés jamais n'abolira le hasard » ?

— Je ne crois pas au hasard. Seulement aux algorithmes. Vous aimez trop les mots pour un mathématicien.

— Si l'inspiration mathématique peut naître de la pizza, pourquoi pas de Mallarmé ?

Adams apparut dans l'embrasure de la porte. Il avait la tête d'un homme découvrant que l'essentiel de la fête s'est déroulé ailleurs, sans lui.

— Ces jeunes gens accaparent votre temps, Pierre.

— Pas du tout. Les Français finissent toujours à la cuisine.

Calvin s'excusa de devoir l'arracher aux charmes de la bonne Ernestine ; ils avaient à finaliser les modalités de la conférence du surlendemain. Pierre Sicozzi se leva à regret. Il fit un baisemain aux deux femmes et donna une poignée de main chaleureuse à Leonard qui se montra, lui, à peine courtois. Calvin prit son fils par l'épaule et le pria de venir saluer l'héritier Richardson avec toute la politesse nécessaire. Leo déchira une feuille de son carnet où il gribouilla un numéro qu'il tendit sans un mot à Anna. Elle rangea le papier dans son sac en se promettant de ne pas en faire usage. Il n'avait pas changé d'un iota et, pour le moment, l'ego d'un mathématicien décédé suffisait à compliquer sa vie.

L'office rendu à son silence douillet, Tine se prépara un punch dans un minuscule verre à facettes puis s'alluma une cigarette. Il était temps pour Anna de partir. Son amie la chargea d'un Tupperware qu'il n'était pas question de refuser, avant de la serrer à l'étouffer contre sa vaste poitrine. Elle lui chuchota à l'oreille. « *Appelle-le, crétine !* »

Quand la porte se referma sur les derniers invités, Calvin retourna à son enfer personnel ; Virginia se servait un gin avec des gestes à la balistique approximative.

— Tu veux les accoupler ? Anna est une pâle copie de Rachel. Tu auras des petits-enfants blancs comme des navets, avec le grand nez de leur père. Où dois-je réserver pour la bar-mitsvah ?

— Tu dis vraiment n'importe quoi.

Elle fit tinter les glaçons dans son verre.

— Je suis parfaitement lucide. Tu as toujours eu un faible pour sa mère.

— À ce qu'il semble, ta lucidité commence de plus en plus tôt dans la journée, Virginia.

46.

1958

Ce vieux cochon d'Albert est mort

> « Chère postérité,
> Si vous n'êtes pas devenue plus juste, plus pacifique, et, d'une façon plus générale, plus rationnelle que nous le sommes (ou l'étions), eh bien, que le diable vous emporte. Ayant, avec respect, émis ce vœu pieux, je suis (ou étais) votre serviteur. »
>
> Albert Einstein, texte écrit pour une capsule témoin destinée à la postérité

J'arpentais le parterre de mon jardin en tous sens, cherchant où placer ma nouvelle acquisition : un couple de flamants roses en ciment peint. Kurt m'observait m'agiter depuis son transat. Malgré la tiédeur de l'air printanier, il avait conservé son manteau, recouvert ses jambes d'un plaid et, récente marotte, enfilé une cagoule de laine. Du perron, je trouvai la place idéale : à côté de la tonnelle. Leur rose criard jurerait à merveille avec le vert de la pelouse et le rouge délicat de mes camélias. Je plantai mon trophée puis me reculai pour en admirer l'effet : il était impossible de ne pas remarquer cette présence incongrue. Je savourais à l'avance la réprobation muette de la mère Gödel. *Regarde, Marianne, ce qu'une femme au goût médiocre peut accomplir.*

— Ma mère ne va pas apprécier cette bizarrerie.

— Madame mère fera avec. Moi, j'aime !

— Elle n'est déjà pas ravie à l'idée d'être à l'hôtel.

— Nous n'avons pas le choix. Tu ne pouvais pas faire dormir ta mère et ton frère sur le canapé !

— Je ne trouve pas très élégant de faire payer l'hôtel à ma famille pour leur premier séjour à Princeton.

— Avec l'argent que tu lui adresses tous les mois ? Ton frère a pourtant de bons revenus !

— Ta mère vit chez nous. Et la mienne ne peut y passer quelques nuits.

— Tu n'as qu'à offrir l'hôtel à Marianne. Mais ton frère peut payer, lui !

Après dix-neuf années de séparation, Marianne et Rudolf Gödel daignaient enfin nous rendre visite à Princeton. Bien que ravi de ces retrouvailles et soulagé de ne pas avoir lui-même à retourner en Europe, Kurt s'inquiétait de devoir endurer une nouvelle guerre familiale. Il ne comprenait pas ma rancœur envers eux ; il n'avait jamais rien compris aux sentiments des autres. J'avais promis de bien me tenir : je les nourrirais avec largesse et je les promènerais en souriant dans Princeton. Du moment qu'elle ne m'asticotait pas ! Je devais l'admettre, Kurt ne me faisait pas de reproches sur mes dépenses de voyage ou sur l'obligation où nous étions d'héberger ma mère. Mais c'était un cas de force majeure : je ne pouvais pas la laisser mourir seule à l'hospice. Elle était incapable de reconnaître le chemin entre la chambre et la cuisine. Je devais souvent la récupérer *in extremis* dans la rue ; elle se croyait sur la Lange Gasse.

— Quel dommage que ma mère n'ait pu rencontrer Albert ! J'aurais eu tant de bonheur à la lui présenter. Ils étaient du même âge.

Je vins m'agenouiller à son côté.

— Veux-tu un bon petit thé ? Tu parais frigorifié.

— Tu as pensé à commander la viande pour ce soir ? Ma mère adore le veau.

Nous comptions les morts. Ce vieux cochon d'Albert était parti depuis trois ans déjà. Selon les nouvelles d'Europe, Pauli agonisait dans un hôpital suisse[58]. Au début de l'année, le cancer avait réussi à mettre à bas la gigantesque force vitale de John von Neumann[59]. À ses obsèques, au cimetière de Princeton, je m'étais souvenue de cette blague atroce d'Albert : trois physiciens atomiques irradiés sont condamnés. On leur propose d'accomplir leurs ultimes volontés. Qu'avait souhaité John ? Ni rencontrer Marilyn, ni voir le président, ni même un autre médecin : il avait exigé de poursuivre ses travaux ; il se faisait conduire en civière à son laboratoire. Qu'avait demandé Einstein ? La paix. Dans une lettre adressée à Bertrand Russell, il acceptait de signer un nouveau manifeste pressant toutes les nations de renoncer à l'armement nucléaire. À l'hôpital, terrassé par un anévrisme, il avait insisté pour que Bruria lui apporte ses papiers en cours. Il avait écrit : « Les passions politiques, omniprésentes, réclament leurs victimes. » Protester ; avertir ; travailler ; chercher : se battre jusqu'à son dernier souffle.

Je m'interrogeais parfois sur le souhait ultime que formulerait mon mari. J'avais peur qu'il ne tienne plus très longtemps. Sans Albert, Kurt se retrouvait désormais prisonnier de sa solitude. Oskar Morgenstern et Robert Oppenheimer, même s'ils étaient toujours là pour le soutenir, avaient une vie tournée vers l'avant ; ils avaient des enfants, des projets. Il fréquentait bien quelques logiciens : Menger, Kreisel ou ce jeune Hao Wang qu'il appréciait particulièrement, mais mon mari était d'une espèce différente ; un tigre blanc parmi les lions. Albert avait été l'un des rares à parler sa langue. Kurt était l'étranger : étranger à ce siècle et à ce monde. Étranger jusqu'à son propre corps.

— Veux-tu que je t'apporte ton *New York Times* ?

— Je dois me pencher sur les demandes d'attribution de bourse. Toutes ces obligations administratives me pèsent. Et j'ai cet article à finir sur les fonctions récursives.

— Ils peuvent attendre.

— Je suis déjà en retard.

— Comme d'habitude.

— Hier soir, je me suis arrêté devant le bureau d'Albert dans le Fuld Hall. Il n'a pas été réattribué.

— Personne n'osera. Pourtant, la vie continue.

Kurt sortit sa boîte de médicaments. Il aligna sur le plateau une bonne dizaine de petites pilules puis les fit passer avec une goulée de lait de magnésie. Dans sa couverture, il ressemblait à une momie ; à un corps sans âge. Je m'installai à son côté avec mon raccommodage. Penny tenta d'attraper une pelote du panier à ouvrage.

— Le thé est trop fort. Ils n'ont pas appelé ?

Je regardai ma montre.

— Leur avion vient à peine d'atterrir. Laisse-leur le temps de débarquer.

— Ils ont fait le premier pas. Maintenant, ils pourront revenir plus souvent.

— Quelle joyeuse perspective !

J'aurais bientôt le loisir de repartir, moi, en Europe. Les voyages me manquaient et je ne me leurrais pas : ma pauvre mère subissait ses derniers mois. J'y sacrifiais peu d'intimité : Kurt et moi faisions chambre à part depuis longtemps. Notre vie sociale, déjà peu remplie, s'effilochait comme mes mèches de cheveux que je ramassais par poignées au fond du lavabo chaque matin.

Kurt prit mon panier à couture. Il s'attaqua aux pelotes imparfaites, remettant un semblant d'organisation là où nul n'était besoin.

— Ce que tu peux être brouillonne, Adèle. Regarde ces fils !

— J'entends le téléphone.

Depuis le décès d'Albert, Kurt vivait dans un état proche de la stupeur. Son ami *ne pouvait pas* mourir. Sa disparition était incompatible avec la logique. *Der kleine Herr Warum* se posait encore des questions déconcertantes : « N'est-ce pas étrange qu'il soit mort quatorze jours après l'anniversaire des vingt-cinq ans de la fondation de l'Institut ? » Il dédaignait ma réponse : la mort *est* logique puisqu'elle est l'ordre des choses. Une fois de plus, il avait renoncé à manger et à dormir. Il ne se déplaçait plus sans sa besace de médicaments. Il avait de nouveau choisi l'exil intérieur.

— Un étudiant voulait te joindre à propos de sa bourse. Je lui ai dit que tu n'étais pas disponible aujourd'hui.

— Tu as bien fait. Je suis sans cesse importuné.

Il exagérait : sa réputation de mauvais coucheur suffisait à éloigner les raseurs. Il se gratta le crâne. Sa cagoule de laine lui infligeait de terribles démangeaisons, mais il refusait de l'abandonner. Il avait terminé de ranger les bobines et contemplait ses mains vides. Je souris en me remémorant la méthode alambiquée d'Albert pour décourager les enquiquineurs. Il se faisait servir de la soupe : s'il désirait continuer la conversation, il repoussait le bol ; s'il le gardait devant lui, Helen, son assistante, savait qu'il était temps de raccompagner le visiteur à la porte. Vu son statut, il aurait pu se montrer plus direct. Kurt, lui, donnait des rendez-vous auxquels il ne se rendait pas. Cette petite lâcheté-là ne me surprenait pas.

— Tu devais faire une sieste, Kurt. Pour être en forme ce soir.

— Le sommeil me fuit.

— Tu manques d'exercice. Tu ne marches plus.

— Avec qui pourrais-je me promener ?

Lui rappeler mon existence était inutile. Il regrettait moins ses promenades avec Albert que leurs longues controverses.

— *Ach !* J'entends du bruit. Ma mère est réveillée.

Je me levai avec peine du transat. Mes genoux me faisaient souffrir. *Tief wie die Erde, hoch wie das Tier, meine Freunde*[*] *!*

Peu après la mort d'Albert, Kurt avait aidé Bruria Kaufman, son assistante scientifique, à trier les papiers de son bureau à l'IAS. Il s'était résigné à cette mission, à la place de la cérémonie d'adieu qui n'avait pas

*. « La terre est basse et la bête est haute, mes amis ! »

eu lieu. Albert s'était éteint pendant son sommeil, le 18 avril 1955. Le même jour, son corps avait été incinéré à Trenton. Ses amis avaient dispersé ses cendres en secret. Einstein redoutait que son tombeau se transforme en un sanctuaire où les pèlerins viendraient voir les os d'un saint. De son vivant, il s'était toujours refusé à devenir une idole ; il ne désirait pas être empaillé *post mortem*. Il le serait pourtant.

J'installai Hildegarde dans un fauteuil à l'ombre. Je la couvris d'un plaid et lui donnai une assiette de crackers pour occuper ses mains. Penny, qui savait sa mission facile, lui tournait autour en jappant de joie. Kurt s'enquit de sa santé, moins par intérêt que par désœuvrement. Elle le dévisagea, méfiante, puis se désintéressa de lui. Elle tendit un gâteau au chien.

— Elle ne me reconnaît pas depuis ce matin. Elle me prend pour Liesl.

— Je ne pourrais pas supporter de voir ma propre mère ainsi.

Je me gardai bien de commenter. À coup sûr, Marianne vivrait centenaire. Les viandes coriaces se conservent plus longtemps. Ma pauvre maman s'éteignait, elle, dans un état de confusion mentale éreintant : elle se perdait, crachait sa nourriture ou déféquait sous elle. Kurt s'angoissait à la perspective de devenir sénile, lui aussi. À cinquante-deux ans, il pensait sa vie derrière lui. Il me chantait cette rengaine depuis plus de vingt ans. Je n'avais pas fait l'usage du landau ; entre mon bonhomme et ma mère, je n'avais eu droit qu'au fauteuil roulant. Mon destin m'avait ornée d'une coiffe blanche.

— Adèle, ta mère bave.

Je me levai pour la remettre d'aplomb et essuyer sa bouche.

— Tu n'entends pas le téléphone ?

— Tu devrais travailler au lieu de mariner ainsi.

— Avec l'idée qu'ils arrivent dans moins d'une heure ? Je ne parviendrai jamais à me concentrer !

— Installe-toi au salon. Écoute de la musique. Regarde la télévision. Tu n'as pas du courrier en retard ?

— Je n'ai pas envie. Es-tu sûre de ne pas entendre le téléphone ?

Une fois enfermé dans le bureau de son ami disparu, Kurt avait tenté de lui dire au revoir. Il avait trié des montagnes de papiers, y cherchant une dernière trace de génie. Il n'avait rempli ses cartons que de stériles équations. Il rentrait à la maison sali de poussière et de tristesse. Il avait besoin d'admirer, lui aussi. Il avait aimé en Albert sa foi toute-puissante, cette énergie tendue vers la quête, vers le combat. Dans cette accumulation de documents jaunis, il avait reconnu ses propres faiblesses ; ce combat n'était plus le sien. Il n'était plus le jeune guerrier déchirant l'obscurité ; il était un vieil homme depuis si longtemps.

Einstein n'avait pas capturé sa baleine blanche. Il avait poursuivi en vain pendant des années sa recherche de la Grande Unification[60], cette « théorie des champs unifiés ». Un système réunissant toutes les interactions fondamentales avec l'inopportune gravité, comme il me l'avait expliqué, un lointain soir du passé. La mécanique quantique n'avait jamais constitué pour lui une description satisfaisante du monde physique. À la fin de sa vie, Albert était devenu une respectable antiquité. L'essor cannibale de la physique quantique avait relégué le père de la relativité au rôle de dame patronnesse : il remettait les fleurs aux nouvelles gloires scientifiques du moment. La gravitation continuerait à séparer ces deux mondes, tel un pépin de pomme coincé dans les rouages de la machinerie cosmique. Newton devait bien rire depuis là-haut. S'il y avait une personne capable de démonter et de remonter le « mécanisme grandiose » de l'univers, cela aurait dû être lui, Albert Einstein. Il percevait l'esprit divin dans l'harmonie de toutes les forces de la nature – cohérentes, de l'infiniment petit à l'infiniment grand. Il voulait connaître les pensées de Dieu ; tout le reste était détails à ses yeux. Il avait désormais atteint le dernier barreau de l'échelle de Jacob, celle qui s'achève aux pieds du Père. Il y avait sans doute découvert la Vérité en perdant à jamais la possibilité de la transmettre.

Mon mari s'y était-il risqué dans le secret de son bureau ? Avait-il tenté de dépasser ce père-là ? Ou savait-il cette quête vaine ? Pauli avait pris la place de *pater familias*, mais il ne garderait pas le flambeau bien longtemps. Kurt n'avait pu se résoudre à laver le tableau noir de son vieil ami. La craie s'effacerait avec le temps. L'entropie se chargerait de l'ardoise ; elle avait déjà eu la peau d'Albert.

— C'était la radio du voisin. Je lui ai demandé de faire moins de bruit pendant ta sieste.

— Je l'ai surpris à m'espionner par-dessus la haie. Je n'ai pas confiance en cet homme. Nous avons eu raison d'acheter le terrain derrière. Qui sait ce qui aurait pu nous arriver ?

— Un peu moins de tranquillité.

— As-tu pris assez de viande ? Rudolf a un solide appétit.

— De quoi nourrir l'arbre généalogique des Gödel jusqu'aux racines.

— Et comme accompagnement ?

— Que t'importe ? Tu ne manges rien !

— Je veux qu'ils se sentent bien chez moi.

— Chez nous.

À quelques mois près, Einstein n'avait pas eu la chance de connaître son arrière-petit-fils. De toute façon, il n'avait jamais été en très bons termes avec son fils Hans Albert. Ses relations personnelles, y compris avec ses femmes et ses enfants, avaient toutes été des échecs[61]. Il aimait trop le sexe et la science pour s'embarrasser d'une famille. Kurt détestait m'entendre parler ainsi de son vieux compagnon. Pour lui, Albert resterait la personnification de l'amitié. Il se reprochait souvent de ne pas avoir été plus attentif à sa santé. Il plaçait sa mémoire sous cloche. Il ne pouvait se consoler de sa mort en invoquant les imperfections de sa vie. Albert aurait raillé cette idolâtrie nostalgique. Pour ma part, je m'étais toujours méfiée de la mémoire sélective. Elle prolonge le deuil.

— Où as-tu mis le buste d'Euclide qu'il m'avait offert ? Il a disparu du salon.

— À la cave, avec celui de Newton. Leur regard vide me donnait des angoisses. Je les ai rangés côte à côte, ils ont de quoi s'occuper.

— Ils nous attendent. Ils nous feront la peau, là-haut.

— Ne sois pas si macabre ! L'humour noir ne te va pas au teint, Kurtele.

Il bondit hors du transat.

— Cette fois, je suis certain d'entendre le téléphone !

Pour moi, Herr Einstein resterait un homme de chair. Je me souviendrais de son rire tonitruant, de son peignoir entrouvert et de ses cheveux ébouriffés. Je ne pouvais pas me fâcher avec lui. Il m'infligeait ses blagues salaces ou ses commentaires désobligeants avant de me prendre la main et de regagner mon affection d'un sourire. Je l'aimais comme le beau-père que je n'ai pas connu. J'aimais ses paradoxes : il se revendiquait végétarien, mais réclamait mes *Schnitzel* ; il ne pouvait vivre ni avec ni sans les femmes. Éternel jouisseur, il était le double négatif de Kurt. Ce qui les séparait les avait rassemblés. J'oublierais la relativité ; j'oublierais la bombe ; j'oublierais le génie. La seule phrase que je garderais précieusement remontait à une cérémonie officielle en son honneur. Sa belle-fille Margot lui avait reproché de ne pas s'être changé pour la circonstance. Il avait contemplé avec satisfaction son pull mangé aux mites : « Si c'est moi qu'ils veulent voir, je suis ici ; si c'est ma tenue, ouvre mon placard et montre-leur mes vêtements. » J'enviais sa liberté.

— Ils arrivent dans une heure ! Mets le rôti au four !

Je rangeai mon matériel de couture sans prêter l'oreille aux soupirs impatients de mon cher époux. Je saisis ma mère sous l'aisselle pour la guider vers l'intérieur. Je devais l'avoir à l'œil pendant la préparation du repas.

Même si les Gödel s'apprêtaient à me faire passer à l'inspection, j'étais sereine, presque heureuse de les recevoir : cette visite détournerait Kurt de sa tristesse ; il s'animait d'un semblant d'énergie à l'idée de retrouver sa famille.

Ma maison et mon jardin étaient irréprochables. Mon mari, malgré ses bizarreries, jouissait encore d'un prestige professionnel indiscutable. Après vingt ans de mariage, envers et contre tout, nous étions toujours Adèle et Kurt. Je pouvais montrer à Marianne Gödel qu'elle avait eu tort ; j'avais été bien plus qu'une infirmière pour son fils.

— Enlève cette maudite cagoule, Kurt ! Ta mère ne va pas te reconnaître.

47.

Anna regardait son chat dans les yeux sans sourire. « Comme tu es fort ! » Le sphinx ne broncha pas. « Comme tu as de beaux poils ! » Il s'approcha d'elle, la gratifiant d'un coup d'arrière-train. Le « théorème d'Adèle » ne fonctionnait pas. Ou alors, c'était une chatte. Anna éjecta l'animal d'un coup de pied. Un jour, elle se déciderait peut-être à lui trouver un nom. Dans sa minuscule cuisine, elle partit à la recherche d'une quelconque nourriture à se mettre sous la dent. Les placards étaient vides, hormis un vieil emballage d'All Bran poussiéreux. Elle se rabattit sur les morceaux de dinde de la veille, les avalant à même la boîte de plastique. La saleté de la pièce lui sauta soudain aux yeux. Elle enfila des gants de caoutchouc et s'attaqua au lessivage des étagères en chantonnant. « *Do, ré, mi, fa, sol, la, si, do.* » *La Mélodie du bonheur* tournait en boucle dans sa tête depuis la petite virée avec Adèle. Quels étaient donc les critères déments suivis par le cerveau pour ne retenir que les airs les plus tartes ? Ce Wolcott Sperry aurait dû s'intéresser à la question. Elle récura l'évier puis s'acharna sur les plaques de cuisson où du lait avait brûlé, à l'époque où elle pensait à petit-déjeuner. Les trilles de Julie Andrews lui saturaient les neurones. Elle fouilla dans ses disques. *Ziggy Stardust*. Fräulein Maria pouvait retourner à ses alpages. Aujourd'hui serait un jour neuf.

Elle désincarcéra l'aspirateur d'un placard plus qu'encombré et pilota l'appareil comme une furie dans ses trois pièces. Le bruit fit fuir le chat sous le lit. En nage, elle passa la serpillière dans la cuisine. Elle allait vider sa penderie quand la sonnerie de l'entrée la coupa dans son élan. Elle hésita à répondre : elle était couverte d'un mélange de poussière et de sueur. Elle se lissa les cheveux et enfila un peignoir sur son pyjama miteux. Leo n'aurait quand même pas osé, une fois de plus, débarquer à l'improviste. Il avait le don des situations impossibles. La voix de l'interphone dissipa sa confusion : son père lui rendait une royale visite.

George inspecta le petit salon sans émettre de commentaire avant de déposer sa lourde serviette. Il s'assit, mais n'ôta pas son pardessus ; l'audience serait brève.

— J'étais de passage à New York. J'ai fait un saut à Princeton pour t'embrasser. Tu m'autorises à fumer ?

Ce n'était pas une vraie requête ; il ne pouvait vivre sans. Il la détailla de ce regard surpris qu'elle connaissait trop bien, comme s'il découvrait, avec retard à chaque fois, combien elle avait grandi.

— Tu n'as pas bonne mine, ma fille.

Elle ouvrit la fenêtre. Il n'avait pas fait tout ce chemin pour l'entretenir sur sa santé. Il alluma une cigarette en feuilletant la pile de dossiers au garde-à-vous sur la table basse. Anna avait rapporté de l'Institut de quoi occuper ses insomnies et rattraper son retard.

— Je n'ai pas toujours été un père très attentif.

Mais j'étais présent dans les moments difficiles. Tu ne peux pas le nier.

Anna se raidit ; elle reconnaissait sa façon de se dédouaner des messages délicats : *ne parle pas de mes faiblesses sans penser aux tiennes.*

— Carolyne est enceinte.

Elle s'attendait depuis des mois à cette nouvelle ; elle s'appliqua à rester impassible.

— Je n'ai pas averti Rachel.

— Tu es venu demander ma bénédiction ou ma discrétion ?

Il cherchait où laisser tomber ses cendres. Elle lui tendit une soucoupe avec autorité.

— J'espérais que tu partagerais ma joie. Je n'ai pas de comptes à te rendre, Anna.

— Alors, pourquoi es-tu là ? Tu découvres la culpabilité ?

— Ne te fatigue pas à jouer les psys. J'ai une vie conjugale d'avance en la matière. Tu deviens aussi chiante que Rachel.

Il se leva et récupéra sa serviette ; l'art de la fuite était un talent héréditaire chez les Roth. Pourtant, il ne pouvait admettre qu'ils se ressemblaient, encore moins qu'elle ait sa propre personnalité. Elle demeurait la fille de sa mère.

— Je t'ai peut-être eue trop jeune, Anna.

— Essaie de faire mieux avec ton nouveau jouet.

Il remit la pile de dossiers dans l'ordre impeccable où il l'avait trouvée et fixa sa fille sans douceur. Elle resserra les pans de son peignoir en regrettant déjà ses paroles. Elle lui avait donné raison ; la voix de sa mère sortait de sa bouche.

— Tu penses mériter davantage ? Tu ne peux t'en

prendre qu'à toi-même. Ta frustration, c'est de l'orgueil.

Il partit en lui caressant la joue au passage et déposa une enveloppe de cash sur la console : « Pour Noël ». La porte refermée, elle compta les billets ; de quoi acheter vingt exemplaires de cette robe putassière et inutile de Thanksgiving.

48.

22 novembre 1963

L'ennui est un poison plus sûr

« On vieillit – même la longueur du jour est source de larmes. »

Kobayashi Issa

Je vérifiai ma montre de poignet : 17 h 30. Notre visiteur était d'une exactitude de logicien. Je tamponnai mes paupières humides avant d'ouvrir la porte à un échalas au long nez de travers, aux yeux sombres rapprochés et à la belle calvitie précoce. Il me plut d'emblée : son sourire étroit était sincère, son regard sympathique. Il portait un complet impeccable ; Kurt serait sensible à sa ponctualité et à sa rigueur vestimentaire. Il essuya avec zèle ses pieds sur le paillasson et me tendit une petite boîte de chocolats.

— Bonjour, madame Gödel. Je suis Paul Cohen. J'ai rendez-vous avec votre mari. Mais je ne sais pas si ce jour est très approprié.

— Vous êtes le bienvenu. Vous m'empêcherez de pleurnicher devant ce maudit téléviseur.

— Vous avez de nouvelles informations ? J'étais dans le train cet après-midi.

— Il est mort sur le chemin de l'hôpital. Le corps a été rapatrié dans un avion militaire.

— C'est presque le couvre-feu dans les rues. Tout s'est arrêté.

— Je suis terrifiée ! Si on peut tuer un président, tout peut arriver !

— Johnson prêtera serment dans la journée. La stabilité du pays n'est pas compromise.

— Kennedy est irremplaçable. Quand je pense à la pauvre Jackie… Et les enfants !

Je le déchargeai de ses affaires.

— Je craignais d'être en retard. J'avais une mauvaise adresse.

— Elle a changé en 1960. Le quartier s'est développé. Nous avons troqué un 129 pour un 145. Kurt n'a pas voulu le divulguer. Cela nous protégerait des inopportuns.

— J'ai été si surpris de cette invitation. Quand j'ai tenté de le voir à l'IAS, il a saisi mon document et m'a claqué la porte au nez.

— Mon époux est un peu sauvage, mais il n'est pas bien méchant.

— Je suis très impressionné à l'idée de prendre le thé chez Kurt Gödel.

— N'en faites pas trop, mon garçon !

Je nous installai au petit salon afin de pouvoir garder un œil sur le poste de télévision. Il observait le décor, perplexe devant les rideaux et le sofa fleuris. À quoi s'attendait-il ? Une caverne ? Kurt aimait à se faire désirer ; je devais donc faire un brin de conversation à ce M. Cohen. L'exercice ne me coûtait pas : j'étais si heureuse de recevoir de la jeunesse.

— Mon mari m'a avertie qu'un jeune homme avait résolu son problème d'*hypothèse du continu*.

— Il a dit *son* problème ?

Je montai le volume sonore en prétextant un flash d'information. Toutes mes émissions habituelles avaient été remplacées par un flot de non-nouvelles. J'abandonnai vite l'écran pour questionner notre visiteur sur ses origines. Il était du New Jersey, mais ses parents avaient immigré de Pologne avant la guerre.

— Adèle, tu importunes M. Cohen avec ton interrogatoire de police.

Très intimidé, Paul se leva pour saluer Kurt. Je m'empressai de les laisser à leur gêne commune.

— Je vous apporte le thé. Désirez-vous des petits gâteaux ?

— Comme il te plaira.

Je partis vers la cuisine en contenant à grand-peine mon agacement. Je ne supportais plus cette phrase. Son « comme il te plaira » n'était pas une preuve d'affection ou d'empathie, mais celle d'un renoncement à tout désir.

J'avais passé tant d'années à refouler mes propres envies pour préserver le semblant de sérénité de notre couple. Qui veux-tu voir ? Que veux-tu manger ? Qu'est-ce qui te ferait plaisir ? *Comme il te plaira.* Plus rien ne me plaisait. J'avais usé ma résistance ; je me soumettais au vide, moi aussi.

À travers la fenêtre, par-dessus la bouilloire, je contemplais le jardin, triste et nu. Je ne me souvenais pas comment j'avais glissé du bonheur à l'abandon. Le gris s'était installé en moi. Il avait raidi mes muscles et mon aptitude à la joie. Ma mère était morte en 59, elle reposait au cimetière de Princeton, à deux pas de la maison. Nous avions déjà réservé la parcelle à son côté. Au printemps, Marianne et Rudolf étaient revenus à Princeton. Dorénavant, ils débarquaient tous les deux ans. Rien n'était plus prévisible qu'un Gödel. En juin, j'avais réussi à traîner Kurt au bord de la mer. Nous étions vite rentrés : trop de monde, trop froid. Cet été 63, j'avais opté pour le Canada, les années précédentes, pour l'Italie. À la rentrée, nous avions célébré seuls nos noces d'argent. Marianne ne s'était même pas fendue d'un télégramme de félicitations ; je m'y attendais, lui en avait été peiné. Vingt ans de vie commune, dix de clandestinité : une éternité, noces de bure. L'immortalité du quotidien irrite la peau.

Ce matin-là, en prévision de la visite, j'avais tenté de maquiller ce visage inconnu. Ces bajoues, ces plis, était-ce vraiment là mon corps ? L'eye-liner ne tenait plus sur mes paupières tombantes. L'heure avait sonné de renoncer à la peinture. J'étais devenue une grosse mémère. Seule ma tache ne m'avait pas abandonnée. Je me préparais des listes de besognes, pour ne pas perdre pied. Je jardinais, je brodais, j'arrangeais la tanière de l'ermite. Kurt s'était plaint de son bureau. J'avais échangé ma chambre, plus lumineuse, contre la sienne. J'y avais fait installer une magnifique bibliothèque vitrée, heureuse d'avoir une mission. Mon fauteuil, près de la fenêtre de la cuisine, me tenait lieu de patrie ; ma petite ménagerie, de famille. Penny était mort au printemps dernier. Je n'avais pas eu le cœur de le remplacer. J'avais adopté un couple d'inséparables et deux chats errants. J'avais baptisé le gros rouquin

« Dieu » : il se réfugiait en haut des armoires ou disparaissait pendant des jours sans donner signe de vie.

Pourquoi dit-on que seuls les simples d'esprit sont heureux ? La petite danseuse ne l'avait pas été. La veille, j'étais partie faire quelques courses – ma grande sortie de la semaine – et m'étais arrêtée en contemplation devant une fillette d'une dizaine d'années. Elle était plongée dans l'admiration de ses chaussures neuves. Surgissant d'une boutique, sa mère lui avait intimé l'ordre de la suivre d'un geste sans tendresse : « Redresse-toi, Anna ! » Douchée, la gamine avait relevé la tête avec une infinie tristesse et raidi les épaules. Toute sa joie s'était évanouie sous l'injonction. J'avais eu envie de courir vers elle, de la prendre dans mes bras : « Ne te soumets pas, ma petite. Ne te soumets jamais ! » J'étais rentrée en traînant mon cabas. Je regardais grandir les enfants des autres.

Je revins avec mon plateau. Deux thés et une eau chaude. J'observai mon mari casser un sucre, l'étudier puis en choisir la plus petite partie. Trente années à le voir s'interroger ainsi sur sa ration de sucre. Que se serait-il passé si j'avais mis de force le plus gros morceau dans sa tasse ? Le monde se serait-il écroulé ?

— Cela vous dérange si je reste à vos côtés ? La télévision se décidera peut-être à donner des nouvelles fraîches.

— Comme il te plaira.

En toute sincérité, j'aspirais à un peu de compagnie. Peu importait si je devais paraître intrusive. Notre réputation n'était plus à faire à Princeton : le fou et sa mégère.

Le visiteur se tenait accroché à sa tasse de thé. Il

ne savait comment entamer la conversation et opta pour la flatterie. Avec emphase, il remercia Kurt de l'aide que celui-ci lui accordait pour peaufiner son article. En l'occurrence, son sens du devoir ne lui laissait guère le choix. Cohen venait de faire un pas considérable là où mon homme avait échoué vingt ans plus tôt. Kurt m'avait lâché cette nouvelle en lisant le courrier : « Un certain Paul Cohen vient de démontrer que l'*hypothèse du continu* est indécidable. Tu as pensé à acheter du lait ? » J'avais pris garde de ne pas réagir. J'appréhendais la crise d'angoisse qui ne manquerait pas de suivre. Comment pourrait-il digérer d'être ainsi doublé sur le poteau, lui qui n'avait pas publié sa preuve antérieure ? Il s'en était défendu en évoquant la peur des détracteurs. Je savais que son sens de la perfection était un censeur bien plus intransigeant. Pourtant, selon ses collègues, Kurt était Dieu le Père pour tous les jeunes logiciens. La science est un exercice d'humilité forcée : il devait admettre n'être qu'un humble maillon de la chaîne ; avant lui, Cantor, après lui, Cohen. Comment se sentait-il devant un nouveau lui-même ? Était-il au-dessus de l'envie, de la jalousie ? Sa grandeur lui autorisait-elle la rancune ? Car il s'agissait d'une abdication. Il avait eu beau porter cet enfant-là pendant deux décennies, un autre allait en revendiquer la paternité. Quel destin serait réservé à ce gamin qui osait approcher la lumière ? Le paierait-il de sa vitalité comme ses aînés ?

— Ces travaux vous vaudront la Fields, monsieur Cohen[62].

— Vous êtes trop flatteur. Aucun logicien ne l'a jamais eue. Pas même vous !

— J'ai toujours été écarté des honneurs.

Je levai les yeux au ciel : à qui Kurt voulait-il faire croire cela ? À part la Fields, il avait déjà reçu tout ce qu'un mathématicien pouvait espérer.

— À quel sujet vous consacrerez-vous après avoir gravi cette considérable montagne ?

— J'ai de quoi m'occuper ! Je bénéficierai d'un poste ferme à Stanford. J'adore enseigner. Et je pense m'attaquer à la conjecture de Riemann[63].

— Vous êtes très optimiste, mon garçon. La question du continu n'est pourtant pas close. Son indécidabilité prouve seulement que nos outils ne sont pas assez puissants. Tout reste à faire.

— Vous persistez dans cette théorie des axiomes manquants ?

— Votre véritable travail de logicien commence. Vous devez continuer à solidifier l'édifice.

— N'est-ce pas aussi le vôtre ? Sur quoi travaillez-vous, docteur Gödel ?

— Je n'en fais pas mystère. Je me consacre à la philosophie. Vous avez démontré l'indécidabilité de l'*hypothèse du continu*. Je m'interroge sur sa signification d'un point de vue philosophique.

— Vous vous éloignez de la logique pure ?

— La philosophie doit, à mon sens, être abordée comme la logique, de façon axiomatique.

— Je ne vois pas comment vous pouvez axiomatiser des conceptions du monde qui ne sont ni universelles ni pérennes.

— Les concepts ont une réalité objective. Nous devons élaborer un langage non subjectif propre à cette réalité. C'est pourquoi j'étudie la phénoménologie de Husserl et sa pertinence particulière pour les mathématiques depuis des années.

Je fis un signe discret au jeune homme, mais il ne saisit pas mon avertissement et me tendit sa tasse vide. Nous allions en reprendre pour deux heures de phénoménologie. L'alarme de Kurt retentit bien à propos.

— Veuillez m'excuser. C'est l'heure de mes médicaments. Je respecte un protocole très précis. Je me retire un instant.

Paul Cohen faisait beaucoup d'efforts afin de ne pas paraître désorienté par la teneur de la conversation.

— Vous vous intéressez à la phéni... phénomolo... Flûte ! C'est impossible à prononcer ce machin.

— Et à comprendre. Votre mari est donc souffrant ?

— Ne faites pas attention. Il a ses petites habitudes pharmaceutiques. Vous êtes marié ?

— Depuis peu. J'ai rencontré ma femme l'an dernier, à Stockholm. Christina est suédoise.

— Si vite ?

— Le bonheur n'attend pas !

Était-ce vraiment ce gamin joyeux qui avait réussi là où Kurt avait échoué ? Blue Hill me semblait si loin tout d'un coup. Un jour, ce gentil garçon se tournerait-il vers sa Christina pour lui dire : « J'ai des difficultés » ? J'étais attendrie par ce jeune homme respectueux et enthousiaste. Je percevais en lui un vague écho, plus incarné, de ce que mon mari avait été. Il paraissait si fragile à ses côtés, si vieux.

J'avais été moi aussi surprise quand Kurt m'avait annoncé cette invitation. Nous ne recevions plus personne. Il évitait tout contact physique, y compris avec nos proches. Il ne se privait pourtant pas de les appeler à n'importe quelle heure de la nuit, leur infligeant de longues conversations philosophiques. Il fuyait toute vie publique, mettant ce repli sauvage sur le compte de sa santé trop précaire. Il avait même refusé les honneurs de l'université de Vienne et de l'État autrichien ; refusé de revenir en vainqueur. De quoi avait-il peur ? Que l'on attente à sa petite personne ? Qu'on l'intègre à la Wehrmacht ? Ce monde-là n'existait plus. Pour son malheur, il ne voyait pas le temps comme un filet d'eau, mais comme une mare boueuse ; tout y était mélangé, pourrissant. À mon sens, le temps était devenu une substance visqueuse pleine de grains d'habitude indigestes : un brouet à avaler de force, malgré la nausée. Sa tasse d'eau chaude du matin, sa tasse du soir, le repas négligé, le silence. Les comptes du dimanche et le journal abandonné sur la banquette, toujours à la même place.

— Je suis perturbé. Je m'attendais à parler boutique.

— La philosophie n'est pas accessoire aux mathématiques. Bien au contraire, elle en est la substantifique moelle.

— Je vous crois sur parole, docteur Gödel.

Je fis une petite grimace explicite à notre visiteur éperdu. Nous n'échapperions plus à ce démon de Husserl.

— La phénoménologie est avant tout une question. Comment penser la pensée elle-même ? Comment se dégager de tous les a priori qui obscurcissent notre perception ? Comment capter non ce que nous *croyons être*, mais ce qui *est* ?

— Ma femme suit des cours de dessin. Elle me dit souvent : « Comment retranscrire, non ce que nous *savons* être devant nous, mais ce qui *est* devant nous ? »

Je croisai les bras pour garrotter mon impatience. Si

le jeune homme se prêtait à son jeu, qu'il ne vienne pas se plaindre ensuite !

— Nos cerveaux nous transmettent une partie de la réalité. Une autre étant préenregistrée. Comme un peintre paresseux replaçant son sujet sur un fond déjà utilisé.

— Mais comment se libérer du préconçu, docteur Gödel ? Il faudrait avoir une puissance de pensée invraisemblable !

— Husserl dit que quiconque veut vraiment devenir philosophe devra une fois dans sa vie se replier sur lui-même pour tenter de renverser toutes les sciences admises jusqu'ici. Et tenter de les reconstruire.

— Une sorte de transe ?

— Husserl préfère parler d'une « réduction ».

— Tout cela est trop ésotérique pour moi ! Je suis plus intuitif.

Notre invité avait prononcé le mot fatidique ; revigoré, Kurt se redressa. Depuis quelques années, son intuition ne répondait plus si souvent à l'appel. Il ne pouvait plus interroger la réalité avec le regard neuf d'un jeune homme : l'expérience s'était transformée en filtre déformant, l'obligeant à repasser par des sentiers connus. Cette démarche phénoménologique donnait l'espoir d'une nouvelle virginité à son esprit en manque d'excitation. Fallait-il donc désapprendre pour progresser ? Je n'avais jamais rien appris, je n'étais pas allée très loin pour autant. Il ne comprenait pas mon ironie : « Suspends ton jugement, Adèle. Tu dois chercher à modifier ton attention au monde. » Comme si j'avais besoin de le fuir, moi, ce monde.

— L'intuition est un chemin de traverse trop aléatoire, monsieur Cohen. Il doit être possible de démonter les mécanismes de la pensée afin d'atteindre ce que notre perception paresseuse nous interdit par censure ou par habitude.

Paul Cohen se perdit dans la contemplation du motif des rideaux. Il regrettait d'avoir ouvert cette vanne et de subir un flot de considérations trop éloignées de sa préoccupation première : obtenir l'adoubement du grand maître.

— Il n'existe pas de limites à l'esprit, monsieur Cohen. Seulement à ses habitudes. Comme il n'existe pas de limites aux mathématiques. Seulement à celles circonscrites par les systèmes formels.

— À vous entendre, l'esprit est une simple mécanique qu'il faudrait désosser, huiler et remonter.

— Ne me confondez pas avec Turing. La pensée n'est pas statique. Elle est en continuel développement. Vous n'êtes pas une machine.

— Pourtant, si les neurones sont en nombre fini, le nombre d'états possibles de connexions est lui aussi fini. Il existe donc une limite.

— L'esprit est-il exclusivement une conséquence de la matière ? Cela est un préjugé matérialiste.

— Pourquoi ne publiez-vous pas un article sur ce sujet ?

— Pour me soumettre aux ricanements polis ? Le *Zeitgeist* est encore et toujours contre moi ! Je préfère étudier seul dans mon coin, même si je suis convaincu d'être sur la bonne voie.

— Vous vous cachez ?

— Je me protège. Je n'ai plus la force des controverses. Je ne suis pas le premier et je ne serai pas le dernier. Husserl lui-même se sentait incompris. Je suis certain qu'il n'a pas tout dit afin de ne pas encourager ses ennemis.

Je passai mon agacement sur les biscuits ; je connaissais cet autre discours par cœur. Où était l'intérêt d'avoir raison dans sa chambre ? Plus la force des controverses ? Il ne l'avait jamais eue. Je les interrompis, car la télévision semblait diffuser des images inédites. La police avait arrêté un suspect au début de l'après-midi dans un cinéma de Dallas : un certain Lee Harvey Oswald. Il était recherché pour le meurtre d'un policier en patrouille quelques minutes après l'assassinat du président. Sa culpabilité ne faisait pas de doute.

— Ça n'a pas traîné ! J'espère bien qu'ils vont le griller, celui-là !

— N'est-il pas étrange qu'ils aient trouvé aussi vite le coupable ? Pourquoi les services secrets n'ont-ils pas anticipé cet attentat ?

Paul Cohen, peu désireux de se lancer dans une conversation complotiste, se leva pour prendre congé.

— Je suis honoré d'avoir été reçu dans votre intimité. Puis-je vous demander si vous avez eu le temps de relire mon article ?

— Il est dans une enveloppe à l'entrée. Si j'ai d'autres remarques, je vous téléphonerai.

Après avoir raccompagné le visiteur, je revins au salon où Kurt était plongé dans la contemplation de l'écran.

— Il est très bien ce jeune homme. Si plein d'énergie !

— La fougue de la jeunesse. En toute objectivité, sa méthode est correcte, mais laborieuse[64]. Tout cela manque d'élégance.

— Tu le vois en charpentier et toi en ébéniste ?

— Je ne comprends pas tes insinuations, Adèle. Je suis fatigué. Je vais me coucher.

Il claqua la porte de la chambre, manière de clore le débat avorté ; il ne voulait pas se confronter au jugement des autres. Surtout pas au mien. Ces derniers mois, cette maudite porte se fermait de plus en plus tôt. Elle disait son échec et sa solitude. Jour après jour, année après année, j'ai entendu ce bruit. Je l'entends encore.

Je cherchai un dérivatif à ma tristesse dans le flot d'images anxiogènes de l'écran. Comment l'Amérique pourrait-elle survivre à un tel drame ? Les Russes ne devaient pas être étrangers à ce nouveau chaos. Rien n'avait explosé en 62 ; je l'aurais presque souhaité. Une petite bombe cubaine et bingo ! Nous aurions pu effacer l'ardoise grisâtre, refaire la route sans nous tromper de chemin. Le voyage dans le temps. Pourquoi Kurt ne nous avait-il pas offert ce cadeau ? Toute sa science aurait été utile, pour une fois. Comme j'aurais aimé me réveiller chaque matin sur des possibles ! J'ai vingt-sept ans, de belles jambes et je lui tends son manteau au vestiaire du *Nachtfalter*.

Je n'avais pas peur de la mort. Je l'appelais. J'avais peur de cette fin qui n'en finissait pas.

49.

Anna attendit d'être hors de vue des bâtiments de l'IAS pour laisser libre cours à sa fureur. Elle tapa dans une motte de terre humide, ruinant ses chaussures. Autour d'elle, l'interminable pelouse déserte somnolait dans la douceur d'un hiver trop clément. Elle pesta contre le ciel bleu et contre cette ville insipide. Elle se maudissait de son manque de courage et d'à-propos ; elle avait perdu toute combativité.

Calvin Adams l'avait prise de court. Au détour d'une conversation banale, il l'avait sommée de ne pas gaspiller davantage de temps avec la veuve Gödel. Selon ses sources, elle n'avait pas plus d'un mois ou deux à vivre ; elle n'était plus en mesure de commettre davantage de dégâts. Il avait besoin d'Anna à portée de main.

— Je ne peux pas arrêter maintenant. Je suis si près du but.

— Mettez-lui la pression. Pleurez. Ces vieilles biques ont toujours un fond sentimental. Dites-lui que vous risquez votre place.

Il avait tripoté les boutons de sa veste ; la jeune femme n'avait osé croire à ce qui allait suivre.

— Ma chère Anna, j'ai beaucoup d'affection pour vous, mais vous n'êtes plus assez impliquée dans votre travail. Vous êtes là à moitié. J'ai beau être un ami de votre père, je n'en reste pas moins votre patron. Et je ne suis pas satisfait. Vous devez vous reprendre. L'IAS est le royaume de l'excellence.

Elle avait quitté le bureau en retenant ses larmes. La stupéfaction lui gelait le cerveau. *L'IAS est le royaume de l'excellence.* Cette phrase était une gifle. Elle n'avait jamais été qu'une pièce rapportée. Il y a une semaine à peine, il l'avait accueillie comme sa « propre fille ».

— Vous ressemblez à une femme prête au meurtre, Anna.

Pierre Sicozzi avançait vers elle, les mains dans les poches de son caban. Elle se composa vite une face plus humaine et tenta de sourire. Il mima deux passes de toréro ; elle ne put s'empêcher de rire, mais un nouveau spasme de colère la rappela à l'ordre. Elle avait besoin d'une cigarette. Cette journée noire aurait la peau de son abstinence. Devançant ses pensées, il l'invita à prendre un verre. Il était à peine sorti de l'Institut ces derniers jours et il était du devoir d'Anna de lui faire visiter Princeton. Elle regarda sa montre par réflexe. Rien ne l'attendait, sinon ce chat stupide. Elle proposa un pub de Palmer Place ; en chemin, ils passeraient devant la maison d'Albert Einstein. Le Français ne pouvait pas repartir de Princeton sans l'avoir vue.

— J'espère trouver une boule à neige avec sa tête. Ma petite Émilie les collectionne.

— Ils font un commerce invraisemblable autour de lui. Vous avez une fille ?

— Elle a huit ans. Elle vit avec mon ex-femme à Bordeaux. Vous connaissez cette région ?

— Non, mais j'aime son vin.

— *À la bonne heure !*[*] Tâchons de nous dégotter un bon vieux bordeaux. Je déteste les monolithes californiens.

Ils empruntèrent en silence le chemin vers Mercer Street. Anna tentait de refouler ses sentiments contradictoires ; elle était flattée d'être en si brillante compagnie et dégoûtée par son entrevue avec Adams. Elle ne laisserait pas Adèle dans cet état de solitude. Elle devrait prendre sur ses jours de congé pour la voir et réfléchir à une voie diplomatique pour l'en prévenir.

— J'ai beaucoup repensé à notre conversation de Thanksgiving.

— Je n'avais jamais vu Leo aussi enthousiaste.

— Leo est votre petit ami ?

Elle trébucha sur une motte de terre ; Sicozzi la retint par le bras. Gênée, elle se détacha de lui rapidement. Elle se demanda si le mathématicien n'entamait pas une partie de flirt. Il avait déjà lâché l'information sur son « ex-femme ». Avec ces Français, elle ne distinguait pas la politesse du baratin. Lors de son séjour à Paris, elle avait eu un mal fou à s'habituer à cette ambivalence perpétuelle. Elle repoussa ces idées ridicules : elle venait de recevoir une leçon cuisante sur son incapacité à lire les gens. Autant ne pas tenter un nouvel affront avec une espèce exotique. S'il fut déçu de ne pas l'entendre relever sa question, il ne le montra pas et se rabattit sur un autre sujet.

— Je pensais à votre relation avec Mme Gödel.

*. En français.

Je serais curieux de savoir s'il existe dans les papiers de son mari une preuve inédite de son avancée sur l'*hypothèse du continu*. La paternité définitive est attribuée à Paul Cohen, mais Gödel y a travaillé longtemps sans publier beaucoup en rapport.

— Je doute qu'Adèle soit en mesure d'en discuter.

— Posez-lui la question.

— Avec elle, rien n'est gratuit. Nous avons une sorte de marché. Elle me parle de sa vie, je lui parle de la mienne.

— Où est le problème ?

— J'arrive au bout de mes possibilités. Ma vie est une morne plaine.

— Vous lui raconterez votre balade avec un charmant Français.

Elle ne rêvait donc pas : il flirtait.

— Une Médaille Fields !

— Les honneurs…

— Seuls ceux qui en ont osent les mépriser.

— Je ne suis pas si prétentieux. Rien ne me met plus en joie qu'une bonne petite trouvaille !

Ils remontèrent Mercer Street ; Anna calquait son pas, d'un naturel rapide, sur celui du mathématicien aux longues jambes. Sicozzi ne s'obligeait pas à meubler le silence, elle l'en apprécia davantage. Devant le 112, il lui demanda de le prendre en photo en s'excusant du ridicule de cette idolâtrie païenne. Elle se plia de bonne grâce à l'exercice. Ils restèrent un moment à contempler l'illustre maison blanche.

— Je me fais toujours une montagne de ce genre de lieux. Comme s'ils gardaient l'esprit des disparus. Mais ce n'est qu'un tas de vieilles planches.

— Vous êtes déçu.

— Je suis trop rêveur. Mes professeurs de lycée me l'ont assez reproché !

— Vous vous en sortez plutôt bien pour un rêveur.

— Où habitez-vous, Anna ?

— Vous voulez aussi visiter ma maison ?

Il la fixa et sa réponse fut sans équivoque. Elle n'avait pas reçu de proposition directe depuis longtemps. Elle ne s'était pas préparée à passer sans avertissement du badinage au *blitzkrieg*.

— Si vous préférez, mon hôtel est tout près. Je suis au *Peacok Inn*. C'est tout à fait charmant. Ils ont conservé un graffiti de von Neumann dans leur salle à manger.

— Le métier de documentaliste a des limites. Mon directeur n'apprécierait pas.

— Nous ne sommes pas obligés de l'inviter à participer. Ce sont des prétextes, non des raisons. Vous avez quelqu'un ? Je ne vois pas d'alliance à votre doigt.

— Je suis en convalescence.

— *Vous avez mis votre corps en jachère ?*

— Désolée, mon français est un peu rouillé.

— L'amour, c'est comme le vélo. Quand on a su le faire, ça ne se perd jamais. Comme je le disais à Leo, je nourris mon inspiration à tous mes sens.

La remarque la refroidit d'emblée : un homme qui se cite lui-même, quelle horreur ! Il lui rappelait son père.

— Vous soignez vos doutes par le sexe ?

— *Par la sensualité*. Ne soyez pas si rude.

— Le français a beaucoup trop de mots pour une seule notion. L'allemand est bien plus franc.

— Vous avez déjà essayé de parler d'amour en allemand ?

— Les Français sont si arrogants ! Vous qui prétendez aimer la poésie, vous n'avez pas lu Rilke ?

Il reprit sa marche nonchalante, les mains dans les poches. Il marqua un silence déconcertant jusqu'au premier feu rouge.

— Veuillez m'excuser, Anna. J'ai manqué d'élégance. Un verre quand même ?

— Vous n'auriez pas une cigarette ?

— Vous êtes jolie, Anna.

— Si vous me susurrez que j'ai de beaux cheveux, je vous plante là.

Il lui offrit une Gitane avec un sourire désarmant, dénué de son ironie habituelle ; il devait réserver cette version pour les grandes occasions. En inspirant la première bouffée, moins bonne que dans son souvenir, elle décida d'accepter son invitation. Il était charmant, brillant et, qualité suprême, visiteur temporaire. Que pouvait-elle espérer de plus ? Elle n'allait pas passer sa vie à attendre.

— Qu'est-ce qui vous plaît en moi ? J'imagine que des tas d'étudiantes sexy campent devant votre porte.

— Je ne suis attirée que par les femmes assez intelligentes pour ne pas vouloir de moi. Surtout si elles portent une robe rouge.

50.

1970

Presque mort

> « Ô mathématiques saintes, puissiez-vous, par votre commerce perpétuel, consoler le reste de mes jours de la méchanceté de l'homme et de l'injustice du Grand-Tout ! »
>
> Lautréamont, *Les Chants de Maldoror*

J'étais si fatiguée, si confuse. J'avais mal. J'avais l'impression nauséeuse de revivre le même cauchemar à trente-quatre ans de distance. Rudolf, Oskar, moi et un cadavre ambulant. En 1936, nous étions tous ainsi réunis dans le hall du sanatorium. Au décor chic, le temps avait substitué notre petit salon poussiéreux ; je n'avais plus la force d'y faire le ménage. Les personnages avaient eux aussi changé : Rudolf était devenu un vieil étranger ; Oskar, rattrapé par l'âge, se battait avec sa dignité habituelle contre un cancer. Je n'étais plus l'Adèle de Grinzing. J'étais une vieille femme. En 1965, j'avais été rapatriée de Naples, victime de ce qu'ils avaient appelé un « léger accident cérébral ». Depuis, je voyais mon corps et mon esprit s'effriter. Toutes mes articulations étaient enflammées. Je me déplaçais avec peine. Mes dernières réserves d'énergie vitale s'épuisaient. À la différence de l'amoureuse inquiète de 1936, je n'avais plus d'espoir en des jours meilleurs. Je n'avais plus l'idée d'être indispensable. J'étais impuissante.

— Vous devez le faire hospitaliser de toute urgence, Adèle.

— Il refusera.

— Nous devons l'y contraindre. Voire l'interner.

— Comment pouvez-vous souhaiter cela pour votre propre frère ? Je lui ai juré que jamais plus il ne le serait.

— La situation est différente. Vous ne pouvez plus rien pour lui. Vous tenez à peine debout !

— Vous ne m'avez jamais aimée, Oskar.

— Ce n'est pas le moment de faire une scène, Adèle. Kurt va mourir si nous n'intervenons pas. Vous comprenez, ça ? Il va mourir !

— Il est déjà passé par là. Il s'en est sorti.

— À ce stade, l'anorexie est fatale. Et s'il ne meurt pas de faim, son cœur lâchera. Sans compter toutes les saloperies qu'il avale ! J'ai trouvé de la digitaline à son chevet ! Comment avez-vous pu le laisser s'intoxiquer ainsi ?

Je n'avais pas la force de leur répondre. Ils agissaient comme si tout ceci était une nouveauté : comme si Oskar n'avait pas vu son ami s'étioler un peu plus chaque jour ; comme si Rudolf n'avait pas pu deviner l'état de son cadet à la lecture de chacune de ses lettres. Je m'agrippai aux rideaux pour ne pas céder à mes jambes tremblantes. Je parvenais à peine à respirer tant j'étais oppressée. Morgenstern, mesurant ma faiblesse, prit ma défense.

— Votre frère n'en a toujours fait qu'à sa tête, Rudolf. Personne ne peut le sermonner. Je l'ai traîné à l'hôpital, il y a un mois. Aucun médecin n'a pu le convaincre de s'alimenter. Il refuse même l'opération de sa prostate malgré ses souffrances. Adèle a fait tout ce qui était humainement possible.

— Il ne fait pas confiance aux docteurs. Il a peur d'être mis sous narcotiques ou je ne sais quelle drogue.

— Il n'est plus en état de décider. Adèle, je vous en conjure, au nom de l'affection que nous lui portons tous. Acceptez !

— Il va m'en vouloir. Il m'accusera d'être comme les autres. De chercher à le tuer.

— J'ai évité de vous en parler afin de ne pas vous inquiéter davantage, mais hier soir au téléphone, Kurt m'a demandé de l'aider à se suicider. Si j'étais vraiment son ami, je devais lui apporter du cyanure et venir prendre note de son testament.

— Mon Dieu ! Je ne comprends pas. La semaine dernière, il est retourné au bureau travailler. Il ne semblait pas si déprimé.

— Il n'en est plus au stade de la simple déprime. Il s'agit d'une crise de psychose. Il a besoin d'être alimenté par perfusion et de recevoir un traitement approprié.

Je ne voulais plus les écouter. Je les laissai comploter avec le médecin convoqué en urgence ce matin-là pour me traîner jusqu'à la chambre de Kurt. La pièce jonchée de livres, de paperasses et de médicaments était plongée dans l'obscurité. Les fenêtres en étaient closes en permanence ; dorénavant, il craignait moins l'odeur du renfermé que ses cauchemars éveillés. Ses nuits sans sommeil étaient peuplées de rôdeurs ou de blouses blanches démoniaques cherchant à annihiler son esprit. Il dormait enfin, abattu par la piqûre sédative administrée de force après des heures de négociation. Je les entendais à travers la mince cloison. Ils parlaient dans mon dos.

— Elle a beaucoup trop tardé.

Ces derniers mois, il s'était décharné ; je n'y avais peut-être pas été assez attentive, mais il continuait à travailler. La maladie n'avait jamais diminué ses facultés mentales comme elle avait atteint son physique. Alerté par son état, Morgenstern avait prié Rudolf de rejoindre Princeton au plus vite. Lui-même n'avait pu convaincre Kurt de se nourrir. De quel droit se permettaient-ils maintenant d'incriminer ma négligence ? Ils ne parvenaient à rien de plus malgré toute leur science et leur condescendance.

Ce matin-là, je ne l'avais pas trouvé dans sa chambre. Il n'avait pas répondu à mes appels. Il n'était pas à l'IAS. Un voisin l'avait cherché en vain dans le quartier. Il avait disparu. Oskar l'avait découvert dans la buanderie, prostré derrière la chaudière. Il était hagard, les yeux fous. Terrorisé. Il ne me reconnaissait plus, mais s'était convaincu que, pendant la nuit, on s'était introduit dans la maison pour lui injecter un poison dans les veines.

Plus jeune, je craignais comme chacun de voir la fatalité s'abattre sur nous tel un coup de massue. Je marchandais des indulgences au destin sans réaliser que nous étions déjà sinistrés. Le malheur n'est pas si effroyable lorsqu'il s'installe en douceur. Il anesthésie ; il engourdit vos sens pour pouvoir emménager incognito. Je n'avais pu empêcher sa maladie de progresser ; j'avais refusé de voir grandir cet enfant-là. Les autres vous disent : « Comme il a poussé, ce petit ! » Mais, pour une mère, la croissance est à peine visible, si ce n'est à un pantalon devenu trop court ; en l'occurrence pour Kurt, à des costumes devenus trop grands. L'intimité est aveugle à la folie ; elle la nie. La folie est désordre insidieux. Elle détruit sans éclats, en un long dérèglement, jusqu'à la crise de trop, celle où la réalité attaque le déni et vous dépouille de tout ce que vous pensiez pouvoir protéger. Et les autres de crier alors : « Pourquoi n'avez-vous rien fait ? »

Je passai un long moment à observer son sommeil spasmé. Il était recroquevillé autour de sa douleur, poings fermés contre son ventre. Je remontai le drap qui avait glissé sur son absence de corps. Je ne l'avais plus vu nu depuis des années. Je regardai ce corps autrefois familier : ces jambes maigres et ce sexe inutile. De ce corps que j'avais aimé, caressé, soigné, il ne restait que la structure. Je pouvais distinguer la forme de son crâne. Je ne voyais plus l'homme, mais son squelette ; je contemplais déjà son souvenir.

Il n'y avait plus une goutte de courage en moi. J'habitais une grosse bonne femme toute sèche. Mon être me hurlait d'abandonner la lutte. J'étais énorme, il était transparent comme si j'avais aspiré toute sa chair. Pourtant, c'était bien lui qui m'avait usée, lui qui s'était servi de moi comme d'une batterie d'appoint. Ces dernières années me semblaient interminables. Je n'avais pas eu d'enfants. Je ne laisserais aucune œuvre derrière moi. Je n'étais rien. Je n'étais plus que souffrance. Je ne pouvais même pas me permettre de montrer ma faiblesse sous peine de le voir déprimer un peu plus. Quand j'avais été hospitalisée, il avait refusé de manger. Si je lâchais, il lâchait. À quoi bon continuer ainsi ? Il ne sortait plus. Il donnait des rendez-vous à son bureau, mais ne s'y rendait pas. Il ne communiquait avec les interlocuteurs inconnus que par le biais d'un tiers « sûr ». Plus personne ne s'alarmait des dernières lubies du génie reclus. Seules les visites d'Oskar et de son fils Carl ne le terrifiaient pas. Le jeune Morgenstern voulait devenir mathématicien. Kurt aimait discuter avec lui. En quoi représentait-il un modèle pour ce gamin ? Qui aurait souhaité finir comme lui ? Il n'avait pas assisté aux obsèques de sa propre mère à Vienne en 66. J'avais dû m'y rendre à sa place. Quelle triste ironie ! « Pourquoi devrais-je passer une demi-heure sous la pluie devant une tombe ouverte ? » s'était-il contenté de prétexter.

Si je partais avant lui, viendrait-il à mon enterrement ? Oskar aurait dû lui apporter le cyanure. Une pomme empoisonnée pour deux, c'était la solution parfaite : 220 plus 284, nous aurions bouclé le temps. Et j'aurais eu la certitude qu'il serait présent à mes funérailles.

Je retournai au salon en me tenant aux murs. Je m'écroulai dans mon fauteuil ; il me faudrait quémander de l'aide pour en sortir. Les trois hommes me dévisagèrent sans parler. Ils m'auraient volontiers envoyée à l'asile, moi aussi. Je devais rendre les armes. J'étais vide. Énorme et vide.

— Faites ce qui doit être fait.

— Vous faites le bon choix. Il a besoin d'un traitement psychoactif.

— Nous allons vous trouver une assistance à domicile. Vous ne pouvez plus assumer ça toute seule, Adèle.

51.

— Vous arrivez bien tard, ma belle. Vous avez trouvé d'autres loisirs ?

Anna balança son sac sur le siège de skaï. Elle avait fait le voyage à contrecœur après sa journée de travail. Elle devait se débarrasser au plus vite de la corvée : annoncer à Adèle l'injonction du directeur Adams. Elle avait envie de taper dans le mur chaque fois qu'elle pensait à lui. Elle aurait dû lui cracher ses quatre vérités au visage et elle n'aurait jamais dû fumer cette cigarette ; depuis, elle avait le plus grand mal à ne pas courir s'acheter un paquet. Elle maudit le cintre accroché à sa nuque. La nuit avec le Français n'avait pas réussi à la détendre. Pourtant, il méritait aussi une médaille Fields en la matière. Il l'avait quittée très tôt pour repartir travailler, son *inspiration* régénérée, non sans avoir proposé une suite à cette démonstration de leur parfaite compatibilité. Elle avait pris le petit déjeuner seule, en ruminant sur le graffiti de von Neumann encadré au-dessus du buffet. Et sur son destin de femme de marin.

Mme Gödel lui conseilla de se préparer une petite camomille, sans autre commentaire sur cette humeur inédite. Anna mit la bouilloire en marche et sortit la boîte à tisane. Elle monta le son de la radio ; *Watching The Wheels* plana dans la chambre. Toutes les stations diffusaient en boucle l'intégrale de John Lennon depuis son assassinat, la veille au soir.

Anna apporta avec précaution les deux tasses fumantes au chevet d'Adèle puis s'installa dans le fauteuil bleu. La vieille dame lui proposa son plaid, dans lequel elle s'enroula.

— Ma grand-mère aurait eu quatre-vingt-huit ans aujourd'hui.

— Je prierai pour elle.

— Elle est morte depuis longtemps.

— Une prière n'est jamais inutile.

Anna se brûla à la première gorgée. Pour d'autres aussi, le 8 décembre serait une journée de deuil. La radio remâchait sans fin le drame du Dakota Building.

— Vous avez remarqué, Adèle ? On fête l'anniversaire de la naissance du commun des mortels, mais celui de la mort des célébrités.

— Je me souviens très bien de l'assassinat de Kennedy en 63. Tout s'était arrêté dans le pays. La fin d'un monde.

— Vous regrettez que votre mari n'ait pas connu la gloire, comme son ami Einstein ?

— Kurt n'aurait pas supporté une telle pression. Mais il n'a pas toujours été ignoré malgré ses plaintes ! Quand il a reçu son diplôme honoraire de Harvard, un journal a titré : « La découverte de la vérité mathématique la plus signifiante du XXe siècle ». J'en ai acheté vingt exemplaires !

— J'ai lu un article de *Time* où il est cité comme une des cent personnes les plus importantes du siècle.

— Dans cette liste, il y avait Hitler. Je préfère l'oublier, celui-là.

— Hitler a lui aussi changé l'Histoire. À son image.

— Je ne crois pas au diable. Seulement en la lâcheté collective. C'est la qualité humaine la mieux partagée, avec la médiocrité. Et je me place dedans, n'en doutez pas !

— Vous êtes loin d'être médiocre, Adèle. Et je vous trouve très courageuse. Je ne peux pas parler de vos cheveux pour vous flatter. Je ne les ai jamais vus.

La vieille dame sourit à sa bonne élève. Anna avait noté avec plaisir la réapparition du turban rafraîchi. Elle remonta la couverture sous son menton ; elle ne parvenait pas à se réchauffer. Elle avait pris froid en sortant de la piscine. Adèle lui avait confié un jour qu'elle n'avait jamais appris à nager. Elle ne la consolerait pas d'un « il est encore temps » que l'on concède souvent aux plus âgés. Il n'était plus temps. Elle ne savait toujours pas comment lui annoncer la nouvelle. Elle pensa à Leo ; elle se rachèterait en racontant leur discussion dans la cuisine.

— Avez-vous rencontré le mathématicien Alan Turing ?

— Je me souviens d'une conversation sur sa mort. Kurt demandait si cet homme était marié. Il lui semblait hautement improbable qu'un homme marié se suicide. Ne cherchez là aucune logique. Tout le monde était très gêné. Turing était un homosexuel notoire, mais mon époux était sourd aux ragots. Moi, j'adore ça ! Et vous ne m'alimentez guère, jeune fille. Avec qui fêterez-vous Noël ?

— Je dois rejoindre ma mère à Berkeley.

Mme Gödel ne cacha pas sa déception. Avait-elle imaginé qu'Anna passerait les fêtes avec elle ? Celle-ci considéra l'idée et ses ramifications. Cette occasion serait une bonne excuse à fournir à l'ogre Rachel : obligation professionnelle.

— Comme par hasard, vous êtes malade ?

— Ne psychologisez pas à outrance, Adèle. Le corps ne peut pas tout.

— À d'autres ! J'ai vécu toute ma vie avec un docteur ès somatisations. Moi-même, je n'ai jamais vu approcher la fin de l'année sans me sentir patraque. Bon Dieu ! Qui aime vraiment Noël ?

Anna ôta son élastique, s'offrit une violente friction du cuir chevelu puis refit son chignon, tirant ses mèches jusqu'aux limites de la douleur.

— Je ne vous rendrai plus visite aussi souvent. Mon directeur m'a annoncé hier que ma mission était terminée.

Adèle sirotait sa tisane sans se presser ; Anna ne parvenait pas à déchiffrer son visage. La nouvelle ne semblait pas l'affecter ni la surprendre.

— Le *Nachlass* ne l'intéresse déjà plus ?

— Il pense à me virer.

— Il a tout à fait raison ! Ce job ne vous fait pas du bien. Considérez cette opportunité comme le début d'un nouveau cycle.

La soudaine évidence d'un compte à rebours tordit les entrailles d'Anna. Celui des fêtes n'était pas seul en cause ; l'*autre* était en suspens, mais la jeune femme se serait coupé la langue plutôt que de le formuler devant son amie. Elle prit la décision qui s'imposait à elle depuis quelques jours sans qu'elle veuille l'admettre.

— Et si je fêtais Noël avec vous ?

— Vous vous soumettriez de votre plein gré à une soirée avec des morts-vivants ?

— Vous me sauvez la mise.

Anna se pétrit le visage pour en effacer le trop-plein d'émotions qui s'y disputaient la place. Elle en avait assez de devoir trouver des excuses.

— Arrêtez ça tout de suite ! Vous vous donnez des rides avant l'heure. Pourquoi vous torturer ainsi ?

— Je n'ai pas votre courage, Adèle. Je passe ma vie à fuir. Je suis lamentable.

Adèle lui caressa la main ; ce geste intime et doux amena sa visiteuse au bord des larmes.

— Vous n'allez pas pleurer quand même ! Qu'est-ce qui vous rend si malheureuse ?

— J'aurais trop honte de me plaindre. Surtout devant vous.

— La souffrance n'est pas une compétition. Le deuil peut être un soulagement. Quelquefois, le souvenir de l'absent est plus confortable que ne l'était sa présence.

Anna dégagea sa main en douceur. La vieille dame lui renvoyait sa propre expérience. Pendant un bref instant, la jeune femme aurait pu se confier à elle, mais les mondes sont étanches ; inévitable et définitive altérité. Comment expliquer à Adèle qu'elle avait justement refusé de se soumettre au même destin qu'elle ? Pour Mme Gödel, et en cela elle ne faisait qu'accepter les paradigmes de son temps, choisir un type d'homme comme Kurt ou Leo induisait un sacrifice inévitable, même s'il y avait, parfois, des avantages collatéraux comme le sexe. Les monstres prennent tout et donnent peu. Adèle y avait perdu au passage sa joie naturelle et tout espoir de résoudre son incomplétude par la maternité. Anna comprenait cette aspiration, mais elle n'en partageait pas la nécessité. Rachel, sa mère, avait choisi de ne pas se dissoudre ; ni dans son couple, ni dans son enfant. Anna admirait sa liberté, mais pas l'intransigeance qui l'accompagnait. Au final, ces deux femmes payaient leur choix par une même solitude ; cette proposition-là était, elle aussi, indécidable.

— Vous devriez repartir en voyage, Anna. Profiter de votre liberté. Vous avez encore tant de possibles devant vous.

Une douleur subite au côté cloua la vieille dame sur son oreiller. Anna tendit la main vers l'alarme. Adèle la repoussa en cherchant son souffle.

La jeune femme prépara une compresse d'eau de Cologne et apaisa de son mieux son amie. Les traits de son visage s'étaient creusés depuis leur escapade. Comment Anna avait-elle pu l'ignorer ? Par sa faute, Adèle avait brûlé ses dernières réserves. Elle y avait même sacrifié son ultime plaisir : bavarder. Le Grand Mesquin comptait les points. Elle pensa à l'épuisante route du retour. Elle se demanda si Jean était de service : elle lui volerait une cigarette en sortant. Elle eut honte de penser déjà à partir. Elle se sentait sale, souillée par ses lâchetés perpétuelles. Mme Gödel allait mourir sous peu et elle lui devait, au moins, ce petit courage : la sincérité.

— Je suis si heureuse de vous avoir rencontrée, Adèle. Jusqu'à présent, j'avais l'impression de n'être utile à personne.

La vieille dame se redressa avec peine. Anna crut un moment qu'elle avait épuisé ses ressources d'indulgence, mais Adèle la surprit par sa voix douce, dénuée de sarcasme.

— Je m'en voudrais de quitter ce monde en vous ayant donné ce sentiment, Anna. Je ne suis qu'une minuscule inflexion de votre trajectoire. Vous avez encore bien le temps de vous trouver une mission.

52.

1973-1978
Un si vieil amour

« Telle est l'imprudence des hommes, que dis-je ? telle est leur folie, que parfois la crainte de mourir les pousse vers la mort. »
Sénèque

Princeton, le 15 novembre 1973

Ma très chère Jane,

Je n'ai jamais été une correspondante assidue. Cette fois, j'ai une bonne excuse pour ce long silence. J'ai été très occupée ces dernières semaines. J'ai fini par accepter ce poste de garde-malade auprès du couple dont Peter était le jardinier. J'ai eu pitié de ces petits vieux. Ils avaient vraiment besoin d'une aide à plein temps, en particulier cette pauvre dame. Elle est rivée à son fauteuil roulant. C'est donc lui qui se charge des courses ou de l'entretien. Tu devineras sans peine l'état de la maison à mon arrivée. J'ai vite compris qu'au rôle d'infirmière je devais ajouter celui de femme de ménage, de cuisinière et de « *granny-sitter* ». Les

Gödel sont ensemble depuis presque cinquante ans. Je pourrais trouver ce vieil amour magnifique si leur situation était moins pathétique. Ils n'ont pas eu d'enfants et mènent une vie très solitaire. Mme Gödel en souffre beaucoup. Elle est ravie de pouvoir bavarder. Elle est aussi pipelette que moi !

Comment te décrire ce curieux couple ? M. Gödel est, paraît-il, un génie. Je ne peux pas en juger. C'est un homme étrange, parfois très gentil, souvent mutique. Il passe ses jours et ses nuits cloîtré dans son bureau. Il mange très peu, et encore, non sans avoir reniflé ou tripoté sa nourriture cent fois. Selon sa femme, il a peur d'être empoisonné. Il est d'une maigreur terrifiante. Un vrai squelette ambulant. Adèle Gödel, elle, est très corpulente. Elle endure de nombreux maux de la vieillesse, mais elle néglige ses traitements. Elle a cependant toute sa tête. Elle continue à se préoccuper du bien-être de son incohérent mari.

Je n'arrive pas à déterminer de quoi M. Gödel souffre en réalité. Son médecin m'a seulement donné des recommandations pour ses problèmes de prostate car il a refusé une opération et préfère se promener avec une sonde tout en risquant une grave infection des reins. Le pauvre homme absorbe en cachette une quantité insensée de substances non nécessaires. Tu as travaillé comme moi à l'hôpital, juges-en par toi-même. J'ai fait une liste de tout ce qu'il prend : lait de magnésie pour son ulcère. Metamucil pour sa constipation. Antibiotiques divers : Achromycine et Terramycine, Cephalexine, Mandelamine, Macrodantin. Lanoxin et Quinidine, alors qu'il n'a pas de dérèglement cardiaque. Enfin, pour terminer en beauté le menu, des laxatifs comme l'Imbricol et le Pericolase. Je suis habituée aux ravages de la sénilité, là, j'en reste sans voix. Au printemps dernier, il avait accepté de se faire opérer. À l'hôpital, il a fait un scandale, arraché son cathéter puis exigé de rentrer chez lui comme si de rien n'était. Nous avons eu des malades difficiles, Jane, celui-là gagne la médaille d'honneur !

Je ne t'ennuie pas plus avec mes histoires de vieux. Tu en as eu ton compte toutes ces années. De mon côté, je me porte très bien. Je persiste à refuser ta théorie : la vieillesse n'est pas contagieuse ! Écris-moi vite, j'ai hâte de lire tes nouvelles aventures. Quelle idée de déménager ainsi à l'autre bout du pays ! Je t'en voudrais plus si je ne t'aimais pas autant. Tu as bien mérité ce soleil.

Avec toute mon amitié,

Beth

Princeton, le 2 avril 1975

Ma très chère Jane,

Tu es toujours de très bon conseil, mais je n'ai pu me résoudre à démissionner. Je ne peux pas abandonner Adèle dans cette situation. Je ne suis pas si monstrueuse. Cet homme me rendra folle ! Comment a-t-elle pu le souffrir toutes ces années au quotidien ? Il n'est pas bien méchant, il est usant ! À chaque repas, je dois me battre pour lui administrer un semblant de nourriture. Il faut le cajoler, le supplier ou le menacer pour lui faire avaler deux bouts de carotte. Il tient avec tout au plus un œuf et deux cuillérées de thé par jour ! Il me demande TOUS les matins si j'ai pensé à acheter des oranges puis refuse d'en manger. Si je n'avais pas tant d'affection (je t'entends d'ici me dire « de la pitié ») pour Adèle, j'aurais pris mes jambes à mon cou depuis longtemps. D'ailleurs, plus personne n'a le courage de contenir ses « égarements ». Mis à part son vieil ami Morgenstern dont je t'ai déjà parlé et un jeune « logicien » d'origine asiatique (je n'ai pas bien compris son métier !). Ils lui font peu de visites, mais lui téléphonent souvent. Ce M. Morgenstern souffre d'un cancer. Il ne veut pas le montrer à son ami afin de ne pas l'inquiéter. Comment cet homme peut-il susciter chez les autres une telle fidélité ? Selon Adèle, M. Gödel aurait été une sommité dans son milieu. Pour ma part, je soigne un vieillard pitoyable à la limite de la sénilité. Il vient pourtant de recevoir la médaille nationale de la science, une très haute récompense. Dans son état, je doute qu'il puisse assister à la cérémonie.

Je ne parle que de mes petits vieux. Je vis au jour le jour avec eux, leur détresse est devenue mon fardeau.

J'apprécie beaucoup ton invitation, Jane, je ne peux pas l'accepter dans l'immédiat. Je ne peux pas les abandonner. Je m'implique trop ? Bien sûr ! Toi aussi, tu les aurais pris en affection. Adèle est assez bourrue, parfois même acariâtre, mais elle est très courageuse. Toi qui adores les histoires d'amour, en voilà une vraie. Les contes ne disent pas comment finit le prince charmant : incontinence et radotage. Je n'aurai pas cette chance, ou cette magnifique malchance, de vieillir avec mon amour de jeunesse. Selon les jours, je m'en félicite ou je le regrette.

Tu ne m'en voudras pas de cette triste lettre. Tu as une oreille compatissante, ma Jane.

Bien à toi,

Beth

Princeton, le 15 juin 1976

Ma très chère Jane,

Dans ta dernière lettre, tu me demandais des détails sur la santé de « mes petits vieux ». Ma pauvre Adèle a été hospitalisée. Elle a subi un nouvel accident vasculaire. Elle est au plus mal. Elle délire et doit être nourrie par intraveineuse. Je suis moi-même épuisée. Je passe mon temps à faire la navette entre la maison et la clinique pour conduire M. Gödel au chevet de sa femme. Il fait peine à voir, comme un enfant abandonné. Je lui fais ses courses. Je lui cuisine des petits plats, mais il dit qu'il préfère préparer ses repas. Je ne le crois pas. Il est totalement irrationnel. Certains jours, il me parle d'Adèle pendant des heures. D'autres, il me soupçonne de soutenir le complot visant à le faire virer de son poste. Il a oublié qu'il est déjà à la retraite. L'accident cérébral d'Adèle n'est peut-être pas sans rapport avec les tensions qu'elle a dû subir ces dernières semaines. Son mari s'est échappé de l'hôpital où il devait être opéré d'urgence pour lui remettre sa sonde. Il est rentré à pied. Devant moi, il a accusé sa femme de vouloir le tuer et d'avoir détourné tout son argent en son absence. La pauvre pleurait de découragement. Rien n'a pu le convaincre d'accepter les calmants, ni l'autorité du médecin, ni la bienveillance de son ami Morgenstern. Il s'est entêté ainsi plusieurs jours dans un semi-délire. Il a même appelé son frère en Europe en lui demandant d'être son gardien légal. Le lendemain, il déclarait le haïr. Ce que cette femme peut endurer est sans limites. Avec des trésors de patience, elle a réussi à l'apaiser. Tout semblait rentré dans l'ordre (si l'on peut espérer une forme d'ordre dans cette maison de fous) quand elle a eu un malaise. Nous avons dû l'emmener à l'hôpital au plus vite. Depuis, il est toute sollicitude pour elle. M. Morgenstern fait peine à voir lui aussi. Il a maigri et use ses dernières forces à s'inquiéter pour ce mort-vivant capricieux. M. Gödel devrait être interné. Adèle s'y refuse : elle trouve encore le moyen de culpabiliser de ne pas être en mesure de s'occuper de lui.

Je suis à bout de forces, Jane. Envoie-moi du courage. Je jure que je ne soignerai plus que des nouveau-nés ! Tu me rappelleras cette promesse ?

Beth

Princeton, le 2 septembre 1977

Ma très chère Jane,

Les dernières nouvelles ne sont pas bonnes. Adèle est depuis deux mois en soins intensifs. Elle était déjà très diminuée par son accident vasculaire, j'ignore si elle pourra se remettre de sa colostomie. Dans le meilleur des cas, elle ne rentrera pas à la maison avant Noël. Si elle rentre. Seule la peur d'abandonner son mari la retient encore à la vie. Ce que je craignais au début de l'été s'est produit. Il ne fallait pas être grand devin ! M. Gödel s'est cloîtré chez lui et refuse toute aide. Sans la présence de sa femme, il a dû cesser de s'alimenter. Je lui dépose des plats. Je les retrouve intacts le lendemain. Hier, sur le paillasson, j'ai découvert un poulet plein de mouches. Quelqu'un d'autre lui livre en vain de la nourriture.

Je ne sais plus comment maquiller la vérité pour Adèle. Elle se reproche de l'avoir abandonné : « Comment va-t-il faire sans moi ? Elizabeth, vous lui apportez bien à manger tous les jours ? »

M. Gödel n'ouvre plus sa porte à personne. Il refuse mon aide. Quand je parviens à le joindre au téléphone, il m'accuse d'empêcher ses collègues de lui rendre visite. Il réclame son ami Oskar. M. Morgenstern est mort il y a deux mois. Il ne veut pas l'admettre.

J'ai peur que la fin soit proche. Pour eux deux. Il se laisse partir sans elle. Elle ne lui survivra pas.

Embrasse les palmiers de ma part ! Tu trouveras peut-être cet humour déplacé. Crois-moi, je puise dans mes réserves pour ne pas sombrer avec eux.

Ton affectionnée et épuisée amie,

Beth

Princeton, le 21 janvier 1978

Ma très chère Jane,

Tu ne seras pas surprise par la nouvelle. M. Gödel est décédé le 14 janvier. Adèle est sous le choc. Elle ne réalise toujours pas. Elle était si heureuse d'avoir enfin pu le convaincre de se faire hospitaliser. Malgré son retour à la maison et ses soins, il était trop tard. Il s'est laissé mourir de faim en son absence. À sa mort, il pesait trente kilos ! Comment un homme de son intelligence a-t-il pu en arriver là ? Je ne comprends pas. Il est parti dans l'après-midi, recroquevillé comme un fœtus sur le fauteuil de sa chambre.

Depuis les obsèques, je passe tout mon temps avec Adèle pour la soutenir. Elle oscille entre soulagement et culpabilité. Je l'ai même surprise à lui parler. Elle perd un peu la tête. Au final, c'est mieux ainsi. Elle doit désormais continuer à vivre sans lui. Si l'on peut appeler cela vivre.

Nous allons nous occuper de son placement. Elle rechigne pour la forme, elle sait déjà que c'est la meilleure solution. Elle a très peur de rester seule. Sa pension de réversion n'est pas bien grosse, mais avec la vente de leur maison cela devrait suffire à couvrir les frais d'un mouroir pas trop sinistre.

Mon travail ici s'achève. Cinq longues et terribles années. Les médecins ont dit que l'anorexie de M. Gödel était due à un trouble de la personnalité. Quelle surprise ! Il aurait dû être interné de force depuis belle lurette. S'il n'avait pas été une « sommité », il n'aurait pu échapper à l'asile. C'était son choix à elle. Elle l'a payé jusqu'au bout. Ma dernière mission sera de l'aider à ranger les archives. J'ai inspecté la cave. Cela ne sera pas une partie de plaisir. Son mari avait accumulé des tonnes de paperasses.

Je vais venir te voir bientôt, Jane. J'ai grand besoin de rire, de profiter du soleil et d'oublier toute cette histoire. Voilà ce qu'il advient quand on prend ses patients en affection !

Ta toujours vaillante Beth

53.

— Le personnel a-t-il été averti de vos petites réunions ?

— Section divertissement. Ne jamais déranger un vieux qui parle aux morts, aux chats ou aux documentalistes.

À contrecœur, Anna poussait le fauteuil d'Adèle vers leur rendez-vous « secret ». Elle avait menti à sa mère, prétextant une grippe, pour refuser de la rejoindre en Californie et elle se retrouvait, au final, contrainte à des enfantillages un soir de Noël. D'après Mme Gödel, certains positivistes pratiquaient déjà des séances de parapsychologie à Vienne, mais elle ne pouvait admettre que le plus grand logicien du XXe siècle se fût adonné à cette totale non-rationalité sans autre but que de démasquer des charlatans.

— Vous ne risquez rien. Au pire, nous convoquerons la mauvaise personne.

— Au mieux, nous nous rendrons ridicules.

La vieille dame lui intima l'ordre de se pencher vers elle ; elle la toucha du doigt entre les deux yeux.

— Il faut ouvrir votre esprit. Vous êtes toute verrouillée de partout.

— J'ai appris à exercer ma raison. Je collecte des faits pour en déduire des conclusions. Je suis hermétique à toute forme d'ésotérisme.

— Oui, vous êtes une laborieuse, mais il y a des chemins plus courts vers la lumière. Ceux où vos petits rouages tournent dans le vide. Où même ces mots que vous aimez tant sont inutiles.

Elles pénétrèrent dans une pièce encombrée dont les rideaux avaient été tirés. Dans la pénombre, Anna distinguait des chevalets entassés et des rangs ordonnés de châssis : l'atelier d'art-thérapie responsable des attentats perpétrés sur les murs de la clinique. L'odeur de la térébenthine se mêlait aux effluves écœurants des bougies parfumées disposées sur une minuscule table ronde. Autour de celle-ci, elle reconnut Jack, accompagné de l'inévitable angora rose. Adèle lui présenta trois personnes moins familières : Gwendoline, Maria et Karl. Gladys, parée de lunettes strassées du plus bel effet, se leva pour l'embrasser. « Voici notre vieille âme ! » Anna recula sous l'assaut. Maria, une octogénaire au visage dévoré par des verres épais, la gratifia d'un regard entraîné à pétrifier. Gladys lui fit signe de se taire. « Mes amis, souhaitons la bienvenue à notre nouvelle participante ! Nous nous sommes déjà mis d'accord sur l'ordre du jour. Nous avons décidé de reporter Sergueï Vassilievitch Rachmaninov à plus tard. Bien que j'adore les Russes. » Maria crut bon de rappeler le goût des défunts pour la précision à l'intention d'Anna qui n'en demandait pas tant. Gladys ôta ses lunettes ; ses yeux pétillaient d'excitation. « Jack est un peu déçu de ne pouvoir parler à son idole. Ce sera pour la prochaine fois. Aujourd'hui, nous convoquons Elvis Aaron Presley ! Savez-vous que je porte le prénom de sa chère maman ? » La jeune femme se retint de rire ; elle était en minorité rationnelle, elle garderait ses sarcasmes pour plus tard. Elle installa sa commère avant de prendre la dernière place vacante, à côté du musicien. Elle le vit cligner de son œil valide. Il semblait apprécier la soirée. Elle devait essayer, elle aussi : ce serait un Noël singulier, soulagé de la triste joie de pacotille qu'elle s'était imaginé partager avec ces abandonnés de fin de vie. Gladys s'agitait, impatiente de débuter la séance.

— Après avoir beaucoup étudié votre cas, mademoiselle Roth, nous vous avons attribué un ange. Gabriel sera votre protecteur dans ce monde. Vous êtes la messagère.

— D'après qui ?

De sa voix hautement tabagique, Maria protesta contre les vibrations négatives de la petite nouvelle. Adèle savourait, elle, le visage ahuri de cette dernière.

— Laissez-vous faire, ma belle. Moi, je suis sous l'aile de Méhaël, le libérateur.

Tous les convives se saisirent par la main. Anna concéda la gauche à celle, froide et rugueuse, de Mme Gödel, la droite à celle, sans arrêt pianotante, de Jack. Comment se détendre en terre d'absurdité ? Elle avait faim. Tous ces croulants tiendraient sans peine jusqu'à minuit pour réveillonner. Le Père Noël avait dû leur distribuer des amphétamines. Les yeux fermés, Gladys psalmodiait. « *Aor Gabriel Tetraton Anaton Creaton* ». Elle préféra s'abstraire de cette dinguerie. Elvis Presley ? Au vu des bouquets médiocres exposés dans cette salle de peinture, personne n'avait convoqué Van Gogh.

Gladys la réveilla. « *Rock'n'roll*, Anna. Ne soyez pas la plus vieille d'entre nous. »

Maintenant, Adèle et Anna contemplaient sans ennui les courageux qui gambillaient sur des airs de fox-trot. Un cavalier s'était présenté devant cette dernière, mais elle avait décliné l'invitation. Adèle tapait du pied en rythme.

— J'aimais tant danser.

— Moi, j'évite. Je suis ridicule.

— Les gens dansent comme ils font l'amour. Regardez ces deux-là ! Ils sont beaux. De nos jours, les jeunes ne savent plus danser à deux. Et on s'étonne du taux de divorce !

Un couple de septuagénaires tournoyait devant leur table. Complices, ils ondulaient dans une suprême élégance sans âge. Anna repensa à toutes les fêtes où, depuis le canapé, elle observait les autres adolescents sur la piste. Leo, les cheveux dans les yeux, tee-shirt et pantalon froissés, dansait comme si c'était sa dernière chance. Il appréciait la musique forte, bougeant beaucoup ses membres à défaut de les maîtriser. Il roulait d'une main, sans jamais cesser de se trémousser, les *sticks* qui lui permettaient d'oublier le retour à l'internat. Il n'avait jamais eu besoin de personne. Anna, elle, attendait toujours la prochaine chanson avant de partir. Celle qui lui donnerait peut-être l'envie de se lancer. Elle attendait encore.

— Il y a comme une tristesse immanente en chaque fête.

— Vous préférez rester spectatrice. Vous prenez vos sarcasmes pour de la pénétration. En réalité, c'est de la frousse, ma jolie !

La musique s'éteignit quand les femmes de service

eurent fini de débarrasser les tables. Elles avaient tenté d'égayer leur tenue avec des bonnets de feutre rouge et des guirlandes métallisées qui leur grattaient le cou. En un instant, toutes les tablées s'agitèrent. Des monceaux de paquets furent tirés de nulle part. Les claquements de plaisir des dentiers succédèrent aux exclamations et au bruit de papiers déchirés. Adèle tendit à Anna un sac de papier kraft fermé d'une faveur blanche. Elle y découvrit un gilet d'une superbe laine de couleur coquelicot. Ravie, elle l'enfila sur-le-champ.

— Il vous plaît ? Je l'ai tricoté moi-même.

— Je n'ai jamais rien reçu de si beau. Vous vous êtes donné trop de mal !

— Avec vos cheveux et votre teint, vous devriez porter du rouge plus souvent.

Anna pensa à la robe achetée pour Thanksgiving : étrange comme un simple bout de chiffon peut infléchir un destin. Elle avait laissé le Français repartir sans promesses inutiles et rangé sa robe rouge au placard, avec ses autres regrets.

Elle était impatiente d'offrir son propre cadeau. Les semaines précédentes, elle y avait longuement réfléchi et, après avoir erré un après-midi entier dans les rues enfiévrées de New York, elle était entrée chez *Macy's* où elle était tombée en arrêt, au détour d'une allée, devant une somptueuse robe de chambre. Elle avait préféré ne pas voir la scandaleuse étiquette annoncant le prix ; l'enveloppe de son père y trouverait sa raison d'être. Elle était retournée à Princeton en jubilant avec cette merveille de brocart bronze doublé de cachemire. Elle visualisait très bien Mme Gödel, impératrice triomphante, dans cette tenue de gala. Adèle soupira en dépliant le vêtement.

— Quelle splendeur ! Vous n'êtes pas raisonnable, elle a dû vous coûter un bras !

— Deux, pour être exacte. Mais vous aurez une allure folle dans ce manteau d'intérieur.

— Manteau d'intérieur ? Qu'est-ce qu'ils ne vont pas imaginer ? Je suis toute confuse. C'est beaucoup trop.

— Vous n'allez pas pleurer, quand même ?

Elles se sourirent. Gladys gâcha le moment en faisant irruption. Elle avait prévu un présent pour chacun. Anna se sentit embarrassée ; elle n'avait apporté qu'une boîte de chocolats. Prête à s'extasier de bonne grâce, elle ouvrit son paquet enveloppé dans un délicieux papier rose. Elle en sortit un récipient à l'odeur aigrelette, peu ragoûtante. Elle embrassa Gladys sans oser lui demander si la mixture était une confiture ou un onguent à cheveux ; la vieille dame dégageait la même odeur. Celle-ci retourna à sa distribution en agitant les énormes pompons de son pull. Adèle secoua son propre cadeau : un assortiment de mouchoirs brodés aux couleurs insoutenables.

— Vous êtes vernie.

— J'ai surtout échappé à Elvis Aaron Presley. Il avait sans doute un concert ce soir… là-haut. Et qui était cet Asakter ? Je n'ai rien compris à son message.

— Une âme égarée. Dès qu'elles voient une ouverture, elles sautent sur l'occasion. Elles nous pourrissent les séances.

— Quel manque de savoir mourir !

— Les enquiquineurs pullulent en l'éternité. Une simple question de concentration. C'est mathématique.

— Qui invoquerons-nous la prochaine fois ? Votre mari ?

— Il n'a jamais aimé être dérangé à l'heure de la sieste.

— Vous n'avez pas envie de pouvoir lui parler à nouveau ?

— Je mettais ma main dans son cou. Il inclinait la tête. Les mots n'étaient pas nécessaires.

Anna avala une gorgée de l'infect mousseux en s'appliquant à ne pas grimacer.

— Vous me convoquerez quand je serai passée de l'autre côté ?

— Je laisserai une fenêtre ouverte. Au cas où…

Elle crut un moment que la vieille dame allait l'embrasser. Une ultime pudeur les en dissuada.

— Joyeux Noël, Adèle !

— *Frohe Weihnachten, Fräulein Maria !*

Et elle la décora d'une guirlande, comme une Hawaïenne perdue en chemin.

54.

1978
Seule

> « Berceau et cercueil, tombe et sein maternel – notre cœur les confond et, pour finir, ils se ressemblent presque. »
>
> Klaus Mann, *Le Tournant*

— Je peux très bien m'en occuper à votre place.

— Je dois le faire, ma douce.

Elle me tapota la main.

— Alors, un petit goûter s'impose !

Elizabeth partit en cuisine, m'abandonnant devant la montagne de papiers entassés sur le tapis du salon. Je devais trouver le courage de cette dernière épreuve.

Nous avions été si peu nombreux à son enterrement. Quelques tempes grisonnantes, pressées d'en finir, soutenaient une poignée de vieilles femmes en noir : Dorothy sans Oskar, Lili sans Erich. Les hommes s'en vont avant, c'est comme ça. Grelottante, je m'accrochai au bras d'Elizabeth. Une longue voiture avait déposé le cercueil. Quelqu'un avait-il prononcé des mots touchants ? Je ne me souvenais pas. Ils avaient pourtant dû se fendre d'un discours à l'Institut. Je ne me souvenais de presque rien après le passage à la morgue Kimble. Sauf des fleurs : j'avais jeté des roses rouges sur le bois avant que la terre ne le recouvre. Ce n'était plus la saison des camélias. Depuis le 19 janvier, Kurt dormait sous une stèle de marbre gris foncé. Ma mère reposait à deux pas. Elle ne le dérangerait pas ; elle avait toujours eu un sommeil de plomb.

Elizabeth revint avec le plateau. Nous bûmes une tasse de thé et grignotâmes des gâteaux secs en écoutant les crépitations débonnaires de la cheminée, fatiguées à l'avance de l'effort à venir.

— Comment voulez-vous procéder, Adèle ?

— Il faut faire bien attention à respecter l'ordre chronologique. Certaines boîtes sont déjà étiquetées. Sinon, Kurt n'a laissé aucune recommandation particulière. À part pour les timbres. Rudolf doit les vendre. Il aimerait sans doute vendre la totalité de ces archives, mais je ne lui ferai pas cette faveur.

— Et pour le reste ?

— Je trie. Vous classez.

— À voir ce foutoir, on ne pourrait jamais croire votre mari aussi méticuleux que je le connaissais !

— Il gardait tout. Il devait y trouver une logique.

Un dernier ménage pour Kurt. C'est tout ce que j'aurai fait pour lui dans ma vie. Ranger le monde pour empêcher cette maudite entropie de l'engloutir. Toutes les femmes ont-elles le même destin ? S'appareiller, par amour ou par besoin de sécurité, pour finir par tenir à bout de bras celui qui était censé être le rocher. Est-ce notre lot à toutes ? Ces frères, pères, amants, amis, sommes-nous là pour les repêcher ? Est-ce dans ce but loufoque que Dieu nous a donné des seins ou des hanches ? Sommes-nous seulement des bouées ? Que nous reste-t-il après, quand il n'y a plus personne à sauver ?

Ranger les souvenirs.

— Quand ce ne sont pas ses pattes de mouche, c'est écrit en sténo. Je vais devenir folle.

— Vous devriez prendre un peu de repos, Adèle. Nous y avons passé trois jours. Cela peut attendre encore.

— Je préfère en finir tout de suite. Ces gribouillis étaient importants pour lui.

Le tri n'avançait pas. Je ne pouvais plonger dans ces papiers sans en remonter un morceau du passé : une photographie ; une note de sa main ; un article de presse. Personne n'aurait su résister à ce goutte-à-goutte toxique de nostalgie. Ce n'était plus un état des lieux, mais l'autopsie d'une vie.

Kurt était mort roulé en boule sur le fauteuil de sa chambre d'hôpital. Seul.

À quoi, à qui avait-il pensé avant de lâcher prise ? M'avait-il appelée ? M'avait-il reproché de ne pas être là ? L'unique fois où je n'étais pas accourue. Seul mon corps, ce vaisseau grotesque, était coupable. Mon corps m'avait faite prisonnière. Le papillon de nuit était redevenu chenille. Une énorme larve, privée de bras pour enlacer mon homme une dernière fois, privée de voix pour lui dire : « Ce n'est rien, Kurtele. Ça va passer. Une cuillère pour la route, s'il te plaît. »

Est-il décédé de malnutrition comme ils l'ont dit ? Non, plutôt d'un accident du travail : il interrogeait l'incertitude ; il était mort rongé par le doute. Il était le médecin qui, observant sa propre pathologie, découvre qu'elle n'aura jamais de remède. La vie n'est pas une science exacte ; tout y est fluctuant, indémontrable. Il ne pouvait la vérifier paramètre par paramètre. Il ne pouvait pas *axiomatiser* l'existence. Qu'avait-il cherché qui n'était pas dans son cœur, son ventre ou son sexe ? Il avait décidé de ne pas s'impliquer ; de se placer en dehors du monde pour le comprendre. Il y a des systèmes dont on ne peut s'exclure. Albert le savait, lui. S'exclure de la vie, c'est mourir.

— Adèle, j'ai trouvé ça à part, dans un dossier fermé.

Je parcourus le mince feuillet : une suite de signes, d'axiomes et de définitions, sans explications ni commentaires, aussi sèche qu'une journée sans musique. Mon œil buta sur la dernière phrase écrite en toutes lettres : « Théorème 4 : il y a nécessairement une chose qui est comme Dieu. » Que Dieu venait-il faire là-dedans ? Je relus la démonstration, car cela semblait en être une. Je ne parvenais pas à saisir quoi que ce soit à ce jargon. Sa foutue logique, encore, dont je n'avais jamais parlé la langue. *Propriété positive* ; *si et seulement si* ; *propriété consistante.*

— C'est important ?

— Cela doit être une sorte de démonstration prouvant... l'existence de Dieu[65].

Elizabeth lut la page avec et sans lunettes. Elle me les retourna, perplexe ; sans doute déçue.

— On va le mettre dans « Divers ».

Quel manque d'humilité ! Quelle folie ! Comment avait-il pu ? À quel abîme en était-il donc arrivé ? Dieu avait dû apprécier de l'avoir à sa table ! Kurt pourrait Lui faire la conversation : « Hé, Pater ! J'en ai une bien bonne. Vous allez adorer ! J'ai prouvé votre existence. » Avait-Il seulement de l'humour ? J'en étais certaine. Sans quoi, nous ne nous serions pas rencontrés, Kurt et moi.

Je devais me l'avouer, j'étais soulagée. Cette suite blasphématoire me le confirmait. Il était temps pour lui de partir. Nos dernières années avaient culminé en enfer. Comment aurais-je pu supporter plus longtemps de le voir ainsi ? Une caricature insoutenable de lui-même : de maigre, il était devenu squelette ; de génie, il était devenu fou. Était-il passé d'un bond ou s'était-il égaré dans la lisière infinie entre ces deux essences ? Perdu à jamais dans le continu.

Pendant toutes ces années, j'avais su préserver mon espérance ; j'avais cru aux possibles. Quand Oskar l'avait retrouvé prostré derrière la chaudière, j'avais renoncé. J'étais en deuil de ces possibles. D'un moi qui n'existerait pas ; de ce qu'il aurait pu être ; de ce que je ne serais plus jamais sans lui. *Si et seulement si* nous avions été *autres*. Je préférais le garder en mon souvenir : il essuie ses lunettes pour mieux regarder mon décolleté dans ce salon de thé viennois.

J'ai toujours mangé mon pain noir en dernier : j'avais mis à part deux boîtes étiquetées « Personnel ». Elizabeth et moi en prîmes chacune une. Je n'avais aucune chance d'y trouver des billets d'amour. Nous les avions laissés brûler à Vienne. J'y découvrirais peut-être quelques-unes de mes cartes postales d'Europe ou les photos sur lesquelles je n'avais pu remettre la main. Mais elles contenaient plus sûrement les lettres de sa *Liebe Mama*. Après toutes ces années, pourquoi étais-je si angoissée ? Elle avait souvent focalisé mes humeurs. La vieille n'avait pas dû être en reste. La vieille. J'en étais une désormais. À quoi bon m'inquiéter de l'opinion d'une morte ? J'avais fui cette vérité : j'étais son double ; un simple étai.

— Que dois-je faire de ça ?

Elizabeth tenait une pile de ses carnets de constipation et de température corporelle. Elle évita de s'appesantir ; elle avait soigné mon mari sans commenter ses lubies.

— Je les jetterais bien au feu, mais il y aura quelqu'un pour me le reprocher ! Ces étrangetés faisaient aussi partie de lui.

— J'imagine la tête de celui qui les découvrira.

— Ça le détendra du reste.

— Vous n'avez pas peur qu'il passe pour un...?

— Regardez plutôt, il a conservé la facture de notre repas de mariage ! Je ne peux pas croire qu'il ait traversé toute la Sibérie avec ce papier dans nos malles.

— Il était peut-être nostalgique.

— Il comptait me présenter l'addition totale à la fin.

— Il vous aimait tant, Adèle.

— Celle-là est bien bonne. Une note réclamant sa cotisation impayée d'adhérent à la Société mathématique. Kurt avait horreur des dettes. Il a dû le regretter toute sa vie. Je devrais leur envoyer un chèque.

— Gardez votre argent, Adèle. Vous en aurez besoin. Moi, j'ai un reçu d'achat pour un certain *Principia Mathematica*.

— C'était son livre de chevet quand nous nous sommes rencontrés. Mettez-le avec sa thèse de doctorat dans la boîte « 1928/29 ».

Je tripotai des cartes postales défraîchies. Le Maine,

1942 ; nous les avions achetées ensemble, mais jamais adressées.

— Je range vos passeports allemands dans quelle boîte ?

J'ouvris le sien : à le voir si jeune, il me semblait une tout autre personne. L'aigle nazie avait lâché sa crotte sur la page. Je les rendis à Elizabeth sans un regard pour le mien.

— 1948, avec les papiers de la naturalisation.

— Mon Dieu, Adèle, comme vous étiez jolie ! Je ne connaissais pas cette photo.

Je considérai un moment le tirage jauni où posait une demoiselle au sourire vague.

— Rangez-le dans « Divers ».

— Vous ne voulez pas la garder pour vous ?

— Je ne suis plus cette personne, Elizabeth.

— Bien sûr que vous l'êtes !

Je continuai à trier les documents. Je parcourus une lettre de son frère adressée au sanatorium : boîte « 1936 ». Un billet de paquebot au départ du Japon : boîte « 1940 ». Un lourd dossier contenait la paperasse bancaire pour l'emprunt de la maison : boîte « 1949 » ; elle était payée, désormais revendue. Je m'attendris sur un petit bout de papier délavé, un ticket de vestiaire du *Nachtfalter*. Boîte « 1928 ».

— Il reste ces lettres de Marianne Gödel.

Je soupirai.

— Je vais devoir tout lire.

— Vous n'êtes pas obligée. Vous vous faites du mal.

— Vous voulez bien me laisser ? J'en ai pour un moment.

— Je vais finir vos cartons. Vous ne voulez vraiment rien emporter avec vous ?

— Vous mettrez tout au garde-meuble. Vous avez vu la chambre à Pine Run. Il n'y a pas de place pour des souvenirs encombrants. Et c'est tant mieux !

— Dois-je téléphoner à l'IAS pour les archives ?

— Pas tout de suite, Elizabeth.

Qu'avaient-ils bien pu se raconter durant toutes ces années de correspondance ? Elle avait dû en casser du sucre sur mon dos. Lui m'avait à peine défendue, comme à son habitude. Je n'avais jamais été capable de l'inspirer, de stimuler son intellect. Ce n'était pas mon rôle et je n'en gardais aucune rancune, mais lui avait-il accordé toutes ces explications qui m'étaient refusées ? Avait-elle eu le droit à sa lumière ? Elle.

J'en ouvris une au hasard : 1951, des félicitations pour son prix. Les phrases étaient en partie noircies par la censure. Un courrier daté de novembre 1938, un mois après notre mariage, s'éternisait entre considérations politiques et recommandations sanitaires. 1946 : des nouvelles d'Europe, l'annonce de la mort de son parrain. En 1961, elle lui répondait sur sa vision théologique du monde[66]. Il lui en avait donc fait part en détail. Fébrile, je dépliai l'une après l'autre ces lettres, me plongeant dans ces mots inconnus. Elizabeth passait de temps en temps la tête à la porte du salon puis, pudique, retournait à sa tâche.

Je ne trouvai aucune trace de fiel à mon égard. Pas une seule fois, en quarante années de correspondance, elle n'avait parlé de moi ni même mentionné mon nom. Ces lettres me brûlaient les mains.

— Vous avez terminé, Adèle ?

Je tournai vers Elizabeth mon visage ravagé. Mes premières larmes depuis le départ de Kurt. Elle me prit dans ses bras, me berça sans m'infliger de paroles inutiles. Je m'accrochai à elle, ivre de rage et de douleur mêlées. Je tanguais de désespoir. À mes tempes, le sang battait le tambour de mon cœur affolé. Mais je ne voulais pas partir. Pas tout de suite.

— Je n'existais pas pour eux, Elizabeth. Je n'ai jamais existé.

Quand je fus calmée, je me dégageai de son étreinte. Je ramassai avec peine les lettres éparpillées au sol et les jetai dans le feu.

55.

Anna secoua ses vêtements et ses cheveux enneigés avant de pénétrer dans le hall de l'IAS. Elle n'avait pas anticipé ce gel tardif ; elle grelottait dans son manteau beige trop léger. La nature, elle, porterait son deuil en blanc aujourd'hui. Elle devait penser à déstocker ses affaires de grand froid. Depuis les obsèques d'Adèle, elle n'avait pas remis les pieds à son bureau, sans fournir de motif d'absence. Elle n'avait pas répondu au téléphone, elle n'avait pas ouvert son courrier ; son brusque retour ne serait pas sans conséquence. Comme aurait pu conclure Adèle : « Et je vous emmerde ! »

Elizabeth Glinka lui avait téléphoné ce matin-là. Elle s'apprêtait à rendre visite à Mme Gödel, comme tous les week-ends depuis Noël. « Mademoiselle Roth ? » Anna savait déjà ce qui allait suivre. Elle s'était assise pour laisser le chagrin l'envahir. Elle n'avait pas dit au revoir à Adèle.

Il y avait eu si peu de monde à son enterrement : quelques tempes grisonnantes, pressées d'en finir, soutenaient une poignée de vieilles femmes en noir. Grelottante, elle s'était accrochée au bras d'Elizabeth.

Elle se souvenait à peine du moment. La longue voiture avait déposé le cercueil. Calvin Adams avait-il prononcé un discours ? Elle ne s'en souvenait pas. Elle avait jeté des roses rouges sur le bois avant que la terre ne le recouvre. Elle n'avait pas trouvé de camélias. La cérémonie religieuse avait été raide et rapide. Elizabeth lui avait demandé conseil à propos de la musique. Anna lui avait proposé un lied de Mahler : *Ich bin der Welt abhanden gekommen** ; en hommage à cette Vienne perdue. Pendant l'office, elle s'était dit qu'elle aurait dû choisir James Brown pour voir Gladys animer le vide de la chapelle par quelques soubresauts de son angora noir. Barbie possédait un pull noir. Pourquoi Anna gardait-elle le souvenir de ce pauvre détail ?

Adèle était restée lucide jusqu'à la fin. Les infirmières n'avaient pas compris ses derniers mots : ils étaient en allemand ; Anna était certaine qu'ils étaient destinés à son mari. Depuis le 8 février, elle reposait à ses côtés sous la stèle de marbre gris. Sur le livre ouvert était gravé : *Gödel, Adèle T. : 1899-1981 ; Kurt F. : 1906-1978*. Dorénavant, elle dormirait à gauche du lit.

Le gardien de l'IAS lui fit signe de s'approcher. Il semblait aussi vieux que le bâtiment lui-même. Sortant de sa réserve habituelle, il manifesta son contentement de la revoir. « On se faisait du souci » pour elle. Anna n'eut pas le temps de s'appesantir sur le « on » : il déposa sur le comptoir un volumineux colis. Elle souffla sur ses doigts gourds et décacheta

*. « Je suis perdu pour ce monde ».

l'enveloppe jointe. La carte à l'écriture enfantine était signée d'Elizabeth Glinka. « Je vous adresse un cadeau et une lettre de la part d'Adèle. Ne soyez pas triste, elle ne l'était pas. Elle voulait partir. » Anna sourit malgré elle. Triste, elle l'était, mais ce sentiment était dorénavant supportable. Il tenait de l'accomplissement, non du regret ; une tristesse de lendemain de fête. Elle soupesa le paquet : aucune chance qu'il contienne le *Nachlass*. Peu lui importait, sa décision de quitter Princeton était définitive. Cette fois, son absence prolongée n'avait pas été une fuite ; elle y avait rassemblé ses forces, pelotonnée dans son gilet de laine rouge. Elle poserait sa lettre de démission sur le bureau de Calvin Adams dans la matinée.

Anna avait toujours espéré une justice. Un ordre. Pendant un moment, elle avait cru que sa mission sur terre était de récupérer ces papiers. Adèle avait accepté la sienne : son Dieu l'avait créée pour empêcher le génie de se retirer avant l'heure. Elle avait été le terreau du sublime ; la chair, le sang, les poils, la merde, sans lesquels l'esprit n'existe pas. Elle avait été la condition nécessaire, mais insuffisante ; elle avait consenti à n'être qu'un maillon : à tout jamais la bonne grosse Autrichienne inculte.

Aujourd'hui, Anna aurait voulu lui dire qu'elle se trompait : dans le continuum des corps dissous et des âmes oubliées, une vie en vaut une autre. Nous sommes tous des maillons. Personne n'a de mission. Adèle avait aimé Kurt ; rien n'était plus important.

Son bureau ne sentait pas le renfermé comme elle l'avait craint. « On » l'avait aéré et agrémenté d'une plante verte accompagnée d'une carte : « Bon rétablissement, Calvin Adams ». Elle fut surprise de cette attention : elle s'attendait, au mieux, à un ultime coup de semonce. Elle jeta un regard de défi au casier débordant de messages. Elle préféra commencer par la lettre. Elle s'installa sans fébrilité après s'être préparé une tasse de thé. Elle respira le papier et crut y déceler un souvenir de lavande. Elle refoula la vague montante ; Adèle n'aurait pas apprécié ces pleurs.

> Ma très chère Anna,
>
> Je lègue le *Nachlass* de Kurt Gödel à la bibliothèque de Princeton. Je n'ai jamais pensé agir autrement. Je charge Elizabeth de faire livrer ces caisses DE VOTRE PART au directeur de l'IAS. Ce n'est pas un cadeau et ne le prenez surtout pas comme tel ! Il y a un temps pour tout, Anna : un temps pour se cacher dans les livres et un temps pour vivre.
>
> Vous m'avez donné bien plus que vous ne pouviez l'espérer. Mes dernières pensées seront pour toutes les merveilles qui vous restent à vivre et non celles que je devrais regretter. Je vous souhaite une vie magnifique.
>
> Votre Adèle Thusnelda Gödel

Les lettres étaient fermes, très appliquées, mais elle avait ajouté après sa signature un post-scriptum plus spontané où Anna ressentit sa présence charnelle : « *Vergessen Sie nicht zu lächeln, Mädel*[*] *!* »

Anna entreprit de défaire l'emballage compliqué ; Elizabeth était une femme très méticuleuse. Le paquet contenait un flamant rose en ciment défraîchi. Un rire

*. « N'oubliez pas de sourire, jeune fille ! ».

la secoua jusqu'aux larmes. Elle installa l'encombrant volatile sur son bureau puis y déversa le contenu de son sac ; elle n'eut pas besoin de fouiller davantage : le mot de Leo servait de marque-page à *L'Aleph*, le livre qui avait accompagné toutes ses visites à Pine Run. Elle ne l'avait pas terminé.

Elle déplia le bout de papier ; sur quelques lignes de codes, Leonard avait griffonné des chiffres impératifs suivis d'un « Insiste, STP » souligné trois fois. Par la fenêtre, Anna contempla la longue pelouse recouverte de neige, miroir au ciel bas et blanc.

Alors, elle composa le numéro de Leo, suite de chiffres sans logique, mais d'une parfaite élégance.

Gödel, Groucho Marx et Heisenberg sont accoudés à un bar.

Heisenberg dit : « Ce serait très improbable, mais je me demande si nous ne sommes pas dans une blague. »

Gödel dit : « Si nous étions en dehors de la plaisanterie, nous le saurions, mais puisque nous sommes à l'intérieur, il n'y a aucun moyen de déterminer si, oui ou non, nous sommes dans une blague. »

Et Groucho Marx de répondre : « Bien sûr que c'est une blague, mais vous la racontez mal ! »

À mon père, pour un adieu. Y.G.

Notes

1. En un scandaleux raccourci : la « logique de premier ordre » est un langage formel mathématique utilisant des propositions appelées « prédicats » liées par des connecteurs (ou opérateurs) logiques comme « et », « ou », « si ». La logique fournit des résultats déductifs « vrais » ou « faux » en combinant des propositions déterminées « vraies » ou « fausses ».

2. Emprunté à Ninon de Lenclos.

3. Dans sa thèse de doctorat, soutenue en 1929, Gödel démontrait la « complétude du calcul des prédicats de premier ordre ». Contrairement au postérieur *théorème d'incomplétude*, ce résultat confortait l'idéal positiviste du programme de Hilbert. Mais il se référait à un ensemble d'axiomes restreint.

4. Ludwig Wittgenstein (1889-1951), philosophe et logicien viennois, publia en 1921 une œuvre majeure de la philosophie du XXe siècle : le *Tractatus logico-philosophicus.*

5. Le président Franklin Roosevelt autorisa, en 1942, la relégation de dizaines de milliers d'Américains d'origine japonaise, italienne et allemande. Dès 1940, *The Alien Registration Act* exigeait l'enregistrement et la prise d'empreintes digitales de tous les étrangers de plus de quatorze ans vivant aux États-Unis.

6. [Les mathématiques] « Elles nous sont données dans leur entièreté et sont immuables, contrairement à la Voie lactée. Nous avons une vision claire d'une partie seulement de cette entièreté, mais cette partie exhibe une beauté qui suggère l'harmonie » (Kurt Gödel).

7. Georg Cantor (1845-1918) est un mathématicien allemand, créateur de la théorie des ensembles.

8. Une fonction (ou « relation » entre deux ensembles) est bijective si et seulement si tout élément de son ensemble d'arrivée peut être mis en relation avec un et un seul élément de son ensemble de départ.

9. Citation de David Hilbert.

10. Du mathématicien et logicien allemand Leopold Kronecker (1823-1891), adversaire de Cantor, à propos des infinis hiérarchisés.

11. John Forbes Nash Jr (né en 1928), mathématicien et économiste, obtint le prix Nobel d'économie en 1994 pour sa thèse soutenue en 1950 sur les jeux non coopératifs, problématique posée par von Neumann et Morgenstern dans *La Théorie des jeux* en 1944. Il était atteint d'une forme de schizophrénie paranoïde. Son histoire a été popularisée par le film *Un homme d'exception.*

12. Wolfgang Ernst Pauli (1900-1958) reçut le prix Nobel de physique de 1945 pour sa définition du *principe d'exclusion* en mécanique quantique. Ce principe repose sur l'idée que les fermions (des particules comme les électrons ou les neutrinos) ne peuvent pas se trouver au même endroit dans le même état quantique.

13. Bertrand Arthur William Russell (1872-1970), mathématicien, logicien, épistémologue, homme politique et moraliste, est considéré comme l'un des plus importants philosophes du XXe siècle.

14. Gottfried Wilhelm Leibniz (1646-1716) : philosophe, scientifique, mathématicien, diplomate et homme de loi allemand. Il établit – mince exemple d'une œuvre gigantesque – les bases du calcul intégral et différentiel.

15. John von Neumann (1903-1957) a contribué à faire progresser de multiples domaines mathématiques et physiques : mécanique quantique, théorie des ensembles, hydrodynamique, balistique, sciences économiques et stratégie. Il est un des pères de l'informatique moderne. Il n'a pas reçu de prix Nobel. John von Neumann et Robert Oppenheimer participèrent activement au « projet Manhattan », mise au point de la bombe A, dont le premier essai eut lieu le 16 juillet 1945 dans le désert du Nouveau-Mexique.

Les deux « essais » suivants furent Hiroshima le 6 août 1945 et Nagasaki le 9 août 1945. Pour la petite histoire, avant la guerre, von Neumann était l'assistant du mathématicien David Hilbert.

16. *La Théorie des jeux et comportements économiques*, parue en 1944, est encore considérée comme une des plus grandes théories socioéconomiques du XXe siècle.

17. Einstein reçut le prix Nobel de physique en 1921 pour son explication de l'effet photoélectrique, non pour ses travaux sur la relativité restreinte et générale. Il avait été nominé dix des douze années précédentes.

18. Emprunté à David Hilbert.

19. Le grand théorème de Fermat (pour les optimistes) ou conjecture de Fermat : pour tout entier « n » strictement supérieur à 2, il n'y a pas de nombres entiers positifs non nuls « x, y et z » tels que « $x^n + y^n = z^n$ ». Après trois cent cinquante ans de recherches et de résultats partiels, ce théorème a été complètement établi en 1995 par le Britannique Andrew Wiles. Sa démonstration, d'une redoutable complexité, ne tenait absolument pas dans une marge.

20. En 1946, aux États-Unis, le salaire annuel moyen était d'environ 3 000 dollars.

21. Au laboratoire de Los Alamos, lors du premier essai nucléaire, Robert Oppenheimer aurait déclamé une phrase du *Mahâbhârata* : « Maintenant, je suis la Mort, le Destructeur des Mondes. » Kenneth Bainbridge, le responsable des essais, lui aurait rétorqué : « À partir de maintenant, nous sommes tous des fils de pute. »

22. Paul Adrien Maurice Dirac (1902-1984) a été l'un des fondateurs de la mécanique quantique, en particulier dans ses aspects mathématiques. Il a émis l'existence de l'antimatière. Il est lauréat, avec Erwin Schrödinger, du prix Nobel de physique de 1933, « pour la découverte de formes nouvelles et utiles de la théorie atomique ».

23. Hermann Broch (1886-1951), romancier et essayiste viennois, émigra aux États-Unis peu après l'Anschluss. Thomas Mann (1875-1955), Prix Nobel de littérature en 1929, fut déchu de sa citoyenneté allemande par le gouvernement nazi. Il s'installa à

Princeton dès 1939. Robert Musil (1880-1942), auteur de *L'Homme sans qualités*, optera pour la Suisse.

24. Réfugié au Brésil, l'écrivain autrichien Stefan Zweig s'est suicidé avec sa compagne le 22 février 1942. Proche d'Einstein, il lui dédicaça son essai sur Freud.

25. *Le Monde d'hier*, dernier ouvrage, autobiographique, de Stefan Zweig.

26. En 1946, Albert Einstein accepta la présidence de l'Emergency Committee for Atomic Scientists (Comité d'urgence des scientifiques atomistes) dont le but était de faire prendre conscience à l'opinion publique des dangers associés aux armes nucléaires. Ouvertement hostile au développement de la bombe H, le comité comprenait huit membres tous directement ou indirectement impliqués dans la conception de la première bombe atomique (« projet Manhattan »).

27. Einstein fut opéré en décembre 1948 d'un anévrisme de l'aorte abdominale. La célèbre photographie où il tire la langue fut prise à son retour de l'hôpital. Il la dédicaça à son chirurgien : « À Nissen mon ventre, au monde ma langue ».

28. En 1949, Gödel fournit un article pour une publication commémorative en l'honneur des soixante-dix ans d'Albert Einstein : « Remarques sur les relations entre la théorie de la relativité et la philosophie idéaliste ».

29. Des années plus tard, son ancien professeur Minkowski contribua à affiner les bases mathématiques de la relativité restreinte. Einstein concédera en 1916 que la formalisation plus « sophistiquée » de la théorie de la relativité restreinte par son ancien maître avait rendu « bien plus facile » sa découverte de la relativité générale. Mais ceci fait partie d'une autre histoire extrêmement complexe sur la (co)paternité desdites théories…

30. En 1992, le physicien Stephen Hawking formulera une « conjecture de la protection de la chronologie », pour exclure ces paradoxes bien encombrants. Le philosophe et logicien Palle Yourgrau la qualifiera de « conjecture anti-Gödel ».

31. En un raccourci fort acrobatique : pour les philosophes « réalistes », en opposition aux philosophes « idéalistes », le monde « externe » (ou des phénomènes comme le temps) a une

existence indépendante de notre conscience, connaissance, ou perception.

32. L'anecdote serait à l'origine du terme informatique « *bug* » (« insecte » en anglais). En 1946, l'ENIAC (acronyme de *electronic numerical integrator analyser and computer*) avait une capacité « équivalente » à 500 flops (*floating point operations per second* : opérations à virgule flottante par seconde. Le flops est une mesure commune de la vitesse d'un système informatique). En octobre 2010, le Tianhe-I, supercalculateur chinois, a atteint 2,5 petaflops (peta = 10^{15}). Des petits malins ont estimé la puissance de calcul d'un cerveau humain entre 10^{13} et 10^{19}. Leur extrapolation est basée sur le nombre de synapses et de connexions neuronales, mais l'âge du capitaine n'y est pas pris en compte.

33. Olga Taussky-Todd (1906-1995) : mathématicienne tchéco-américaine, membre du Cercle de Vienne et proche de Kurt Gödel.

34. Amalie Emmy Noether (1882-1935) : mathématicienne allemande, reconnue pour ses contributions révolutionnaires en algèbre abstraite et physique théorique. Elle est souvent considérée comme la femme la plus importante de l'histoire des mathématiques.

35. Hedy Lamarr (1914-2000) : actrice, productrice et inventeur. Avec son ami, le compositeur George Antheil, elle déposa le brevet d'un système de codage des transmissions appelé « étalement de spectre ». De nos jours, cette technique est utilisée, entre autres, par les systèmes de positionnement par satellites (GPS), et les liaisons sans fil (wi-fi).

36. Le mot *Dasein* en allemand induit les notions d'Être, de l'existence et de la présence. La *Daseinsanalyse* ou « analyse existentielle » est inspirée de la *Daseinsanalytik* du philosophe Martin Heidegger, lui-même influencé par la phénoménologie de son maître, Edmund Husserl. Hulbeck contribuera à l'Association onto-analytique new-yorkaise, son analogue américain. L'intérêt tardif de Gödel pour la phénoménologie de Husserl n'est peut-être pas sans rapport avec le parcours de son étrange thérapeute. L'auteure ne se hasardera pas à une définition de la phénoménologie en deux lignes.

37. Huelsenbeck, l'un des porte-parole du mouvement Dada, se qualifiait lui-même du titre : le « tambour de Dada ». Au *Cabaret*

Voltaire, taverne suisse où s'exprimaient les protagonistes de ce mouvement (Tristan Tzara, Jean Arp ou Sophie Taeuber), le futur psychanalyste déclamait ses vers en s'accompagnant d'une grosse caisse.

38. En 1951, Kurt Gödel fut le premier corécipiendaire (avec le physicien Julian Schwinger) du prix Albert Einstein, en reconnaissance de ses travaux sur la physique théorique. Il était doté d'une enveloppe de 15 000 dollars. Von Neumann (membre du jury avec Oppenheimer et Einstein...) lui fit un vibrant hommage, le qualifiant de « repère qui sera visible loin dans l'espace et dans le temps ».

39. Kurt Gödel est le premier logicien à avoir eu cet honneur, réservé aux plus éminents scientifiques.

40. Avec son ami Leó Szilárd (physicien lui-même pour le « projet Manhattan »), Einstein aurait déposé les brevets de plusieurs types de réfrigérateurs, dont un basé sur un système de « pompe électromagnétique ».

41. Edward Teller (1908-2003), physicien d'origine hongroise, affichait un anticommuniste viscéral. On lui attribue la paternité de la bombe H. Dans les années quatre-vingt, toujours aussi pacifiste, Teller sera l'un des soutiens du président Ronald Reagan à l'initiative du programme « Guerres des étoiles » (couverture satellite équipée de lasers antimissiles balistiques soviétiques).

42. Fait rarissime de la part d'une personnalité publique, Einstein osa s'opposer à McCarthy en publiant une lettre ouverte dans les journaux nationaux : « Tout intellectuel qui est appelé devant l'un des comités devrait refuser de témoigner. »

43. Le FBI monta un volumineux dossier sur Albert Einstein. Des sources douteuses y apportèrent quelques allégations croustillantes : il aurait inventé un robot capable de contrôler l'esprit humain, et l'un de ses fils aurait été pris en otage en URSS. Stimulé par le zélé Hoover, le service d'immigration diligenta une enquête vouée à déchoir Einstein de sa citoyenneté américaine et à le faire expulser des États-Unis.

44. La bombe A (bombe atomique ou bombe nucléaire) utilise l'énergie d'une réaction nucléaire de fission : les noyaux d'atomes lourds (par exemple, uranium et plutonium) libèrent de l'énergie

en se dégradant en noyaux de poids plus faibles. La bombe H (bombe à hydrogène ou bombe thermonucléaire) utilise un principe de fusion : de l'énergie est dégagée quand des noyaux atomiques légers (par exemple, l'hydrogène) s'assemblent pour former un noyau plus lourd (par exemple, l'hélium).

45. Petite friandise *geek* : le *Nachlass* de Leibniz contiendrait un article intitulé « Explication de l'arithmétique binaire, qui se sert des seuls caractères 0 & 1 », plus de deux siècles avant l'avènement de l'âge informatique.

46. Remarque de Paul Erdös, mathématicien contemporain de Kurt Gödel.

47. Citation d'Alain Connes, mathématicien français, Médaille Fields en 1982.

48. Roger Wolcott Sperry est un neurophysiologiste américain, Prix Nobel de médecine en 1981 pour ses travaux sur les connexions entre les hémisphères cérébraux.

49. Citation de Donald Ervin Knuth, informaticien et pionnier de l'algorithmique.

50. Leonard emprunte ici la paternité du système RSA : acronyme de Rivest, Shamir et Adleman, conçu en 1977. Incontournable, il est encore aujourd'hui utilisé pour le cryptage des échanges informatiques, des transferts bancaires aux simples e-mails. La découverte de nouveaux nombres premiers fait dorénavant l'objet d'un commerce lucratif : 150 000 dollars pour les premiers de 100 millions de chiffres et 250 000 dollars pour ceux de plus de 1 milliard.

51. D'après Simon Singh, *Histoire des codes secrets*.

52. Ce message a été décrypté dix-sept ans après sa parution par une équipe de 600 volontaires. La réponse était « *The magic words are squeamish ossifrage* » : « Les mots magiques sont de dégoûtants ossifrages. » L'ossifrage est une sorte de rapace, casseur d'os.

53. National Security Agency (Agence de sécurité nationale) : organisme gouvernemental américain chargé de collecter, analyser et surveiller les communications.

54. En 1954, un arrêté de la Cour suprême déclara anticonstitutionnelle la ségrégation dans l'éducation publique. Dans les

faits, il faudra de nombreuses années et bien des luttes avant que le processus de déségrégation profite à l'ensemble du système éducatif américain. Le premier étudiant noir de Princeton, Joseph Ralph Moss, avait gagné ce droit après avoir été démobilisé de la Navy en 1947. Il répondait au joli surnom de *« peat moss »* : « tourbe ». En 1965, David Blackwell (1919-2010) fut le premier mathématicien noir américain à être élu membre de l'Académie nationale des sciences aux États-Unis.

55. L'un des plus grands honneurs pour un scientifique américain. Les membres de la National Academy of Sciences sont considérés comme des conseillers pour la nation en science, en technologie et en médecine.

56. Emprunté à Karl Kraus, écrivain satiriste et pamphlétaire autrichien (1874-1936).

57. Edmund Husserl (1859-1938) était un philosophe, logicien et mathématicien allemand.

58. Wolfgang Pauli est mort à Zurich le 15 décembre 1958 d'un cancer du pancréas. À l'hôpital, il fit remarquer à l'un de ses visiteurs le numéro de sa chambre, le nombre 137. 1/137 est une « mesure » approchante d'alpha, ou « constante de structure fine », qui détermine la force électromagnétique assurant la cohésion des atomes et des molécules. Elle se calcule par l'interaction entre photon et électron. Un ultime exemple des synchronicités chères à maître Pauli. Mais, aux dernières nouvelles, elle ne serait malheureusement pas constante…

59. John von Neumann est mort le 8 février 1957, à cinquante-trois ans, d'un cancer des os, supposé dû à son exposition aux radiations lors des tests nucléaires. Son lit d'hôpital fut placé sous haute surveillance. Les services de renseignement craignaient de le voir divulguer des secrets militaires sous l'emprise des drogues antidouleur.

60. Il faudra attendre les années soixante-dix pour qu'une nouvelle génération de physiciens (dont Gabriele Veneziano et Leonard Susskind), en initiant la « théorie des cordes », contribue à proposer un modèle pour la gravité quantique. Mais, à ce jour, la Grande Unification, la « théorie du tout », demeure une magnifique baleine blanche.

61. Hans Albert Einstein a parlé de son père comme d'« un homme qui, par la combinaison de sa clairvoyance intellectuelle et de sa myopie émotionnelle, a laissé derrière lui une kyrielle de vies bien abîmées ».

62. Paul Joseph Cohen (1934-2007) a enseigné jusqu'à sa retraite en 2004. Il a reçu la médaille Fields en 1966.

63. Autre graal mathématique, l'*hypothèse de Riemann* conjecturée au XIXe siècle n'a toujours pas trouvé de démonstration universelle. Elle serait intéressante dans la connaissance de la répartition des nombres premiers, et, par conséquent, dans le domaine « sensible » du cryptage informatique.

64. Cohen fut l'initiateur d'une technique puissante et inédite en logique mathématique, dite de « forcing ». Cette méthode permettrait de montrer des résultats de consistance « relative ». Ne cherchons pas la migraine à pousser plus loin : le corps a, lui, ses limites.

65. Ce document, daté de 1970, est consultable dans le *Nachlass* de Kurt Gödel. Il ne comporte ni introduction, ni commentaire, ni explication du système modal (type de grammaire logique) utilisé. Bien qu'il n'y fasse pas référence, il semblerait que cette « preuve ontologique » soit basée sur l'argument de saint Anselme (théologien du XIe siècle), sur les travaux de Descartes et de Leibniz.

66. « On est bien sûr aujourd'hui très loin de fonder scientifiquement la vision théologique du monde, mais je crois que l'on pourrait, dès à présent, reconnaître de manière purement rationnelle (sans s'appuyer sur la foi en une religion quelconque) que la vision théologique du monde est parfaitement compatible avec tous les faits connus (y compris les objets qui règnent sur notre terre) » (Kurt Gödel, lettre à Marianne Gödel).

Note de l'auteur

Si ce roman est avant tout une fiction, je me suis attachée, par respect pour la mémoire d'Adèle et de Kurt Gödel, à être méticuleusement fidèle aux événements biographiques, historiques et scientifiques à ma portée. Les spécialistes y décèleront, sans nul doute, des imprécisions, des erreurs et moult raccourcis éhontés.

Cette histoire est une vérité parmi d'autres : un tricotage de faits objectifs et de probabilités subjectives. Adèle et Kurt habitaient bien la même rue en 1927. Qu'ils s'y soient rencontrés me paraît très vraisemblable. Qu'Adèle ait séduit Kurt est une évidence, qu'il lui ait donné une leçon de logique l'est beaucoup moins. Qu'ils aient partagé une pomme dans un lit est une licence poétique. Qu'elle ait été autorisée à s'occuper de Kurt et à côtoyer Morgenstern au sanatorium est une supposition. Qu'elle l'ait nourri à la petite cuillère est une vérité. Que sa belle-mère ait été une gorgone est fort probable ; qu'elle l'ait incitée à épouser son fils, beaucoup moins. Qu'Adèle ait été enceinte à leur mariage est une pure invention, mais qu'elle ait sauvé son mari sur les marches de l'université à coups de parapluie est une anecdote réelle. Qu'ils aient eu froid et peur dans le Transsibérien me semble logique. Qu'Adèle ait apprécié la tempura japonaise est bien naturel, qui ne l'apprécie pas ? Que le logicien se soit plaint du vol de la clef de sa malle a été raconté par la brave dame Frederick. Que Pauli et Einstein aient eu un faible pour la cuisine autrichienne est une supposition, mais « l'effet Pauli » est une blague scientifique bien connue ; le soufflé d'Adèle ne s'en serait pas remis. Qu'Einstein et Gödel se soient promenés bras dessus bras dessous chaque jour est un fait historique. Que le génie de la relativité ait souffert de sudation excessive également. Tous ses biographes s'accordent sur son penchant et sa rudesse pour la gent féminine, moins sur son intérêt pour la lessiveuse relativiste. Les amateurs identifieront sans peine les citations et aphorismes qui lui sont attribués. La scène de la citoyenneté a été relatée par M. Morgenstern lui-même. Qu'ils aient asticoté Kurt dans la voiture est une conjecture défendable. Sur les relations amicales d'Adèle, peu de sources, mais quelques indices documentaires sur Lili von Kahler laissent deviner une personne très attachante. Son amitié avec Albert est, elle, incontestable. Qu'Adèle se soit mise en colère après son mari ne peut être récusé ; on l'aurait été à moins. Que M. Hulbeck ait été un drôle d'hurluberlu et qu'il ait joué du tam-tam est attesté par des documents ; qu'il conspue Goethe et la culture allemande classique me semble une possibilité dada cohérente. Theolonius Jessup est, lui, une pure invention. Quoique. Les Oppenheimer ont effectivement été persécutés par McCarthy et Albert Einstein était sur écoute ; que Kurt Gödel ait été suivi par le

FBI est donc hautement probable. Que les Gödel aient pratiqué des jeux de transmission de pensée est une anecdote réelle. Une biographie relate bien qu'un réalisateur a tenté d'approcher le génie reclus. J'ai préféré y voir la trace de maître Kubrick. Que le jeune Paul Cohen soit venu siroter de l'eau chaude chez le vieux maître est une facilité narrative. Qu'il se soit pris une porte au nez, une vérité historique. Que M. Gödel soit mort de faim est une triste certitude ; qu'Adèle n'ait pas voulu léguer ses archives, une entorse à la réalité. Le *Nachlass* a été confié à la bibliothèque Firestone de Princeton par sa veuve. Il représente un volume d'environ neuf mètres cubes. Qu'ils se soient aimés pendant plus de cinquante ans m'apparaît comme une vérité évidente en soi.

Anna, Anna la rousse, Leonard, Calvin et Virginia Adams, Pierre Sicozzi, Ernestine, Lieesa, Gladys, Jack, Rachel, George et tous les figurants sont, dans cette dimension, de pure fiction.

Remerciements

Merci à Cheryl et John Dawson pour leur travail immense et leur infinie gentillesse. Merci à mon amour d'y avoir cru bien avant moi. Merci à mes enfants de m'avoir laissé, de temps en temps, du temps pour écrire. Merci à ma mère de m'avoir donné le goût des livres. Merci à mon frère de m'avoir initiée au monde *geek*. Merci à Stephen C., mon éditeur, pour sa confiance et son martinet. Merci à Simon D. pour ses explications lumineuses sur l'*hypothèse du continu*. Merci à Anne S. pour son soutien depuis l'état fœtal de ce livre. Merci à Maxime P. pour son enthousiasme pertinent. Merci à Philippe B. pour sa table de ping-pong. Merci à Emmanuelle T. pour toutes nos conversations de filles. Merci à Dan et Dana K. pour leur lumière. Merci à Marinela et Daniel P. pour leurs bonnes ondes. Merci à Thérèse L. pour sa théorie du « Comme tu es fort ». Merci à Axelle L. d'avoir été un si joli point d'inflexion. Merci à Tina G., Martina et Alex T., Aurélie U., Katherin K. et Christian T. pour les traductions autrichiennes et allemandes. Merci à tous les amoureux des mathématiques du Net, sans vous, ce livre n'aurait pu exister. Merci à Adèle. J'aurais aimé vous rencontrer, madame.

Pour aller plus loin
Bibliographie non exhaustive

Logical Dilemmas : The Life And Work of Kurt Gödel, John W. Dawson (non traduit), A. K. Peters, 1997.

Reflections on Kurt Gödel, Hao Wang (non traduit), A Bradford Book The Mit Press, 1987.

Les Démons de Gödel : logique et folie, Pierre Cassou-Noguès, Seuil, « Science ouverte », 2007.

Einstein/Gödel. Quand deux génies refont le monde, Palle Yourgrau, Dunod, 2005.

Gödel, Pierre Cassou-Noguès, Les Belles Lettres, 2004.

Gödel, Escher, Bach : les brins d'une guirlande éternelle, Douglas Hofstadter, Dunod, 1985.

Histoire des codes secrets. De l'Égypte des pharaons à l'ordinateur quantique, Simon Singh, Étude, Poche, 2001.

Le Génie et la Folie, Philippe Brenot, Odile Jacob, 2007.

Il était sept fois la révolution, Albert Einstein et les autres... Étienne Klein, Flammarion, « Champs sciences », 2008.

Kurt Gödel : The Album, Karl Sigmund, John Dawson et Kurt Mühlberger, Vieweg, 2006.

Biographies, autobiographies et fictions

Le Monde d'hier, Stefan Zweig, Ldp, 1996.

Le Tournant, Klaus Mann, Actes Sud « Babel », 2008.

Einstein, Jacques Merleau-Ponty, Flammarion, « Figures de la science », 1997.

Einstein. Le génie, l'homme, Denis Brian, Robert Laffont, 1996.

Alan Turing, l'homme qui a croqué la pomme, Laurent Lemire, Hachette Littérature, 2004.

Comment je vois le monde, Albert Einstein, Flammarion, « Champs », 1999.

L'Aleph, Jorge Luis Borges, Gallimard, « L'Imaginaire », 1977.

Articles

« Gödel. Adieu, Vienne », Gianbruno Guerrerio, *Les Génies de la science*, n° 20.

« Dieu existe-t-il ? », Gianbruno Guerrerio, *Les Génies de la science*, n° 20.

« Gödel déchiré », Gianbruno Guerrerio, *Les Génies de la science*, n° 20.

« Gödel le difficile », Gianbruno Guerrerio, *Les Génies de la science*, n° 20.

« Entre éloges et critiques », Gianbruno Guerrerio, *Les Génies de la science*, n° 20.

« En quête de la perfection », Gianbruno Guerrerio, *Les Génies de la science*, n° 20.

« Imaginer l'infini, ou le découvrir ? », Jean-Paul Delahaye, *Pour la Science*, n° 370.

« De la machine de Turing à l'ordinateur », Jean Lassègue, *Les Génies de la science*, n° 29.

« La machine de Turing », Jean Lassègue, *Les Génies de la science*, n° 29.

« Brouwer et Gödel : deux frères ennemis », Mark van Atten, *Dossier Pour la Science*, n° 49.

« Leibniz, le penseur de l'universel », Massimo Mugnai, *Les Génies de la science*, n° 28.